Wie ist es dazu gekommen, daß in Jerusalem deutsche Bauten den Ölberg und den Sion überragen, daß in unmittelbarer Nachbarschaft der Grabeskirche die deutsche Erlöserkirche steht, daß es in Bethlehem neben der Geburtskirche eine deutsche Weihnachtskirche gibt, daß man in Emmaus und anderen biblischen Orten auf deutsche Relikte und Traditionen stößt?

Während eines fünfjährigen Aufenthalts im Nahen Osten hat der Verfasser festgestellt, daß nahezu alles, was Deutsche im Heiligen Land gefunden und verloren, gewonnen und verspielt haben, auf irgendeine Weise mit den Ansprüchen und den Zielen hohenzollerischer Könige und Kaiser verknüpft ist. Preußisch-protestantischer Geltungsdrang und kaiserliches Großmachtstreben im Zweiten Deutschen Reich vermengten scheinheiliges Gottesgnadentum, protzende Militärgesinnung und kolonialistischen Handelsgeist.

Erstmals in einer Gesamtschau folgt das Buch dem politisch-religiösen Kreuzweg von den Anfängen preußischer Interessen im Orient bis zum Ende imperialistischer Berlin-Bagdad-Träume. Zu den wichtigsten Stationen zählen die Gründung eines englisch-preußischen Bistums Jerusalem, das Entstehen deutscher Gemeinden in Palästina sowie die Jerulem-Reisen des Kronprinzen Friedrich Wilhelm (1869), des Kaisers Wilhelm II. (1898) und des Prinzen Eitel Friedrich (1910). Unter die handelnden Personen mischen sich Träger bekannter Namen, die zu verwirklichen versuchen, was Militärberater, Judenmissionare und Diplomaten vorbereitet hatten.

So entstand aus offenliegenden und verschütteten Bruchstück[...] Jerusalem«, wie der [...] Mosaik deutscher Ge[...] aber auch ein aufsc[...] Hintergrund zu den [...] im östlichen Mittelme[...]

Erwin Roth
Preußens Gloria im Heiligen Land

Erwin Roth

Preußens Gloria
im Heiligen Land

Die Deutschen und Jerusalem

Verlag Georg D. W. Callwey München

ISBN 3 7667 0264 5
© 1973 by Verlag Georg D. W. Callwey, München
Alle Rechte vorbehalten, auch die des auszugsweisen Abdrucks,
der fotomechanischen Wiedergabe und der Übersetzung
Schutzumschlag: Baur + Belli Design, München
Gesamtherstellung: Parzeller & Co., Fulda
Printed in Germany

Inhalt

7 Vorwort

11 Einführung: Majestät brauchen Sonne
Dominus flevit   11

19 Im Namen der Reformation
Wallfahrer zum Grab des Herrn   19
Ein Kapitol für Preußens Kirche   35
Englisch-preußisches Bistum Jerusalem   48
Der evangelische Patriarch   63
Für König und Vaterland   79
Neues Volk im Deutschen Tempel   94

105 Deutschland über alles
Eigener Grund und Boden   105
Von Versailles ins Heilige Land   115
Makler der orientalischen Frage   125
Träger einer Kulturmission   132
Mit dem Pfunde wirtschaften   142

153 Kaiser im Heiligen Land
Zum kranken Mann am Bosporus   153
Mehr als eine mobile Division   163
Euerer Majestät Befehl der Weihe   175
Für Meine katholischen Untertanen   187
Nur durch deutsche Kolonisten   204
Dreihundert Millionen Mohammedaner   212
An deutschem Wesen   220
Ein bißchen Theatercoup   230

243 Vom Rhein zum Jordan
   Die neue Johanniterburg 243
   Ein deutscher Mariendom 253
   Im Gästebuch von Emmaus 259
   Alleinvertretung im Heiligen Land 268
   Days of Paradise 274
   Die abgefallene Krone 285

298 Bildnachweis

299 Quellen- und Literaturnachweis

303 Register

Bei den biblischen Namen wurden je nach dem dargestellten Zusammenhang die Eigenheiten der evangelischen und der katholischen Schreibweise (zum Beispiel Zion und Sion) berücksichtigt.

Vorwort

»Die Geschichte ist ein Alptraum,
aus dem ich zu erwachen versuche.«

James Joyce

Die ebenso tröstliche wie entmutigende Erkenntnis, daß »alles schon dagewesen« sei, wird dem weisen Rabbi Ben Akiba zugeschrieben, der vor neunzehnhundert Jahren in Palästina lebte und über den Lauf der Welt nachdachte. Auch was das vorliegende Buch betrifft, kann man ihm schwerlich widersprechen: Es ist im wesentlichen ein Erlebnis- und Erfahrungsbericht, obwohl sein Inhalt zu dem Zeitpunkt endet, da der Verfasser erst geboren wurde. Es handelt von längst vergangenen Unternehmungen Preußens im Orient und von dem »deutschen Jerusalem« der regierenden Hohenzollern, aber es verdankt die kräftigsten Anstöße und wichtigsten Anregungen den preußisch-deutschen Relikten und hohenzollerischen Traditionen, denen man im Heiligen Land noch immer begegnen kann.

Der Verfasser hatte Gelegenheit, während eines beruflichen Aufenthalts im Nahen Osten — von Zufallsentdeckungen ermuntert und von Landsleuten unterstützt — fünf Jahre lang nach offenliegenden und verschütteten Resten des »deutschen Jerusalem« zu suchen. Je mehr Bruchstücke er dabei fand und je häufiger er sie aneinanderfügte, um so nachdenklicher stimmte ihn das Resultat: Es entstand ein Mosaik deutscher Geschichte, die Darstellung einer Nebenstraße und eines Nebenschauplatzes zwar, jedoch ein Bild voller Lichtpunkte und Schatten, die für den Aufstieg und den Niedergang des größeren Ganzen typisch sind.

Die kritische Auswertung der Quellen empfahl die Form eines Lesebuchs, das sich so oft wie möglich auf wörtliche Überlieferungen stützt, auf das Zitat also, das Leopold von Ranke eine Illustration, ein Zeugnis und eine Stimme der Zeit selbst genannt hat. Zwangsläufig rücken die wiedergegebenen Aussagen und Betrachtungen in einen neuen Zusammenhang, weil sie so vielen unveröffentlichten und veröffentlichten Urkunden, Aktenstücken, Briefen, Diarien und Jahresberichten, so weit verstreuten Chroniken, Festschriften, Gästebüchern, Gedenktafeln und Forschungsarbeiten entstammen, daß man ihrer nur habhaft werden kann, wenn man sie im wahrsten Sinne des Wortes »zusammenliest«.

Die historische Leitlinie hält sich an die Regierungszeiten mehrerer Hohenzollern, mit Kaiser Wilhelm II. als der markantesten Figur und seiner Jerusalemreise von 1898 als dem aufschlußreichsten Ereignis. Station für Station folgt sie einem politisch-religiösen Kreuzweg, der – von Militärberatern und Judenmissionaren eröffnet – unaufhaltsam in ein Debakel von Übermaß und Unmaß mündete. Zeitgenossen schildern den brandenburgisch-preußischen Geltungsdrang, den Groß-machttaumel des Zweiten Reiches und das feudalistische Zeremoniell einer Kaiserherrlichkeit, die scheinheiliges Gottesgnadentum, prot-zende Militärgesinnung und kolonialistischen Handelsgeist zu der Illusion von Glanz und Gloria vermengte; sie beleuchten vor allem die »schillernde Widersprüchlichkeit« des letzten deutschen Kaisers und unterstreichen zugleich das Eingeständnis des Zeugen Walther Rathenau: »Dies Volk in dieser Zeit, bewußt oder unbewußt, hat ihn so gewollt, nicht anders gewollt, hat sich selbst in ihm so gewollt, nicht anders gewollt.«

Eine weit zurückliegende Zeit? Sicherlich, denn der Reichsgründer Otto von Bismarck war erst drei Monate tot und die »Wilhelminische Ära« erst zu einem Drittel vorbei, als der 39 Jahre alte Wilhelm II. seinen pompösen Einzug in die Heilige Stadt hielt. Doch weil Ge-schichte Vergangenheit, Gegenwart und Zukunft einschließt, gehörten zu »diesem Volk« von 1898 bereits jene Nachfolger des Kaisers, die das 1918 geschlagene und 1945 zerschlagene Deutschland weiterregie-ren sollten: Ebert zählte 27, Hindenburg 51 und Hitler 9 Jahre; Heuß war 14 und Lübke 4, Pieck 22 und Ulbricht 5 Jahre alt. Über fließende historische Grenzen hinweg dauern Menschen und Ideen fort – auch der gescheiterte »Führer« überlebte den abgedankten Monarchen, den das »Großdeutsche Reich« noch mit einer Trauerparade ehrte, nur um 47 Monate.

Deutsche Geistliche, Mönche und Schwestern, Wissenschaftler, Leh-rer und Sozialpraktiker führten auf biblischem Boden weiter, was ihnen zwei verlorene Weltkriege hinterlassen hatten. Hinter ihnen standen wie eh und je deutsche Vereinigungen mit klangvollen Na-men, so die Balley Brandenburg des Ritterlichen Ordens St. Johannis vom Spital zu Jerusalem, deren Herrenmeister bis auf den heutigen

Tag eine »Königliche Hoheit«, ein Prinz von Preußen, ist. Hilfe erhielten sie aber auch von der Bundesrepublik Deutschland, die in die Nachfolge des Deutschen Reiches und damit in widersprüchliche Verpflichtungen gegenüber den Erben des »deutschen Jerusalem« eintrat. Sie finanzierte nicht nur die Entschädigungen für in Israel enteignetes deutsches Vermögen, wozu sie das Luxemburger Wiedergutmachungsabkommen von 1952 verpflichtete; sie förderte seit 1962 auch »entwicklungswichtige Vorhaben der christlichen Kirchen« im jordanischen Teil des Heiligen Landes, wo wiederum Israel im Sechstagekrieg von 1967 auf alt-neue deutsche Einrichtungen stieß, und sie gewährte in jüngster Zeit ihren Beitrag, damit Kaiser Wilhelms Jerusalemer Erlöserkirche gründlich renoviert und am Reformationsfest 1971 wiedergeweiht werden konnte.

Keiner Generation ist es vergönnt, sich aus der Geschichte zu entlassen. Irrtümer können eingesehen und Fehler verziehen, aber nicht aus der Welt geschafft werden. Vergangenheit kann man verdrängen und bewältigen, aber nicht ungeschehen machen. Freimütig hat deshalb die Evangelische Kirche in einer Studie ihrer Kammer für öffentliche Verantwortung bekannt, daß der deutsche Protestantismus, der durch eine lange Geschichte im Guten wie im Bösen mit dem politischen Weg Deutschlands verbunden sei, seinen Anteil an Schuld und Verstrickung des deutschen Volkes nicht leugnen könne.

Die Chronik des »deutschen Jerusalem« ist kein Ruhmesblatt für den Bund von Thron und Altar. Sie weist allerdings auch nach, daß Mißbräuche mit den Begriffen Vaterland und Religion, Reich und Kirche, Weltgeltung und Weltmission nicht spezifisch deutsche Sünden sind. Im selben Mittelmeergebiet, wo einst die Hohenzollern die Religion ins Spiel brachten, um die christlichen Konkurrenten Rußland, Großbritannien und Frankreich auszustechen, ringen jetzt andere Großmächte mit anderen Vorzeichen um Einfluß und Macht. Seit Jahren kreuzen die Sechste US-Flotte und die Sowjet-Eskader vor der Küste des Heiligen Landes — dort, wo ein altes Europa seinen Nahen Osten, ein neues Asien aber seinen Fernen Westen sieht!

. . . und Ben Akibas »Alles schon dagewesen« bestätigt sich täglich aufs neue.

Los Angeles, im Mai 1973   Erwin Roth

Einführung

Majestät brauchen Sonne

> »Alles menschliche Tun und Lassen
> hängt von dem religiösen Begriff ab,
> in welchem man lebt.«
>
> Leopold von Ranke

Dominus flevit

Im Kedrontal, zu Füßen des Ölbergs und des Tempelplatzes von Jerusalem, hat das zwanzigste Jahrhundert dem Geist des neunzehnten ein Denkmal gesetzt. Hochtrabend wird es »Kirche der Nationen« genannt, obgleich seine Säulen, Bogen und Kuppeln eine der tristesten Gedenkstätten des Neuen Testaments überdecken — den Felsen der Todesangst Christi. Strahlt die Sonne vom südlichen Himmel, fällt der Schatten des Gebäudes auf die alten Ölbäume des Gartens Gethsemani.

Kein Zweifel, das architektonisch mißlungene Gotteshaus ist ein Fremdkörper im Landschaftsbild der Heiligen Stadt. Doch das unglückliche Gemisch aus abend- und morgenländischen Stilelementen entbehrt nicht eines tieferen Sinns: Über den Fundamenten zerfallener Kirchen, die schon zu Zeiten frühbyzantinischer Kaiser und mittelalterlicher Kreuzfahrer gebaut worden waren, symbolisiert es höchst augenscheinlich den jahrtausendelangen und noch immer unentschiedenen Konflikt zwischen Orient und Okzident.

Der latente Spannungszustand kommt auch in der unmittelbaren Umgebung der Kirche zum Ausdruck. Hinter hohen Mauern verteidigen die Christen des Westens und des Ostens ihre biblischen Gärten der Ölkelter — hier den römisch-katholischen »Hortus Gethsemani«, dort den russisch-orthodoxen »Gethsemanija Sad«.

Zwischen den Mauern, die nicht nur Gärten, sondern auch Herzen trennen, führt ein steiniger Pfad den Ölberg hinauf zu der Kirche »Dominus flevit«, zu dem stillen Platz, wo »der Herr weinte«, als er auf seinen letzten Wegen über das Kedrontal hinweg mit Jerusalem Zwiesprache hielt: »Es werden Tage über dich kommen, da werden deine Feinde einen Wall um dich aufwerfen, dich umzingeln und

rings umdrängen; sie werden dich niederwerfen, deine Kinder zu
Boden schmettern und keinen Stein in dir auf dem andern lassen.«
Auf die Kalksteinmauer des abschüssigen Kirchplatzes stützt sich
ein Professor in der braunen Kutte des Franz von Assisi, ein »Berliner
aus Breslau«, früher Protestant und Aufklärungsflieger des Zweiten
Weltkriegs, später Theologe und Archäologe einer in das Heilige
Land verlegten Hochschule der römischen Studienkongregation. Von
der Stelle »Dominus flevit« im Neuen Testament ausgehend erläutert er einer Gruppe deutscher Besucher das verwirrende Auf und Ab
in den vergangenen zweitausend Jahren der Geschichte Jerusalems.

Mit weitausholender Handbewegung zeichnet der Pater das Bild
der Stadt nach, wie es sich in den letzten hundert Jahren entwickelt
hat, und staunend hören die Gäste aus Deutschland, daß es deutsche
Gebäude sind, die das großartige Panorama der Altstadt flankieren:

auf dem Berg Sion die katholische Rundkirche Dormitio Beatae
Mariae Virginis im Stil des Aachener Münsters und der Pfalzkapelle
Karls des Großen, wo am Grabe des ersten fränkischen Kaisers sieben
Jahrhunderte lang deutsche Könige gekrönt wurden;

auf dem Ölberg die evangelische Auguste-Viktoria-Stiftung mit der
Himmelfahrtskirche, ein nach der letzten deutschen Kaiserin benann-
ter Gebäudekomplex, der den Burgen hohenstaufischer Herrscher und
Kreuzfahrer nachempfunden ist.

In der Mitte zwischen beiden, nicht weit von der Grabeskirche, dem
ehrwürdigsten Heiligtum der Christenheit, ragen über das orientalische
Häusergewirr der strenge Glockenturm der deutschen evangelischen
Erlöserkirche und die festungsartigen Mauern des deutschen katholischen Paulus-Hospizes empor.

Die deutschen Kapitel der Geschichte Jerusalems mischen Erinnerungen an gekrönte Häupter der Karolinger, der Staufer und der
Hohenzollern. Die stattlichen Bauten, die als Denkmäler wirklicher
oder vermeintlicher Größe zwei Weltkriege und drei israelisch-arabi-
sche Kriege überdauert haben, gehen jedoch alle auf die Zeit des
letzten deutschen Kaisers zurück.

Verhältnismäßig spät griffen das Königreich Preußen und das
Deutsche Reich in den leidenschaftlichen Wettstreit der Nationen um
das Heilige Land ein. Trotzdem erzielte Wilhelm II. dank der gründ-
lichen Vorarbeit seiner Ahnen und dank seiner guten Beziehungen
zum osmanischen Beherrscher Palästinas die eindrucksvollsten Erfolge.

Der Kaiser wußte, weshalb ihm jeder Meter geweihten Bodens

teuer war: In Jerusalem konnte er seine kühnen Träume vom Gottesgnadentum der Hohenzollern, von der Führungsaufgabe des protestantischen Preußen, von der Wiedergeburt der mittelalterlichen Kaiseridee und von der Weltgeltung des Zweiten Deutschen Reiches zu
Ende träumen. Das spöttische Wort »Majestät brauchen Sonne«, das
die Höflinge des selbstgefälligen Monarchen einander zuflüsterten,
bestätigte sich nirgends deutlicher als unter der hellen Sonne Jerusalems.

Die 1955 geweihte Kirche »Dominus flevit« ist dem Franziskaner-
Architekten Barluzzi besser gelungen als die pompöse »Kirche der
Nationen«, die er drei Jahrzehnte früher entwarf. Nach dem Zweiten Weltkrieg baute er nicht mehr so aufwendig wie am Ende des
Ersten; er begnügte sich mit einer schlichten, hochaufragenden Kup-
pelkonstruktion, die auch in den Details der Würde des Platzes an-
gemessen ist.

Im Inneren des Gotteshauses stellt ein Mosaik vor der Mensa des
Altars die Henne mit den Küchlein dar – das vielgebrauchte Gleich-
nis aus Jesu Klage über Jerusalem: »Wie oft wollte ich deine Kinder
sammeln, wie eine Henne ihre Küchlein unter den Flügeln sammelt
– ihr aber habt nicht gewollt! Nun wird euch euer Haus als öde
Stätte bleiben. Denn ich sage euch, ihr sollt mich künftig nicht mehr
sehen, bis ihr rufet: Gepriesen sei, der da kommt im Namen des
Herrn!«

Am 29. Oktober 1898 erschallt vor den Mauern Jerusalems dieser
Ruf aus dem Buch der Psalmen. Unter einem prächtigen Triumphbogen, von der Gemeinde der Juden errichtet und mit goldbestick-
ten seidenen Decken behängt, singen Kinder deutsch-jüdischer Schulen
ein Lied, dessen neun Strophen mit den Worten enden, die auch auf
einem Spruchband über der Ehrenpforte zu lesen sind: »Gepriesen
sei, der da kommt im Namen des Herrn!«

Der Gepriesene kommt hoch zu Roß, in Gala-Tropenuniform mit
dem Bande des Schwarzen-Adler-Ordens und mit einem weißen
Seidenschleier am funkelnden Helm. Er reitet durch fünf Triumphbogen mit Inschriften in deutscher, hebräischer, türkischer und arabischer Sprache, begrüßt von einer dichtgedrängten Menschenmenge und
von türkischen Militärkapellen, die ununterbrochen fremdartig klin-
gende Melodien schmettern: »Heil dir im Siegerkranz«, »Tochter
Zion, freue dich«, »Die Wacht am Rhein«.

Die Luft ist heiß und klar, als sich ein langer Festzug von einem

fürstlichen Zeltlager außerhalb der Altstadt zum Jaffator bewegt,
voraus vier Beduinenscheiche mit Straußenfedern an den Lanzen, da-
hinter osmanische Kavalleristen und Fußsoldaten, uniformierte Ka-
wassen deutscher Auslandsvertreter, preußische und syrische Leib-
gardisten, Standartenträger, Generäle, Flügeladjutanten und zahlreiche
Honoratioren, die sich um den Ehrengast und seine Gemahlin scharen. Am Triumphbogen der Juden tritt aus den Reihen der spalier-
bildenden Soldaten und Geheimpolizisten ein alter Mann im dunklen
Kaftan und überreicht dem gefeierten Reiter ein Schriftstück, das mit
den Zeilen beginnt:

»In der Völker Zahl, die heute jubelnd Deinen Einzug grüßen,
Mit Posaunenschalle jauchzend Dir entgegenwallen,
Gewähr, o Kaiser, umstrahlt von des Himmels hehrer Weihe,
Daß auch Judäas Söhne huldigend Dir nahen,
Ehrfurchtsvoll grüßend aus innerster Brust!«

Der gemeindeälteste Rabbiner, in der Hand die vergoldete Gesetzes-
rolle, schließt eine hebräische Ansprache mit dem Gebet: »O Ewiger,
Allmächtiger, der Du Könige einsetzest und ihnen Majestät und
Ruhmeskrone verleihst, Du hast in Deiner großen Gnade die Edlen
aus dem Hause der Hohenzollern auserwählt, vor Dir zu regieren.
Du hast sie geschmückt mit Glanz und Majestät und auf ihr Haupt
die Kaiserkrone gesetzt. Denn Du, der Du die Nieren prüfst und das
Herz, sahst ihrer Herzen Lauterkeit und ihrer Gesinnungen Adel. In
Recht und Gerechtigkeit regieren sie ihre Völker, mit dem Geiste der
Liebe und Milde leiten sie alle ihre Untertanen. In ihrem Reiche
trifft Israel kein Ungemach, kein Wehe.«

Dann preist der Schülerchor zum neuntenmal den Herrscher aus
Europa, der zwei Tage später in der Nachbarschaft der Grabeskirche
ein evangelisches Gotteshaus einweiht und auf dem Berg Sion der
Bevölkerung Jerusalems stolz verkündet: »Ich, Wilhelm der Zweite,
Deutscher Kaiser und König von Preußen, übernehme hiermit nun-
mehr dieses Terrain.«

In der umstrittensten Stadt der Erde, die von Juden, Christen und
Muslimen als »die Heilige« verehrt und begehrt wird, unterstrich der
Hohenzoller durch sein persönliches Auftreten, was er nur acht
Monate zuvor bei der Vereidigung von Marinerekruten in Wilhelmshaven ausgerufen hatte: »Wo der deutsche Aar Besitz ergriffen und
die Krallen in ein Land hineingesetzt hat, das ist deutsch und wird
deutsch bleiben!«

Mit Vorliebe zitierte der Kaiser aus dem Alten Testament die Sätze, mit denen der Prophet Jesaja seine Vaterstadt Jerusalem verherrlichte: »Ausländer bauen deine Mauern auf, und ihre Könige weihen dir ihren Dienst; denn in meinem Grimme schlug ich dich zwar, doch in meiner Huld erbarmte ich mich dein.« Der erste Fürst des Deutschen Reiches und mächtigste Inhaber eines evangelischen Kirchenregiments, der nun Grundbesitzer in Jerusalem und Bauherr einer eigenen Erlöserkirche war, fühlte sich wirklich, wie er zu sagen pflegte, als das »ausgewählte Rüstzeug des Herrn« und als der Träger des »Königtums von Gottes Gnaden, was ausdrückt, daß Wir Hohenzollern Unsere Krone nur vom Himmel nehmen . . .«

Kirchen und Hospize, Schulen und Waisenhäuser, Gaststätten und Bankgebäude, Handwerksbetriebe und Bauernhöfe, Krankenanstalten und Gräber bezeugen nur noch eingeweihten Besuchern das einst rege Leben im »deutschen Jerusalem«. Auf einige der Bauten und der Überreste blickt man durch das Altarfenster der Kirche »Dominus flevit«. Ein kunstgeschmiedetes Gitter bildet den Rahmen um das lebendigste Altarbild der Erde, um ein Porträt der Heiligen Stadt, wie es Oskar Kokoschka Ende der zwanziger Jahre in Öl auf Leinwand festgehalten hat. Doch die deutschen Eckpfeiler Dormitio Mariae und Kaiserin-Auguste-Viktoria-Stiftung sucht man auf seinem Gemälde vergebens. Auch die »Kirche der Nationen« ließ der Künstler weg, wohl weil er ahnte, daß dieser Bau nicht halten konnte, was seine Initiatoren, eingedenk einer Bitte Jesu, erhofft hatten: »Daß alle eins seien, wie Du, Vater, in mir und ich in Dir.«

Mehrere Kuppeln der dreischiffigen Gedenkstätte enthalten goldschimmernde Mosaikkompositionen aus Wappen und Inschriften, mit denen sich die Nationalstaaten nach dem Ersten Weltkrieg verewigen wollten, unter ihnen auch Deutschland, das sich soeben von seiner schweren Niederlage zu erholen begann. Ein Legat des Papstes Pius XI. weihte 1924 den Neubau als »Basilika der Todesangst Christi«; doch bei einheimischen Fremdenführern und ausländischen Pilgern setzte sich die andere Bezeichnung durch. Sollte sie bekunden, daß man für ein Denkmal der Nationen keinen geeigneteren Standort hätte wählen können?

Im Garten Gethsemani, berichten die Evangelien, traf der blutschwitzende Erlöser, als seine Seele zu Tode betrübt war, die zum Wachen und Beten angehaltenen Jünger dreimal hintereinander schlafend an. Hier entgegnete er dem mit unerschütterlicher Treue prahlenden Petrus: »Noch heute nacht, ehe ein Hahn zweimal gekräht, wirst du mich dreimal verleugnen.« Hier erwartete er den Judas, einen von den Zwölfen, der für bares Geld den Menschensohn mit einem Kuß verriet. Und hier befahl er seinem ersten Stellvertreter auf Erden, das Schwert in die Scheide zu stecken — »denn alle, die zum Schwerte greifen, werden durch das Schwert umkommen«.

Fast zwei Jahrtausende mußten vergehen, ehe zum erstenmal ein Nachfolger des Apostels Petrus den Garten Gethsemani betrat und am Felsen der Todesangst Christi um Vergebung der Sünden betete. Damals, im Januar 1964, geschah es in Jerusalem, daß die Repräsentanten der westlichen und der östlichen Kirche, die nach neunhundertjähriger Entfremdung zwischen Rom und Konstantinopel den Bruderkuß austauschten, von deutscher Seite auch mit dem kaiserlichen Schutzherrn der Protestanten konfrontiert wurden. Die Zeitschrift »Im Lande der Bibel«, die vom Jerusalemsverein in Berlin »zur Information über evangelische Arbeit im Heiligen Lande« herausgegeben wird, meldete nach den kirchengeschichtlich bedeutsamen Tagen, der deutsche Propst habe »anläßlich eines Empfanges in der Apostolischen Delegation Papst Paul VI. den Sonderdruck der Ansprache Kaiser Wilhelms II. bei der Einweihung der Erlöserkirche 1898« und »das gleiche Dokument Patriarch Athenagoras nach einem halbstündigen Gespräch im griechisch-orthodoxen Patriarchat überreicht«.

Im Mai 1965 — 47 Jahre nach dem Ende des Kaiserreichs, das nur 47 Jahre bestanden hatte — konnte man den letzten regierenden Hohenzollern in Jerusalem, Bethlehem und anderen Orten des Heiligen Landes sogar für den Schirmherrn aller Deutschen halten. Als Jordanien die diplomatischen Beziehungen zur Bundesrepublik Deutschland abbrach, weil deren Regierung mit Israel den Austausch von Botschaftern vereinbart hatte, mußten aus dem Blickfeld der Araber nur die Flagge und das Hoheitszeichen der Bundesrepublik, nicht aber die Farben und die Symbole des Deutschen Reiches verschwinden. Der Bundespräsident war nicht länger vertreten, der Kaiser aber genoß nach wie vor uneingeschränktes Gastrecht.

Weiterhin beherrschten — wie die Stifterfiguren Ekkehard und Uta den Westchor des Naumburger Domes — die kunsthistorisch weniger bedeutenden Bronzestandbilder Wilhelms und seiner Gemahlin die Westwand im Innenhof der Auguste-Viktoria-Stiftung. Das Empfangs- und Lehrerzimmer des Paulus-Hospizes und der Schmidt-Schule schmückte, neben kleineren Bildern von Päpsten und Bischöfen, noch immer ein lebensgroßes Porträt des uniformierten Kaisers, der majestätisch auf einen großen Konferenztisch und lederbezogene Stühle mit dem gekrönten »W II« an den Lehnen herabblickte. Im Hospiz von Emmaus grüßten von den Wänden der Eingangshalle die Bildnisse des Kaisers und der Kaiserin, und der Jerusalemer Propst empfing seine Gäste im Amtszimmer des Muristan unter einem Bild, das einst Wilhelm II. zur Erinnerung an seine Palästinareise mit Bleistift signierte.

Als der Deutsche Kaiser und König von Preußen nach dem Heiligen Land zog, war eine damals unbekannte Bürgerin seines Reiches gerade 29 Jahre alt. Ihr Geburtshaus stand in der Sadowastraße in Elberfeld, nur einen Steinwurf vom Wuppertaler Ölberg entfernt. In Berlin führte sie ein unstetes Künstlerdasein, ehe sie 1933 Deutschland enttäuscht den Rücken kehrte. In Jerusalem starb sie Anfang 1945, vier Jahre nach dem Hohenzollern Wilhelm und wenige Monate vor dem infernalischen Untergang eines »Dritten Reiches«, in Armut und Verlassenheit.

Nur einen Steinwurf von »Dominus flevit« entfernt liegt sie im alten jüdischen Friedhof am Jerusalemer Ölberg begraben. Der Oberrabbiner Kurt Wilhelm enthüllte das schlichte Denkmal, das ihr Freund, der Architekt und Maler Leopold Krakauer, aus einem rauhen Stein gehauen hatte. Nur wenige Bekannte gaben einer der größten deutschen Dichterinnen das letzte Geleit. Auf dem Grabstein aber ist ihr Name nicht deutsch, sondern hebräisch geschrieben: Else Lasker-Schüler.

Noch keine fünfzig Jahre nach den vielgerühmten Kaisertagen in Jerusalem schrieb eine müde Frau, bevor sie oberhalb des »Hortus Gethsemani« und der »Kirche der Nationen« ihre letzte Ruhe fand, bittere Verse von der Welt, die das Genick brach, und von dem Mosaik der Erde, das verblichen ist:

Mich führte in die Wolke mein Geschick —
Wir teilten säumerisch ein erdentschwertes Glück.

Ich dachte viel an Julihimmel —
Du sahst das Blau in meinem Blick.

Und schwebten mit den Vögeln auf
Ein Silberrausch . . .
Bevor die Welt brach das Genick.

Und auch wir beide blieben nicht verschont
— Und träumen trübe unterm bleichen Rosenstrauch im Mond
Die Lande unter uns: verblichnes Mosaik.

Im Namen der Reformation

»Es ereignet sich nichts Neues. Es
sind immer dieselben alten Ge-
schichten, die von immer neuen
Menschen erlebt werden.«

William Faulkner

Wallfahrer zum Grab des Herrn

Die brandenburgisch-preußischen Hohenzollern mochten noch so
stolz auf ihre evangelische Tradition sein — mit außergewöhnlichen
Verdiensten um die Reformation konnten sie ihren Anspruch, im
Heiligen Land als Führungsmacht und Schutzherrschaft der Protestanten aufzutreten, nicht begründen. Was ihnen im Laufe eines halben
Jahrtausends ein evangelisches Königtum von Gottes Gnaden einbrachte, war im wesentlichen durchaus zeitgemäßes territorialherr-
schaftliches Verhalten, das sich nur in den Dienst eines Höheren
stellte, wenn es der eigene Vorteil gebot.

Die Grundtendenz hohenzollerischer Politik unterschied sich kaum
von den Bemühungen anderer Adelsfamilien, aus kaiserlichen Lehen,
kirchlichen Pfründen, erheirateten Erbschaften und kriegerischen Eroberungen möglichst selbständige Machtpositionen aufzubauen. Das
betrieben die Brandenburger nach Martin Luther im Namen des
neuen Glaubens, so wie sie es vorher als Diener des alten getan
hatten, mit kalkulierter Einsatzbereitschaft und Treue gegenüber dem
Reich und der Kirche, die sich beide auf Rom beriefen. Als die römische Herkunft in ein Zwielicht geriet, sah sich die Dynastie nach
anderen Ursprüngen um.

Der Deutsche Kaiser Wilhelm II. erfuhr aus einem schmalen Bänd-
chen des Ansbacher Landgerichtsdirektors Meyer, daß seine Vorfahren
seit frühesten Zeiten einen unwiderstehlichen Drang zum Heiligen
Land verspürten. Schon in den Jahren zwischen 1337 und 1341 unternahm — wie der Autor aus vergilbten Dokumenten herauslas — der
Nürnberger Burggraf Albrecht der Schöne eine Ritterfahrt nach Jerusalem, weshalb der kaiserliche Hof nicht zögerte, seine Palästina-
Tradition im fränkischen Stammhaus beginnen zu lassen.

Mehr als drei Jahrhunderte vor der Reformation nahm Graf Friedrich III. von Zollern – ein entfernter Verwandter und gelegentlicher Berater der staufischen Kaiser Friedrich Barbarossa und Heinrich VI. – die Tochter des letzten Burggrafen von Nürnberg zur Frau. Sein Sohn Konrad erbte die Burggrafschaft und ging als Stammvater der fränkischen – später königlichen und evangelischen – Linie in die »Monumenta Zollerana« ein. Konrads älterer Bruder Friedrich blieb Graf von Zollern und wurde Stammherr des schwäbischen – später fürstlichen und katholischen – Zweigs.

Schon bald erwiesen sich die zollerischen »Franken« als das weitaus zielstrebigere und erfolgreichere Geschlecht. Konrads erster Nachfolger Friedrich III. empfing vom deutschen König und römischen Kaiser das Nürnberger Burggrafentum als erbliches Lehen. Der Burggraf Friedrich V. wurde 1363 von Kaiser Karl IV. in den Reichsfürstenstand erhoben. Seinem Sohn Friedrich VI. gelang schließlich während des Konstanzer Konzils, das den tschechischen Kirchenreformer Jan Hus als Ketzer verbrannte, der entscheidende Sprung: Weil er den Luxemburger Sigismund im Streit um die deutsche Krone tatkräftig unterstützt hatte, erhielt er 1415 aus dem Erbgut des Königs die Markgrafschaft Brandenburg zum Lehen und wenig später auch die Würde eines Kurfürsten. Danach nannte er sich Friedrich I. und widmete den Rest seines Lebens großenteils der Führung des Reichskrieges gegen die aufrührerischen Hussiten.

Drei Söhne des ersten Kurfürsten unterstrichen das christliche Herrschertum ihrer Familie mit Wallfahrten ins Heilige Land. Zunächst brachen der älteste und der dritte Sproß des Brandenburgers, die Markgrafen Johann und Albrecht Achilles, zu der weiten Pilgerreise nach Jerusalem auf. Ihre besorgte Mutter gab ihnen einen Arzt mit, der einen ausführlichen Reisebericht verfaßte und darin als Höhepunkt eine mehrstündige Zeremonie in der Grabeskirche schilderte. Die Brüder und 28 Begleiter hatten sich abends in das Gotteshaus einschließen lassen, damit sie am 1. Juni 1435 unmittelbar nach Mitternacht vor dem Heiligen Grab den Ritterschlag vollziehen konnten.

Acht Jahre danach landete Graf Friedrich von Zollern mit dem Beinamen »der Oettinger« – das schwarze Schaf der schwäbischen Linie – an der Küste Palästinas. Im Erbstreit mit seinem Bruder Eitelfriedrich und als Raubritter war er so gewalttätig aufgetreten, daß 18 schwäbische Reichsstädte unter Ulmer Führung die Zollernburg

Friedrich II., der Eiserne, Kurfürst von Brandenburg

in Trümmer legten und ein Erlaß des Kaisers Sigismund den Wiederaufbau »für alle Zeiten« verbot. Erst als der Graf seines Abenteuerlebens müde war, verschaffte er sich durch den Verzicht auf einige Besitztümer die Mittel für seine letzte Reise: Er starb am 30. September 1443 auf etwa halber Strecke zwischen Jaffa und Jerusalem in Ramle, in dessen Kirche man 1562 ein Zollernwappen entdeckte.

Die Nachfolge des ersten brandenburgischen Kurfürsten hatte mittlerweile der zweitgeborene Sohn übernommen, der seinen grabesritterlichen Brüdern nicht nachstehen wollte. Friedrich II. – wegen seiner Körperstärke der »Eiserne« genannt – unterwarf zunächst einige unbotmäßige Städte, allen voran Berlin, ehe er 1453 in Venedig das Schiff nach Jaffa bestieg. Noch hatte er Jerusalem nicht erreicht, als die osmanische Eroberung Konstantinopels das Byzantinische Reich vernichtete und dem Islam eine neue Ausgangsstellung für massive Vorstöße in das Abendland schuf. Der schicksalsschwere Umschwung am Bosporus hielt den Pilger aus dem Norden jedoch nicht von der Weiterreise ab.

Nachdem Friedrich aus gesundheitlichen Gründen zurückgetreten war, erließ der neue Kurfürst Albrecht Achilles ein bedeutungsvolles Hausgesetz, die »Dispositio Achillea« von 1473, die für die Mark Brandenburg das Erstgeburtsrecht und die Unteilbarkeit, für die fränkischen Fürstentümer die Sekundogenitur des Kurhauses Brandenburg verfügte. Weil damit sein ältester Sohn Johann Cicero eine Vorzugsstellung erhielt, gewährte der Vater dem Zweitgeborenen, dem auf die Markgrafschaft Ansbach verwiesenen Friedrich, eine besondere Gunst: Er übertrug dem Zweiundzwanzigjährigen die Kreuzfahrer-Nachfolge und schickte ihn 1482 nach Jerusalem. Es sollte die letzte Wallfahrt ins Heilige Land werden, die ein katholischer Hohenzoller aus Brandenburg unternahm!

Wie Albrecht Achilles als Reichsfeldherr den Habsburger Friedrich III. unterstützte, bewahrten auch Johann Cicero und dessen Sohn Joachim I. Nestor dem Kaiser brandenburgische Treue. Das war um so weniger selbstverständlich, je stärker während Joachims Regierungszeit (1499 bis 1535) die religiöse Unruhe um sich griff, bis Doktor Martin Luther am 31. Oktober 1517, am Tag vor Allerheiligen, in Wittenberg seine 95 Thesen unter die Leute brachte.

Noch Kaiser Wilhelm II. glaubte zu hören, wie der sächsische Augustinermönch seinen Disputationszettel an das Tor der Schloßkirche nagelte und wie »die Schläge seines Hammers aufweckend über die deutschen Gefilde schallten«. Seine brandenburgischen Vorfahren waren allerdings nicht so hellhörig! Denn nach Luthers Aufruf vergingen noch 22 Jahre, ehe sich Joachim II. (1535 bis 1571) zum Übertritt ins reformatorische Lager entschloß. Trotzdem verzichtete er nicht darauf, dem katholischen Kaiser Karl V. im Schmalkaldischen Krieg gegen die deutschen Protestanten nach Kräften beizustehen.

Der prachtliebende Kurfürst, der sich seit dem Türkenfeldzug von 1532 mit dem Namen des trojanischen Haupthelden Hektor schmückte, nahm es mit der Religion nicht allzu genau. Seinem Vater hatte er noch bei allen »fürstlichen Würden, Ehren und Treuen« geschworen, am katholischen Glauben festzuhalten. Dieses Gelöbnis wiederholte er auch vor der Eheschließung mit der Tochter des Königs Sigmund von Polen. Schon fünf Jahre später erließ er jedoch eine neue Kirchenordnung und forderte unbedingten Gehorsam gegen seine eigenen Lehren und Vorschriften.

Eine strenge »geistliche Polizei-, Visitations- und Konsistorialordnung« konnte nicht darüber hinwegtäuschen, daß Joachims Interessen anderer Art waren: Seinen Sohn Sigmund ließ er mit päpstlicher Bestätigung zum Erzbischof von Magdeburg wählen, um das alte Erzstift leichter an das fürstliche Haus binden zu können, und am Hofe führte er ohne Scham und Scheu, wie es hieß, das französische Mätressenwesen ein. Weil er aber auch durch eine Erbverbrüderung mit dem Herzog von Liegnitz Rechte auf schlesische Gebiete erwarb, schoben preußische Geschichtsschreiber die Unordnung in den Staatsfinanzen nicht seiner Verschwendungssucht, sondern dem Einfluß »unwürdiger Günstlinge, namentlich des Juden Lippold«, zu.

Noch 1561, also 22 Jahre nach dem Glaubenswechsel in Brandenburg, konnte sich ein päpstlicher Nuntius nicht genug wundern, als er in Berlin eine Kirche besuchte: Der protestantische Gottesdienst hatte sich gegenüber dem katholischen kaum geändert. In erster Linie war eben die Reformationszeit eine Gelegenheit zu hohenzollerischer Hausmachtpolitik! Daran hatte schon Johann Cicero gedacht, als er der »Dispositio Achillea« entsprechend seinem ältesten Sohn das brandenburgische Kurfürstentum vorbehielt, während sein jüngster mit Namen Albrecht zum Erzbischof von Magdeburg, zum Administrator des Bistums Halberstadt und schließlich zum Erzbischof und Kurfürsten von Mainz aufsteigen konnte.

Johann Ciceros Bruder, der Jerusalem-Wallfahrer Friedrich, übertrug seinen beiden älteren Söhnen die Markgrafschaften Kulmbach und

Ansbach, während er seinen jüngsten, ebenfalls mit Namen Albrecht, zum Hochmeister des Deutschen Ordens wählen ließ. Die Ritter im Ordensland Preußen akzeptierten den erst zwanzigjährigen Hohenzollern um so bereitwilliger, als dessen Mutter eine Schwester des Königs von Polen war, von dessen verwandtschaftlicher Nachsicht sie ein verbessertes Verhältnis zum Ordensstaat erhofften.

Während dem Mönch Martin Luther der Verkauf von »Gnade ums Geld« zum Ärgernis wurde, war der Ablaßhandel für das Oberhaupt des Erzbistums Mainz eine Frage der Existenz. Der Sproß der nicht gerade reichen Brandenburger sah sich durch die Häufung seiner Pfründen und Hofhaltungen vor einen gewaltigen Schuldenberg gestellt, weshalb er die nach Rom abzuführenden Gebühren nur mit Hilfe beträchtlicher Darlehen des Augsburger Bankhauses Fugger aufbringen konnte. So kam es ihm sehr zustatten, daß auch Papst Leo X. aus der florentinischen Patrizierfamilie Medici dringend Geldmittel brauchte, um den großzügigen Neubau der Peterskirche zu finanzieren. Jedenfalls übertrug der Heilige Stuhl dem Mainzer Herrn die Leitung des Ablaßhandels im größten Teil Deutschlands und zugleich das Recht, die Hälfte der eingehenden Summen für eigene Zwecke zu verwenden.

Natürlich steifte der Fürstbischof seinem skrupellosen dominikanischen Ablaßprediger Johannes Tetzel den Rücken und trat jedem mit ganzer Macht entgegen, der seine Einkünfte zu schmälern versuchte. Dafür kanzelte ihn Luther in einer späteren Schmähschrift als Bluthund, Wüterich, Mörder und Räuber ab. Der Reformator nahm es auch Albrechts regierendem Bruder Joachim I. von Brandenburg übel, daß er in der Gegnerschaft zur Reformation verharrte, obwohl sich seine Frau dem neuen Glauben zuwandte. Nachdem der Wittenberger Mönch 1520 vom Papst gebannt und ein Jahr später vom Reichstag geächtet worden war, bekannten sich die beiden hohenzollerischen Kurfürsten entschieden zu dem Bündnis katholischer Landesherren, das den Kampf gegen die rebellischen Bauern und die Ausrottung der »lutherischen Sekte«, der Wurzel allen Aufruhrs, auf seine Fahne schrieb.

Dem 1526 in Torgau beschlossenen Gegenbündnis gehörte indessen bereits ihr Vetter Albrecht an, der ein Jahr zuvor, nicht ohne Martin Luther um Rat gefragt zu haben, das geistliche Gewand des Hochmeisters abgelegt hatte und ein weltlicher Fürst geworden war. Weil er sich von Kaiser und Reich im Stich gelassen fühlte, schloß er mit seinem königlichen Onkel Sigmund von Polen den Krakauer Vertrag, der ihm das Ordensland Preußen als erbliches Herzogtum vermachte. Als Gegenleistung versprach er, zugleich im Namen aller seiner Untertanen, der polnischen Krone »ewige Treue«.

»Du neuer Herzog in Preußen«, klagte der Ordensritter Philipp von Creutz, »wie hast du so gar untreulich an deinem Orden getan ... Uns deutschen Herren in Preußen ist gleich geschehen wie den Fröschen, die nahmen einen Storch auf zu einem Könige, der sie sollte beschützen, der fraß einen nach dem andern auf, bis ihrer keiner blieb.«

Der Hohenzoller Albrecht war sofort darauf bedacht, seinen Erwerb abzusichern. Schon 1526 heiratete er standesgemäß die Tochter Dorothee des Königs von Dänemark, die bald einer ungeduldigen Freundin auf die Frage, warum noch kein Erbe geboren sei, freizügig gestand, daß ihr lieber Herr und Gemahl »sein Werkzeug als der Zimmermann weidlich braucht und nicht feiert«. Doch wurde ihm der sehnlich gewünschte Nachfolger erst in zweiter Ehe geschenkt.

Alles schien seinen geregelten Weg zu gehen — in Königsberg und in Berlin. Da überraschte Kurfürst Johann Sigismund seine Untertanen mit dem nächsten Glaubenswechsel. Nur sieben Jahrzehnte nach der Einführung der lutherischen Lehre trat er 1613 zum reformierten Bekenntnis der Calviner über — trotz der schwerwiegenden Tatsache, daß die Reformierten seit dem Augsburger Religionsabschied von 1555 — mit Zustimmung der lutherischen Reichsstände — vom allgemeinen Landfrieden ausgeschlossen waren.

Der Brandenburger ließ sich von höchst irdischen Motiven leiten, besonders von Erbansprüchen seiner Gemahlin, die eine Tochter des zweiten preußischen Herzogs Albrecht Friedrich war. Seit einigen Jahren führte er bereits die Regentschaft für den Schwiegervater, der in immer tiefere Schwermut verfiel, ehe er 1618 als einziger männlicher Nachkomme des Hochmeister-Herzogs starb, worauf das einstige Ordensland mit Brandenburg vereinigt werden konnte. Zuvor hatte Johann Sigismund auch ererbte Rechte seiner Frau in rheinischen Gebieten gewahrt, wo der letzte Herzog ebenfalls geistesgestört war und einer Regentschaft bedurfte. Und da ergab es sich im Wettstreit mit Pfalz-Neuburg, daß der Kurfürst vor allem aus Rücksicht auf die Niederlande calvinisch wurde, um im Xantener Vergleich von 1614 Kleve, Mark und Ravensberg als westlichste Ausläufer seines Herrschaftsgebiets zu bekommen. Die Kurfürstin machte allerdings das Wechselspiel nicht mit und blieb streng lutherisch.

Übrigens: Johann Sigismunds Tochter Marie Eleonore heiratete keinen geringeren Protestanten als den schwedischen König Gustav II. Adolf, der 1630 — gestützt auf einen Subsidienvertrag mit dem katholischen Frankreich — in den Dreißigjährigen Krieg eingriff und zwei Jahre später im Kampf gegen den kaiserlichen Feldherrn Wallenstein bei Lützen fiel. Seiner Ehe mit der Brandenburg-Preußin entstammte jene rätselhafte Königin Christine von Schweden, die 1654 nach zehnjähriger Regierung auf den Thron verzichtete und ein Jahr später zur katholischen Kirche übertrat.

Jahrelang hatte ihr Onkel, der Brandenburger Kurfürst Georg Wilhelm (1619 bis 1640), seine liebe Not mit den nordischen Verwandten und ihrem evangelischen Glaubenskrieg. Erst seinem Sohn, dem Großen Kurfürsten Friedrich Wilhelm (1640 bis 1688), war es vergönnt, die Schweden aus der Mark, aus Pommern und aus Preußen zu verdrängen. Ihm wurde bei den Westfälischen Friedensschlüssen von 1648 auch die Genugtuung zuteil, daß erstmals im Reich die Reformierten »als zu den Augsburger Religionsverwandten gehörig« anerkannt wurden. Sein Potsdamer Edikt öffnete den von Frankreichs »Sonnenkönig« bedrängten Hugenotten großzügig die Grenzen Brandenburgs, das zuvor schon vielen calvinischen Niederländern Asyl gewährt hatte.

Dem Großen Kurfürsten, der bereits die ersten zaghaften Versuche einer Kolonialpolitik in Afrika anstellte, bescheinigte die preußische Geschichtsschreibung, er habe dem brandenburgisch-preußischen Staat den Rang eines Vertreters der protestantischen Interessen errungen, die zukunftsbestimmenden Grundlagen des Beamten- und Soldatentums in Deutschland geschaffen, den absoluten Hohenzollernstaat als eigenständige Macht innerhalb des europäischen Staatensystems aus dem Verband des Deutschen Reiches herausgehoben und seinem Sohn zu einer Sonderstellung unter den deutschen Reichsfürsten verholfen.

Der nachfolgende Kurfürst Friedrich III. (1688 bis 1713) konnte wirklich großen Nutzen daraus ziehen: Kaum hatte er im November 1700 von Kaiser Leopold I. in Wien nach langwierigen Verhandlungen den Kronentraktat erwirkt, eilte er mitten im Winter nach Königsberg, dem Sitz der letzten acht Hochmeister des Deutschen Ordens, und setzte sich am 18. Januar 1701 unter großem Pomp als Friedrich I. die Krone eines »Königs in Preußen« aufs Haupt.

Obwohl sich die neue Würde nur auf den Landesteil Preußen bezog, der außerhalb des Reichsgebietes blieb, wurde die Hohenzollern-Dynastie nun ein Mitglied der führenden europäischen Herrscherhäuser.

Friedrich Wilhelm I.

Frankreich und Spanien verzögerten zwar die Anerkennung noch bis
zum Todesjahr des ersten Preußen-Königs (1713), die Päpste als Herren
des Kirchenstaates sogar bis zum Ende Friedrichs II. (1786), doch das
hielt den ersten gekrönten Hohenzollern nicht davon ab, sich von
Anfang an eine aufwendige Hofhaltung und galante Spielereien nach
französischem Muster zu leisten.

Friedrich I. wurde vor allem gelobt, er habe den Schutz und die
Förderung des Protestantismus zu einer Gewissensfrage gemacht und
im Corpus Evangelicorum, wie die Partei der evangelischen Reichsstände genannt wurde, zusammen mit Hannover eine leitende Funktion übernommen. Seine lutherische dritte Frau Sophie Luise von

Mecklenburg-Grabow warf dem Monarchen jedoch vor, sie werde nach
seinem Tode nicht von dem »seligen König«, sondern nur von dem
»verstorbenen König« sprechen können.

Noch mehr als sein Vater hielt der zweite Preußen-König Friedrich
Wilhelm I. (1713 bis 1740) die neugewonnene fürstliche Allmacht für
eine Selbstverständlichkeit. Seine maßlose Rechthaberei und seinen
rasenden Jähzorn entschuldigte er mit der naiven Frömmigkeit eines
spartanisch-bescheidenen Hausvaters, der nur das Gute wollte. »Wir
sind Herr und König«, meinte er, »und können tun, was Wir wollen.«
Allen Ernstes wollte er zum Beispiel seine »langen Kerls« mit »langen
Weibspersonen« paaren, um Nachwuchs für das geliebte Potsdamer
Leibregiment zu züchten! Seine grausamen Methoden der Soldaten-
werbung rechtfertigte er mit dem Alten Testament, das dem Landesherren zugestehe, »Knechte und Mägde, Söhne und Esel wegzuneh-
men«.

Mit spitzer Feder beschrieb die älteste Tochter Markgräfin von Bayreuth das zwiespältige Wesen des bigotten Vaters. Vor allem beklagte
sie den Einfluß des namhaften Pietisten August Hermann Francke,
der alle Vergnügungen am Hofe, selbst die Musik und die Jagd, als
»verdammlich« verworfen und nur Gespräche über das Wort Gottes
erlaubt habe. »Der König las uns alle Nachmittage eine Predigt vor,
sein Kammerdiener stimmte einen Gesang an, und wir mußten ihn
alle begleiten ... Kurz, der Hund von Francke machte, daß wir in
einem Trappistenkloster lebten.«

Der Theologe und biblische Philologe lenkte Friedrich Wilhelms Interesse auch auf die orientalische Christenheit und das Heilige Land,
zu deren Erforschung Francke das »Collegium orientale theologicum«
gegründet hatte. Als das Königreich Preußen noch im selben Jahrhundert im Orient aktiv wurde, war dies jedoch weniger auf den Pietisten
als auf den Soldatenkönig zurückzuführen, der seinem Nachfolger
außer einem beachtlichen Staatsschatz ein starkes Heer vermachte, un-
zweifelhaft die Basis für Preußens Aufstieg zur europäischen Großmacht und, was das Osmanische Reich betraf, für einen besonderen
Respekt des Sultans.

König Friedrich II. (1740 bis 1786) erreichte mit kühnen Schachzügen
die vom Vater gesteckten politischen Ziele, tat aber nur wenig für die
protestantischen Ansprüche Preußens. Kaum hatte er den Thron bestiegen, verkündete er, getreu seinen Aufklärungsidealen, die Glaubens-
und Gewissensfreiheit seiner Untertanen. Franckes fromme Jünger, die

Friedrich Wilhelm II.

»Pfaffen« in Halle, nannte er geringschätzig »evangelische Jesuiter«. Wohl benützte er die von ihnen geförderte Volkserziehung als Mittel der Staatsräson, doch privatim hielt sich der »Philosoph von Sanssouci« an seine eigene Religion. Dem Potsdamer Hofprediger Cochius, der um eine bessere Stelle nachsuchte, teilte er ironisch mit, daß Jesus sage, sein Reich sei nicht von dieser Welt. »So müssen die Prediger auch denken, dann predigen sie nach ihrem Tod im Dom vom Neuen Jerusalem.«

An seine Vorfahren erinnerte sich Friedrich weniger wegen ihrer Glaubensangelegenheiten als wegen ihrer Erbschaftsfragen. Er brauchte Gebietsansprüche, um nach dem Tod des Habsburgers Karl VI. mit der kaiserlichen Erbtochter Maria Theresia die Kräfte messen zu können. Daß noch sein Vater dem Kaiser die Anerkennung der Pragmatischen Sanktion zur Sicherung des habsburgischen Besitzstandes versprochen hatte, fiel nicht ins Gewicht, auch nicht die frühere Idee des kaiserlichen Feldherrn Prinz Eugen von Savoyen, durch eine Ehe Friedrichs mit Maria Theresia die dem Reich abträglichen Spannungen zwischen Protestanten und Katholiken zu überbrücken.

Durch Kriege gewann der Hohenzoller Schlesien, durch eine Erbschaft Ostfriesland, durch die mit Rußland vereinbarte erste Teilung Polens den größten Teil des preußischen Bodens, den der Deutsche Orden nach der Niederlage von 1466 an die polnischen König verloren hatte. Der Große Friedrich bezog aber auch den Orient in seine politische Rechnung ein, indem er während des Siebenjährigen Kriegs mit dem Osmanischen Reich, dem Hauptgegner Rußlands und Österreichs, den ersten Freundschafts- und Handelsvertrag schloß, auf den sich seine Nachfolger noch oft berufen konnten.

Anders als die amtliche Geschichtsschreibung beurteilten manche Beobachter das erstarkte Königreich der Hohenzollern. Für den Dichter und Denker Gotthold Ephraim Lessing war Preußen, wie er 1769 in einem Brief feststellte, »das sklavischste Land von Europa«. Sir James Harris, der englische Gesandte in Berlin, kennzeichnete 1776 Friedrichs Charakter als »bunte Mischung aus Barbarei und Humanität«. Johann Joachim Winckelmann, der aus dem altmärkischen Stendal stammende Kunsthistoriker der »edlen Einfalt und stillen Größe«, spürte sogar ein »Schaudern vom Haupte bis zu den Zehen«, wenn er »an den preußischen Despotismus und an den Schinder der Völker« dachte. »Besser ist es«, meinte der zur katholischen Kirche übergetretene Archäologe, »ein beschnittener Türke zu werden als ein Preuße«.

Welche Meinung mußten die Zeitgenossen erst von dem nächsten König Friedrich Wilhelm II. (1786 bis 1797) haben, der einerseits eine blühende Mätressenwirtschaft betrieb und zum anderen mit protestantischer Orthodoxie Politik machte! So großzügig er mit sich selber war, so kleinlich behandelte er seine Untertanen. Schon 1788, nur ein Jahr vor der Französischen Revolution, die ihm völlig unverständlich blieb, eröffnete er einen ersten »Kulturkampf« in Preußen, um das geistige Leben seinem absolutistischen Zwang unterzuordnen. Ein Religionsedikt, verfaßt von dem pietistischen Justizminister von Wöllner, drohte bürgerliche Strafen für jede Abweichung vom Kirchendogma an und schrieb für die Anstellung der Geistlichen und Lehrer eine Examination auf Rechtgläubigkeit vor. Zensuredikte schränkten die Freiheit weiter ein, denn bei allem, so wollte der König glauben machen, ging es ihm nur um das Wohl des Staates und der Religion.

Diese Rechtfertigung beanspruchte Friedrich Wilhelm II. auch für sein eigenartiges Verhältnis zur islamischen Führungsmacht im Orient, wo er den preußisch-osmanischen Freundschaftsvertrag des »Alten Fritz« durch militärische Präsenz zu untermauern versuchte. Ein kurioser historischer Zufall wollte es, daß im Jahr der Französischen Revolution, die Europas konservatives Staatensystem ins Wanken brachte, der preußische Oberst von Goetze nach Konstantinopel reiste, um als erster Militärberater in den Dienst des reformfreudigen Sultans Selim III. zu treten.

»Die Zeit ist gekommen«, hatte kurz zuvor Kaiser Joseph II. – nach dem Tode seiner Mutter Maria Theresia Alleinherrscher in den habsburgischen Erblanden – kühn verkündet, »wo ich als Rächer der Menschheit auftrete, wo ich es über mich nehme, Europa für die Drangsale zu entschädigen, die es einstens von den Türken erdulden mußte.« In einem verbissenen Zweifrontenkrieg, den die Hohe Pforte seit 1787 gegen Österreich und Rußland zu bestehen hatte, stand das Schlachtenglück tatsächlich nicht auf ihrer Seite. Schließlich war es jedoch weitgehend auf Preußens Haltung zurückzuführen, daß der Habsburg-Lothringer den letzten Krieg eines deutschen Kaisers gegen das Osmanenreich 1791 erfolglos beenden und im Frieden von Swischtow alle Eroberungen, einschließlich Stadt und Festung Belgrad, an die Türken zurückgeben mußte.

Weil Friedrich Wilhelm II. österreichische Fortschritte mit Unbehagen verfolgte, fiel er dem Wiener Herrscher in den Rücken. Sein Minister Graf von Hertzberg schickte Agenten in die Niederlande und nach Ungarn, um unzufriedene Untertanen gegen den Kaiser aufzuwiegeln. Dem Herzog Karl August von Sachsen-Weimar wurde Appetit auf die ungarische Krone gemacht – die Korrespondenz darüber führte dessen Berater Johann Wolfgang von Goethe, den Joseph II. erst 1782 in den Adelsstand erhoben hatte.

Als Preußen sogar bereit war, den Osmanen in einem 1790 geschlossenen Abkommen den bisherigen Besitzstand zu verbürgen, reagierte Wien mit Recht gereizt, worauf es an den Grenzen Schlesiens und

Böhmens fast zum Krieg zwischen eiligst aufmarschierten preußischen
und österreichischen Truppen kam. Schon schrieb der Kaiser an seinen
Staatskanzler Fürst von Kaunitz, »der Krieg Österreichs mit Preußen
und der Türkei zugleich würde der Untergang Österreichs sein«, da
geschah ein »Mirakel des Hauses Habsburg«: Joseph II. starb, und der
preußische König ließ sich von England, dessen Subsidien er dringend
gebraucht hätte, von einer militärischen Auseinandersetzung zurück-
halten. Letzten Endes fiel der größte Nutzen den Russen zu, deren
Zarin Katharina II., eine vormalige deutsche Prinzessin von Anhalt-
Zerbst, den Krieg noch bis 1792 allein fortsetzte. Aber auch Preußen,
das bei der ersten Teilung Polens für die Neutralität in einem russisch-
türkischen Krieg belohnt worden war, durfte sich in den Jahren 1793
und 1795 an zusätzlichen Gebietsgewinnen in Polen, bis hin nach
Warschau, schadlos halten.

Nicht zuletzt wegen der Interessen im Osten zog Friedrich Wilhelm
II. sein Königreich aus den Abwehrkämpfen zurück, die der Kaiser des
Reiches gegen Frankreichs Revolutionsheere führen mußte. In einem
Separatfrieden mit geheimen Klauseln verpflichtete er Preußen gegenüber Paris zu nachgiebiger Neutralität und sogar zum Verzicht auf
Gebiete westlich des Rheins, womit er höchst eigennützig dem Länder-
schacher vorgriff, der das Ende des römisch-deutschen Kaisertums beschleunigte. Schon nach dem Friedensschluß von Campo Formio, der
Kaiser Franz II. zur Anerkennung der Rheingrenze und zur Entschä-
digung seiner Reichsfürsten für linksrheinische Verluste zwang, schrieb
der Publizist Joseph Görres mit Hinweisen auf den französischen Vor-
marsch und die Ohnmacht des Immerwährenden Reichstags die Todes-
anzeige: »Am 30. Dezember 1797, am Tage des Übergangs von Mainz,
nachmittags um 3 Uhr, starb zu Regensburg in dem blühenden Alter
von 955 Jahren, 5 Monaten, 28 Tagen sanft und selig an einer gänz-
lichen Entkräftung und hinzugekommenem Schlagflusse, bei völligem
Bewußtsein und mit allen heiligen Sakramenten versehen, das Heilige
Römische Reich schwerfälligen Andenkens.«

Das Schicksalsjahr des alten Reiches katholischer Tradition war zugleich ein Wendepunkt der evangelisch ausgerichteten Hohenzollern-
Geschichte: Friedrich Wilhelm II. starb nach elfjähriger Regierung und
hinterließ seinem Sohn Friedrich Wilhelm III. den Thron. Im selben
Jahr wurde aber auch als zweiter Sohn des neuen Königs jener Prinz
Wilhelm geboren, dem es im Alter beschieden war, die Kaiserwürde
eines neuen Deutschen Reiches zu übernehmen und mit wiederbelebten

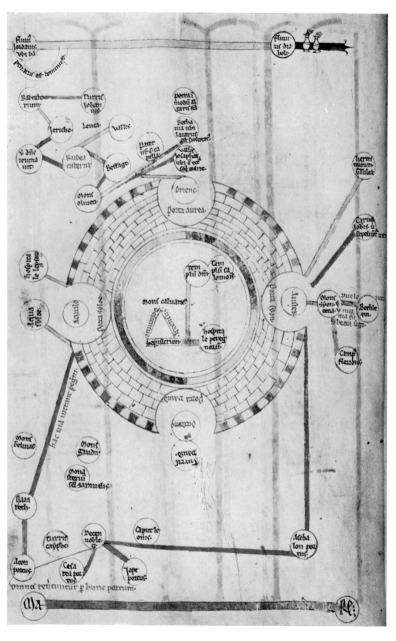

Pilger-Wegkarte von ca. 1250 von der Küste des Heiligen Landes (ma-re = Meer) nach Jerusalem und zum Jordan

Kreuzfahrerturm bei Ramle

Jaffa, von Norden gesehen

Traditionen eine Brücke zu den mittelalterlichen Herrschern zu schlagen. In den farbigen Bildern von Größe und Ruhm, die ihm seine Umgebung malte, spielten der Orient und das Heilige Land eine immer wichtigere Rolle – nicht zuletzt weil schon sein Großvater und sein Vater dafür gesorgt hatten, daß das Buch der hohenzollerischen Jerusalem-Wallfahrer wieder aufgeschlagen und durch neue Seiten ergänzt werden konnte.

Ein Kapitol für Preußens Kirche

Der junge Preußen-König Friedrich Wilhelm III. war kaum ein Jahr an der Regierung, als seine Offiziere staunend feststellten, daß erstmals seit Jahrhunderten Ägypten und Syrien, die Bindeglieder der Kontinente Afrika und Asien, wieder in die Reichweite europäischer Landstreitkräfte rückten. Napoleon Bonaparte, der soeben mit einem Vorstoß gegen Wien seine ungestüme Kraft bewiesen hatte, gab 1798 mit einem Feldzug in osmanische Provinzen des Vorderen Orients das Alarmsignal zu einem neuen Machtkampf um biblische Länder.

Der »kleine Korporal« aus Korsika wollte mit dem bisher schwierigsten Unternehmen seiner steilen Laufbahn zwei Aufgaben auf einmal lösen: Er riskierte den Sprung über das Mittelmeer, um das Weltreich seines hartnäckigen Gegners England an einer empfindlichen Stelle, dem Weg nach Indien und Ostasien, zu treffen; und er setzte alles auf eine Karte, um Frankreichs Weltgeltung auf dem Boden der mächtigsten antiken Imperien und in der geistigen Heimat des christlichen Abendlandes zu demonstrieren.

Im Hafen Toulon verlud Napoleon nicht nur 30 000 Soldaten und 2000 Geschütze, sondern in kluger Voraussicht auch 175 Wissenschaftler und Ingenieure, die unter dem Titel »Description de l'Égypte« über bedeutende Entdeckungen berichten und dem Emporkömmling zu dem Ruhm verhelfen sollten, im Dienste der Menschheit die moderne Archäologie des Alten Orients begründet zu haben. Dann eroberte er mit dem ersten Angriff überraschend Malta, die Basis des souveränen Johanniter-Ritterordens, der seit der Vertreibung aus dem Heiligen Land die Ansprüche des ältesten geistlichen Kreuzritterordens aufrechterhielt und jetzt unter seinem ersten deutschen Großmeister, dem Freiherrn Ferdinand von Hompesch, nicht einer östlichen, sondern einer westlichen Großmacht weichen mußte.

Die Träger des achtspitzigen Kreuzes konnten nach dem Verlust ihres Inselreichs nur noch machtlos zusehen, wie wiederum Großbritannien, das seit 1704 bereits Gibraltar besaß, die Franzosen aus Malta verdrängte und außerdem Preußens Könige die evangelische Johanniter-
Balley Brandenburg belebten, um sich in ihrem Namen auf abendlän-
disches Kreuzfahrertum berufen zu können.

In Berlin hinterließ es starke Eindrücke, daß Napoleon Zug um Zug
die Hafenstadt Alexandria erstürmte, zu Füßen pharaonischer Pyramiden das Mameluken-Heer besiegte, wie ein orientalischer Triumphator
in Kairo einzog und im Februar 1799 sogar den Marsch nach Palästina
wagte, obwohl der englische Admiral Nelson ein halbes Jahr zuvor die
französische Flotte vor Abu Qir vernichtet und das Expeditionsheer
vom Nachschub aus der Heimat abgeschnitten hatte. Man rekonstruierte die Stationen eines unglaublichen »Blitzkrieges«: Nachdem der
Korse am 6. Februar von Ägypten aufgebrochen war, eroberte er am
19. Februar das Fort el-Arisch, am 24. Februar die Stellungen von Gaza
und am 7. März das von starken osmanischen Einheiten verteidigte
Jaffa. Die alte Festung Akkon jedoch, die seine Soldaten in Erinnerung
an die Kreuzzüge St. Jean d'Acre nannten, wurde ihm zum Verhängnis
— wie sechs Jahrhunderte zuvor den abendländischen Rittern.

Zwar drangen noch der General Kléber nach Nazareth und der
Reiterführer Murat bis nach Safed, nordwestlich des Sees Genezareth,
vor, zwar erstritt Bonaparte selbst einen Sieg am Berg Tabor, der
die Türken zur Flucht über den Jordan zwang, doch die vergebliche
Belagerung von Akkon raubte den durch Seuchen geschwächten Franzosen die letzte Kraft. Unverrichteterdinge trat der Expeditionschef im
Mai 1799 den Rückzug nach Ägypten an. Sein Orientkorps ging, nachdem er selbst mit den meisten Generälen heimlich nach Frankreich
zurückgefahren war, unaufhaltsam der Erschöpfung entgegen.

Wenn auch Napoleons Vorstoß in das Ursprungsland des Christentums kläglich gescheitert war, beflügelte er doch die Phantasie europäischer Monarchen, Politiker und Generäle. Imperialistische Ideen ver-
mischten sich mit christlicher Kreuzzugsromantik, die Anteilnahme am
Schicksal des Osmanischen Reiches wurde brennend aktuell. Auch in
preußischen Studierstuben und Regierungskanzleien beschäftigte man
sich mit der Geschichte des Nahen Ostens, um die »berechtigten Ansprüche« verschiedener Seiten auf ihre Stichhaltigkeit zu prüfen.

Wer durfte sich auf Alexander den Großen und seine Diadochen
berufen, die in Vorderasien aus einem persisch-morgenländischen einen

griechisch-abendländischen Macht- und Kulturbereich formten? Wem gebührte die Nachfolge des Imperium Romanum, das sich den ganzen Orient einverleibte und daraus glänzend organisierte Provinzen schuf? Wer war der Erbe des Byzantinischen Reiches, das die oströmisch-christliche Herrschaft bis zur islamischen Eroberung ausübte?

Wer hatte Rechte auf die Krone eines Königs von Jerusalem, die von den ersten fränkischen Kreuzfahrern über Richard Löwenherz von England und einige aus Frankreich stammende Cypern-Könige an den Staufer Friedrich II. gelangte und danach in den Titeln deutscher Kaiser, französischer und sardinischer Könige, lothringischer Herzöge und des österreichischen Kaisers weitervererbt wurde? Vor allem aber: Welcher Richtung des mehrfach gespaltenen Christentums kam die Aufgabe zu, die Stätten des Lebens und Sterbens Jesu Christi gegen Juden, Mohammedaner und »fehlgeleitete« Christen zu verteidigen?

Seit der osmanischen Eroberung von Byzanz fragten sich die Völker des Abendlandes, wer den über Meerengen und Balkan stürmenden Söhnen des Propheten den Weg nach Mitteleuropa verwehren sollte: das Heilige Römische Reich Deutscher Nation, das sich auf das westliche Rom stützte, oder ein im Entstehen begriffenes slawisches Großreich, das sich als legitimer Nachfolger des orthodoxen Ostrom ausgab? Seit Napoleons Orientkrieg wurde die Frage anders gestellt: Waren außer Österreichern und Russen, Franzosen und Engländern auch andere Nationen dazu ausersehen, ihren Einfluß auf Teile des angeschlagenen Osmanenreiches, auf den Balkan und die Gebiete jenseits des Mittelmeers, auszudehnen?

In dem neuen Wettbewerb um das Morgenland brauchte nur Rußland die Stoßrichtung nicht zu ändern, die schon der Begründer des Zarentums, Iwan III. Wassiljewitsch (1440 bis 1505), gewiesen hatte, als er seine Metropole Moskau das »dritte Rom« nannte. Seinen Anspruch auf die Befreiung Konstantinopels, des islamisch beherrschten »zweiten Rom«, unterstrich er dadurch, daß er 1474 die Nichte des letzten byzantinischen Kaisers heiratete und den griechischen Doppeladler, das Symbol des untergegangenen Ostrom, in das Zarenwappen übernahm.

Es war nur zu verständlich, daß die Hohe Pforte, anders als die übrigen Mächte, das Scheitern des napoleonischen Rußland-Feldzuges und die Befreiung Mitteleuropas von der französischen Vorherrschaft mit gemischten Gefühlen aufnahm. Sultan Mahmud II. tat sich äußerst schwer, für seine westlich orientierten Reformen zuverlässige Freunde und Berater zu finden. Rußland, Österreich und England, die von Frankreich jahrelang in Schach gehalten worden waren, hatten nämlich wieder freie Hand für das, was spätestens nach dem Kongreß von Verona (1822) die »Lösung der orientalischen Frage« genannt wurde.

Nur das wiedererstandene Königreich Preußen genoß am Bosporus den Ruf, nicht an Teilen des Osmanischen Imperiums interessiert zu sein. Schon 1815 rechnete deshalb der Sultan mit dem mäßigenden Einfluß Friedrich Wilhelms III. und seiner Ratgeber, als in Paris das Bündnis der Heiligen Allianz geschlossen wurde, das den Zaren von Rußland, den Kaiser von Österreich und den König von Preußen zu freundschaftlichen Beziehungen verpflichtete – auf der Grundlage der »Wahrheiten, die uns die Religion Gottes, unseres Heilandes, lehrt« und der »Bande einer aufrichtigen und unauflöslichen Bruderliebe« unter den »Gliedern einer und derselben christlichen Nation«.

Romantische Stimmungen nach dem gemeinsamen Sieg über den französischen »Usurpator« täuschten die Monarchen darüber hinweg, daß sie drei christliche Konfessionen repräsentierten, die verschiedenen politisch-religiösen Vorstellungen anhingen und einander auf die Dauer nicht tolerieren konnten. Der Wiener Staatsmann Fürst von Metternich sah deshalb in der Heiligen Allianz bald nur den »Wert und Sinn einer in religiöses Gewand eingekleideten philanthropischen Aspiration«, »ein laut schallendes Nichts«. Es blieb auch nicht aus, daß das eigenstaatliche Interesse das Ideal der Solidarität in den Hintergrund drängte und gerade die vielbeschworene Religion der Liebe einen Gesinnungswandel beschleunigte, der zuerst bei den Russen in Erscheinung trat. Wichtigster Schauplatz des Auseinanderlebens wurde der Orient, das gemeinsame Mutterland der getrennten Christenheit.

Die Hohenzollern-Prinzessin Charlotte Alexandra, die seit 1817 mit dem Zaren Nikolaus I. verheiratet war, ließ ihren Vater Friedrich Wilhelm III. nicht im unklaren über die russische Sehnsucht, die Hagia Sophia in Konstantinopel und die biblischen Orte in Palästina dem Christentum zurückzugewinnen. Der russische Außenminister Graf von Nesselrode beanspruchte in einer Denkschrift unverblümt für das Zarenreich die Vorherrschaft über das Schwarze und das Kaspische Meer sowie das Schutzrecht über die christlichen Untertanen des islamischen Sultans.

Was unter der messianischen Sendung des »rechtgläubigen Mütterchens Rußland« zu verstehen war, ließ der Zar schon erkennen, als er mit kühler Berechnung für die griechischen Glaubensbrüder eintrat,

die seit 1821 mit nationaler Leidenschaft gegen die osmanische Oberhoheit aufstanden. Eine Welle des Philhellenismus ergriff die abendländischen Völker, die mit Schauder erfuhren, daß der griechisch-orthodoxe Patriarch Gregor von Konstantinopel am Tor der Hagia Sophia
gehenkt und der aufrührerische Peloponnes von einer ägyptischen
Streitmacht für den Sultan zurückerobert wurde.

Die rivalisierenden Großmächte sahen in ihrer Sorge um das Gleich-
gewicht der Kräfte nur einen Ausweg: England, Frankreich und Rußland taten sich nach fehlgeschlagenen Vermittlungsversuchen zusammen und vernichteten 1827 bei Navarino die türkisch-ägyptische Flotte.
Danach fiel der Dreibund jedoch auseinander, weil Rußland die Gunst
der Stunde nutzen und einen Alleingang gegen Konstantinopel unternehmen wollte – den Russisch-Türkischen Krieg von 1828/29.

Die unter fadenscheinigen Vorwänden angezettelte Auseinandersetzung, in deren Verlauf ein Heer des Zaren die Hauptstadt der Osmanen bedrohte, nachdem ihr zweites Zentrum Adrianopel bereits gefallen war, machte die preußische Führung erst wirklich orientbewußt.

Zum einen war der erfolgreiche russische Kommandeur Graf von
Diebitsch ein gebürtiger Schlesier und Absolvent des Berliner Kadetten-
hauses, der schon als General des Zaren seinen gegnerischen Kollegen
Yorck, den Befehlshaber der preußischen Hilfstruppen in Napoleons
Großer Armee, zu der Konvention von Tauroggen überredet hatte und
mit ihm 1813 an der Spitze russischer und preußischer Soldaten in das
befreite Berlin eingezogen war.

Zum zweiten bot der Kriegsausgang dem König von Preußen die
Gelegenheit, seinen Generalstabschef Freiherr von Müffling, einen
Spezialisten der strategischen Kartierung mit geodätischen »großen
Dreiecken«, zur Vermittlung an den Bosporus zu entsenden und sich
aktiv in die russisch-osmanischen Friedensverhandlungen von Adriano-
pel einzuschalten.

Zum dritten veröffentlichte der Generalstabsoffizier Helmuth von
Moltke die gründliche Untersuchung »Der russisch-türkische Feldzug
in der europäischen Türkei 1828 und 1829«, die ihm bei den preußischen Offizieren und an den Militärakademien seiner Zeit rasch zu
Rang und Namen verhalf.

Das 1829 besiegelte Friedensabkommen zwischen Zar und Sultan,
das den Russen neben beachtlichen Gebietsgewinnen an der Donau-
mündung und der Ostküste des Schwarzen Meers vor allem die Han-
delsfreiheit im Osmanischen Reich und die freie Schiffahrt auf der

Donau, im Bosporus, in den Dardanellen und im Mittelmeer sicherte, verursachte im früher byzantinischen Herrschaftsbereich erstmals seit dem Türkeneinfall eine gewichtige Kräfteverschiebung. Erst recht horchten Europas Mächte auf, als der ägyptische Pascha Ibrahim 1831 den Befehlsbereich seines Vaters Mohammed Ali, der einst mit dem Kontingent seiner makedonischen Vaterstadt Kawalla zur Franzosen-abwehr nach Ägypten gezogen war und danach als Kommandeur des osmanischen Albanerkorps am Nil nach der Statthalter-Würde eines »Paschas mit drei Roßschweifen« gegriffen hatte, zu einem eigenen Großreich auszubauen versuchte. Die Ägypter besetzten im Sturm Pa-lästina, unterwarfen ganz Syrien und errangen bei Konia in Kleinasien einen entscheidenden Sieg über die Armee des geschwächten Sultans.

Doch nicht die Türken, die um ihre Hauptstadt fürchten mußten, sondern die europäischen Interessenten beendeten Ibrahims Vor-marsch. Flottenverbände des Zaren landeten ein Hilfskorps in Klein-asien, das auf den Höhen von Hunkiar Skelessi ausharrte, bis die Hohe Pforte einem Bündnis mit Petersburg zustimmte, das den Russen wei-tere Rechte in den Meerengen einräumte. Die Engländer nahmen Par-tei für die Osmanen, weil sie sowohl eine Ausweitung der russischen »Hilfsaktion« als auch eine Einigung der Araber unter ägyptischer Führung verhindern wollten. Die Franzosen wiederum ermunterten Mohammed Ali und seinen Sohn, das Heilige Land nicht wieder herauszugeben, bis dem Sultan kein anderer Ausweg blieb, als zähne-knirschend die Ächtung der untreuen Vasallen zurückzunehmen und ihnen im Mai 1833 die Statthalterschaft über Syrien einschließlich Pa-lästinas zu übertragen.

Der neue Herr des Heiligen Landes suchte seinerseits die Großmächte bei guter Stimmung zu halten, indem er mit einer »Politik der offenen Tür« die christlichen Konfessionen recht freizügig gewähren ließ. Auch in Berlin gab es zu denken, daß von evangelischen Missionaren Erfolge gemeldet wurden, die unter direktem osmanischem Einfluß undenkbar gewesen waren.

Inzwischen hatte sich das Königreich Preußen alle Mühe gegeben, von den orthodoxen Russen, den anglikanischen Briten und den katho-lischen Franzosen die Rolle zu lernen, die es als evangelische Schutz-macht zu spielen gewillt war. Die Generalprobe fand jedoch nicht im Orient, sondern im nähergelegenen Italien statt. Mitten im römischen Kirchenstaat sollte der Beweis erbracht werden, daß von nun an — wo auch immer — mit Preußen und seiner Kirche zu rechnen war.

Der Kampf um internationale Anerkennung begann schon 1817, als der preußische Legationssekretär Christian Karl Josias Bunsen in seiner exterritorialen Wohnung zu Füßen des Kapitols vor etwa 40 Gästen das »dritte Jubeljahr der Reformation« mit dem ersten Luther-Gottesdienst in Rom feierte. Mit dem jungen Diplomaten und dem Historiker Barthold Georg Niebuhr, der Preußen seit 1816 als Gesandter beim Heiligen Stuhl vertrat, rühmten nun die Evangelischen unter südlichem Himmel »die so reiche Geschichte der Deutschen in Rom, die bereits zur Zeit Karls des Großen an der Südseite der Peterskirche eine kleine Stadt für sich bildeten«. Sie wünschten sich nichts sehnlicher als eine neue Gemeinde, die neben der englischen die älteste evangelische im Ausland und die einzige lutherische in Rom sein sollte – natürlich mit »einer weltgeschichtlichen Aufgabe: das Erbe der deutschen Reformation zu hüten und zu erhalten in der Hauptstadt der katholischen Welt«.

Nach der endgültigen Niederlage Napoleons entwickelte der Protestantismus ein ausgeprägtes Selbstbewußtsein. Die Säkularisation in Deutschland hatte die Katholiken um den Großteil ihres aus der Reformation geretteten Kirchenbesitzes gebracht und erstmals den Protestanten ein Übergewicht verschafft, das ihren Prozentanteil an der Gesamtbevölkerung deutlich überstieg. Von den namhaften Fürsten im Deutschen Bund waren – außer den österreichischen – nur noch die Könige von Bayern und Sachsen katholisch. Überdies hatte Preußen aus dem Reichsdeputations-Hauptschluß fünfmal mehr erhalten, als es auf dem linken Rheinufer an Frankreich verloren hatte.

Friedrich Wilhelm III. sah eine große Chance, die während der Reformzeit und der Befreiungskriege geweckte Religiosität in die Einheit des lutherischen und des reformierten Bekenntnisses münden zu lassen. Es schmerzte den Monarchen, daß ihn die Konfession von der Mehrheit des Volkes trennte, daß seine Gemahlin Luise, die bei der Heirat zu der reformierten Richtung übertreten mußte, im Grunde ihres Herzens lutherisch geblieben war, daß sein Land ein lutherisches, ein reformiertes und – für die aufgenommenen Flüchtlinge, die »refugiés« – ein französisches Oberkonsistorium brauchte, dazu neben der lutherischen Zivilkirche auch noch die Militärkirche mit einem eigenen Feldpropst und einem Kriegskonsistorium an der Spitze.

Der König versprach sich von einer geeinten Kirche aber auch eine raschere Verschmelzung seiner alten und neuen Provinzen zu einer gefestigten Monarchie. Staatskanzler Fürst von Hardenberg und Kultus-

minister Freiherr vom Stein zum Altenstein, die beide alles andere
als kirchenfromm waren, unterstützten deshalb eifrig die fürstlichen
Bemühungen um eine evangelische Union. Als äußeres Zeichen wurde
zum 300. Jahrestag der Reformation in Wittenberg, das 1814 von
Friedrich Wilhelms Soldaten besetzt und ein Jahr später mit weiten
Teilen Sachsens an Preußen abgetreten worden war, das erste Luther-
Standbild aufgerichtet. Gleichzeitig verkündete der König in einem
Aufruf seinen landesväterlichen Wunsch, die preußischen Protestanten
sollten aus der Freiheit eigener Überzeugung und aus der Einigkeit der
Herzen die »äußeren Unterschiede« der Bekenntnisse überwinden und
eine »neubelebte evangelisch-christliche Kirche im Geistes ihres heili-
gen Stifters« bilden.

Weil die lutherischen Orthodoxen, aber auch andere Gruppen, die
eine Union durchaus befürworteten, sofort heftige Kritik äußerten,
war für den Monarchen besonders wohltuend, was ihm aus dem Kirchenstaat mitgeteilt wurde: »Man feierte alljährlich den Tag der Völkerschlacht bei Leipzig wie den Geburtstag des Königs von Preußen,
und zugleich mit dem Erstarken des Nationalgefühls erwachte nun
auch das protestantische Bewußtsein.«

Zum Leidwesen der preußischen Gesandtschaft in Rom ließen sich
allerdings auch viele deutsche Protestanten durch den katholischen
Kultus und die wiedergewonnene Weltweite der kirchlichen Organisation beeindrucken, ein Teil von ihnen — darunter Prinzen und namhafte Künstler — entschloß sich sogar zur Konversion. Selbst in Weimar
beklagte der Staatsminister von Goethe, der 1817 die Schilderung seiner
»Italienischen Reise« abschloß, die Welle der Glaubenswechsel: »In
Rom haben sich die alten Neuen von allen anderen rottweise abge-
sondert und ... verfolgen offensiv wenigstens die jungen deutschen
Ankömmlinge und Studenten, wenn sie sich nicht bekehren lassen
und ... zum Katholizismus übergehen wollen.« Ausgesprochen ärgerlich berichtete der Gesandte Niebuhr »an des Königs Majestät« von
den »bösen Bestrebungen« der Katholischen, von »ruchlosen Listen
verdorbener Weiber und verächtlicher Männer« und von dem sächsischen König, der »seine katholische Bigotterie selbst durch die Wahl
seines hiesigen Agenten bewährt, der nicht der armseligste ist, um,
soweit es seine Dummheit erlaubt, an Bekehrungen zu arbeiten«.

Um rasche Abhilfe zu schaffen, beantragte der preußische Missionschef 1818 in einem Immediatbericht die Entsendung eines Gesandt-
schaftspastors aus dem neugegründeten Predigerseminar in Witten-

berg, worauf der König sofort bereit war, der neuen Stelle »ein Gehalt von 800 Talern beizulegen« und denselben Betrag durch das Schatz-Ministerium als Reisegeld auszahlen zu lassen. Weil jedoch der miß-trauischen Kurie nicht zu viel auf einmal zugemutet werden sollte, trug der Neuling außerhalb des Betsaals »keine seinen Stand bezeich-nende Kleidung« und hatte einen »ministeriellen Paß in der Hand, in dem er vorsichtshalber nicht als Geistlicher bezeichnet war«. Er erhielt »ein Zimmer in der Wohnung des Gesandten« und war nach außen hin nichts anderes als ein »Attaché à la Légation de Prusse«. Die Chronik der Evangelischen in Rom aber verzeichnete unverhüllt: »Also ward unter dem Schutze des preußischen Adlers, des altbewähr-ten Beschützers des Protestantismus, der Verkündigung des Evange-liums in der Hauptstadt des Papstes für alle Zeiten freie Bahn ge-macht.«

Nachdem Niebuhr 1823 den diplomatischen Dienst quittiert hatte, ging sein Nachfolger Bunsen noch einen Schritt weiter. Auf Rechnung des Königs von Preußen verwandelte er in der neuen Gesandtenresi-denz auf dem Kapitol einen großen Saal in eine Kapelle. Sie sollte als Zentrum der protestantischen Gemeinde in Rom zugleich eine Exer-zierbühne des Monarchen werden, der sich mit seinem amtlichen Ver-treter durch eine gemeinsame Liebhaberei verbunden fühlte: die Re-form der Liturgie.

Bald schrieb Bunsen begeistert an seine Schwester, es habe »etwas Anziehendes hier in Rom, mitten unter den prunkhaften Zeremonien und toten Gebräuchen und von Gold und Edelstein prangenden Kir-chen sich eine kleine Zahl von Christen um das reine ungemischte Evangelium sammeln zu sehen«. Was seine »Kapitolinische Liturgie« anging, waren die Auffassungen allerdings nicht »ungemischt«. Zu gründlich hatte sich der Gesandte an der Seite seiner Frau Frances, die einer reichen englischen Aristokratenfamilie entstammte, auf die For-men der Anglikaner eingestellt, was vor allem erkennbar wurde, als er mit Genehmigung seiner Majestät den »Versuch eines allgemeinen Gesang- und Gebetbuches« einführte, dessen Pate eindeutig das »Com-mon Prayer Book« der Anglikaner war.

Wie des Königs Kirchenagenden in Preußen erregten auch Bunsens Reformen in Rom einigen Widerspruch. Der Organist Otto Nicolai sah in dem neuartigen Gottesdienst »etwas Geistloses und Mechani-sches«, der Maler Erwin Speckter »etwas von Tanz- und Exerzier-unterricht«. Der Komponist Felix Mendelssohn-Bartholdy warf dem

Gesandtschaftspastor sogar vor, »Frömmigkeit mit Langeweile zu verwechseln« und dabei einen »Fanatismus« zu entwickeln, »wie man ihn im 16. Jahrhundert begreiflich, aber heutzutage unerhört findet«. Schlimmer aber wirkte sich aus, daß Bunsen immer unbedenklicher seine diplomatischen Privilegien mißbrauchte und die kirchenstaatlichen Gesetze mißachtete, um die evangelische Gemeinde mit Schul- und Krankenhausprojekten weit über die zulässige Seelsorge für das Gesandtschaftspersonal hinaus zu erweitern. Sogar der Wiener Staatskanzler von Metternich ließ durch den österreichischen Botschafter Einspruch erheben — »in Anbetracht des Gedankens der Überlegenheit, den der Berliner Hof und alle Protestanten damit verbanden«.

Der württembergische Politiker Paul Pfizer sprach es unverhüllt aus: Nur Preußen konnte Deutschland führen, weil Österreich schon vor dreihundert Jahren abdankte, als es nicht die Fahne der Reformation übernahm. Das junge, bewegliche, protestantische Preußen sollte an die Stelle des dumpfen, blinden, katholischen Österreich treten! Anders urteilte der rheinländische Dichter Heinrich Heine, der damals Korrespondent der »Augsburger Allgemeinen Zeitung« in Paris war: »Ich traute nicht diesem Preußen, diesem langen, frömmelnden Gamaschenhelden mit dem weiten Magen und mit dem großen Maule und mit dem Korporalstock, den er erst in Weihwasser taucht, ehe er damit zuschlägt ... Tief widerwärtig war mir ... dieses steife, heuchlerische, scheinheilige Preußen.«

Aus Rom erfuhr die Berliner Kirchenleitung noch mit Genugtuung, daß Amerikaner, Engländer, Schweizer, Schweden und Dänen zu den treuesten Gemeindemitgliedern zählten und daß sogar evangelische Gottesdienste in französischer und italienischer Sprache gehalten wurden. Den ehemaligen Ingenieur-Offizier von Maydell, der einst mit Napoleon nach Rußland gezogen war, erfaßte jedoch bei seinen häufigen Besuchen in der Gesandtschaft ein ungutes Gefühl, weshalb er versuchte, von Bunsens Anstrengungen mit einem Gedicht abzulenken, das auf ein lohnenderes evangelisches Ziel hinwies:

»Jerusalem, du Himmelsstadt,
Nach dir steht all mein Sehnen,
Nach dir schau ich so früh und spat,
Nach dir die Augen tränen.
Ohn' Unterlaß seufz' ich nach dir,
Ach zeig dich endlich, endlich mir,
Zu deiner Ruh' mich lade.«

Das Ende der »Kapitolinischen Gemeinde« kam rascher als erwartet. Ein verbissener »Kulturkampf« um die Mischehen in Preußen und die eigenartige Rolle, die Bunsen bis zu der überraschenden Verhaftung des Kölner Erzbischofs spielte, führten zum offenen Konflikt zwischen dem Vatikan und Berlin. Zu deutlich hatte sich mittlerweile herausgestellt, wie skrupellos eine staatliche Vorschrift, wonach katholische Bischöfe in Preußen mit dem Papst nur über die Berliner Regierung und deren Gesandtschaft in Rom korrespondieren durften, zum Nachteil der Kirche ausgenützt worden war. Als der preußische Missionschef, der von deutschen Zeitungen jetzt auch wegen unlauterer Machenschaften um das »protestantische Kirchspiel in Rom« attackiert wurde, bei der Kurie um eine Audienz nachsuchte, wurde ihm bedeutet, er könne nicht mehr empfangen werden.

Die Begründung gab der Kardinalstaatssekretär in einer Note: Welches auch die Erläuterungen des Gesandten Bunsen gewesen seien, der Heilige Vater habe »unzweifelhafte Beweise dafür erhalten«, daß die Königliche Gesandtschaft gegen die völkerrechtlichen Bestimmungen verstoßen habe, »die den diplomatischen Vertretern keine anderen Vorrechte zugestehen als solche, die zur Ausübung ihrer diplomatischen Befugnisse für nötig erachtet werden«. Trotzdem empörte sich der Geschichtsschreiber Heinrich von Treitschke: »Seit der Wiederherstellung des Kirchenstaates geschah es zum ersten Male, daß die Kurie einen mächtigen Staat also zu beleidigen wagte.«

Dem König von Preußen blieb nichts anderes übrig, als seinen Missionschef »non grata« abzuberufen und die Gesandtschaft anzuweisen, die Tätigkeit ihres Pastors streng auf die Behördenangehörigen zu beschränken. Bunsen verfaßte noch einen »Nachruf« auf den Papst, ein Gedicht, das auch die Chronik seiner Gemeinde »stillos und gehässig« nannte:

»Wo ich die Kirche mir erbaut, die freie,
Auf ew'gem Felsen, trotzend dem Gewimmel
Der Tagesfliegen und des Neides Schreie.
Schau, hier im Fels, an dem du sollst zerschellen —
Du grollest auf dem Zauberberge drüben —,
Ist des Geschickes Nagel eingetrieben,
Wie sich's gebührt an Capitoles Schwellen.«

Dann verließ der Gesandte am 28. April 1838 nach 21 Jahren die Ewige Stadt, ein höheres Ziel bereits vor Augen. »Komm«, sagte er zu seiner Frau, »und laß uns anderswo ein neues Kapitol suchen!«

Es traf sich gut, daß dramatische Entwicklungen im Orient bereits die neue Richtung wiesen und daß wiederum ein preußischer Militärberater am Werk war, als Friedrich Wilhelm III. ein Eisen im Feuer brauchte. Schon 1835 hatte der König nicht gezögert, dem Hauptmann Helmuth von Moltke durch Kabinettsorder eine sechsmonatige Reise nach Konstantinopel, Athen und Neapel zu genehmigen. Zwei Jahre zuvor war der junge Mecklenburger als Premierleutnant mit geographischen Spezialkenntnissen in den Generalstab der preußischen Armee berufen und danach als Ritter in den Johanniterorden aufgenommen worden.

Aus Moltkes halbjähriger Beurlaubung wurde ein vierjähriger Aufenthalt im Osmanischen Reich. Gleich nach seiner Ankunft hatte sich der preußische Gesandte Graf Königsmarck beeilt, dem türkischen Oberbefehlshaber einen Fachmann vorzustellen, der in der Lage war, an dem vom Preußen-König gestifteten Sandkasten im Empfangssalon die Schlacht von Waterloo erneut zu schlagen. Und bald stimmte man in Berlin einem Gesuch um unbefristete Kommandierung zur Instruktion und Organisation der osmanischen Armee zu, »bei Fortzahlung des vollen Gehalts«.

Der Hauptmann inspizierte Provinzen und schrieb Berichte. Er entwarf Kasernen, Wasserwerke und Befestigungen an den Dardanellen, legte weite Strecken zu Pferd zurück oder schwamm auf Flößen aus aufgeblasenen Hammelhäuten den Euphrat hinunter, um Feldlager an günstigere Plätze zu verlegen und die unvollkommenen Karten Anatoliens, Syriens und Mesopotamiens zu ergänzen. Er verfaßte Gutachten über den Straßenbau, die Landesvermessung und den Heeresnachschub, ja sogar über die Wasserversorgung von Konstantinopel und die Einführung des preußischen Landwehrwesens. Er bemühte sich auch, die Sprachen und die Mentalität der osmanischen Völker zu verstehen, weshalb seine 1841 herausgegebenen »Briefe über Zustände und Begebenheiten in der Türkei aus den Jahren 1835 bis 1839« noch lange als ein Standardwerk der Landesbeschreibung galten.

1837 trafen vier weitere preußische Offiziere und zehn Unteroffiziere ein, um dem Sultan zu dienen, der um das abgefallene Tripolis kämpfte und vor allem einen ständigen diplomatischen Krieg gegen Mohammed Ali führte. Als er endlich Anfang 1838 gegen die Ägypter zu den Waffen greifen konnte, wurde Helmuth von Moltke dem Generalstab der Taurus-Armee zugewiesen, die am oberen Euphrat mit 70 000 Mann in Stellung ging. Doch obwohl der Preuße energisch den

Angriff als beste Verteidigung vorschlug und sogar verzweifelt um seine Entlassung bat, zögerte der türkische Kommandeur so lange, bis Ibrahim Pascha am 24. Juni 1839 seine Reiterei mit wirkungsvoller Artillerieunterstützung zum Sturmangriff vorschickte, und da war die entscheidende Schlacht bei Nisib auch schon verloren – Helmuth von Moltkes erste Schlacht!

Die Niederlage war verheerend, das Ausmaß der Verluste erschütternd. Nur dem Sultan Mahmud II. blieb die große Enttäuschung erspart, weil er am 1. Juli 1839 starb, ohne erfahren zu haben, was eine Woche zuvor geschehen war. Die Großmächte aber waren alarmiert, weil sie es für ausgeschlossen hielten, daß der erst sechzehnjährige neue Sultan Abd ul-Medschid seinen routinierten Vater ersetzen konnte. Deshalb zeichnete sich am Horizont bereits ein allgemeiner Krieg um die Trümmer des Türkenimperiums ab, als der Hauptmann von Moltke Ende 1839 nach Berlin zurückkehrte und seinem Generalstabschef die schriftliche Bestätigung überbrachte, der preußische Militärberater habe der osmanischen Regierung mit Beweisen von Mut und Kühnheit treu und unter Einsatz seines Lebens gedient. König Friedrich Wilhelm hielt die ihm vorgelegten Berichte und Kartenblätter aus dem Osmanenreich für so wertvoll, daß er sich bei seinem Kundschafter mit dem Orden Pour le mérite bedankte.

Der orienterfahrene Johanniter-Ritter gab dem Berliner Kabinett den dringenden Rat, trotz aller evangelischen Ansätze im Heiligen Land den Kampf gegen Ibrahim Pascha zu unterstützen, um damit zugleich dessen Bundesgenossen Frankreich zu treffen, der als katholische Schutzmacht nachzuvollziehen schien, was Napoleon nicht geglückt war. Pariser Berater redeten nämlich den sieggewohnten Ägyptern zu, die Feindseligkeiten bis zu einem Ausgleich durch die fieberhaft agierenden Großmächte einzustellen und nicht durch Starrköpfigkeit alle Eroberungen aufs Spiel zu setzen. Immerhin hatten die Briten schon ihre Seestreitkräfte ausgeschickt, als der Großadmiral des Sultans, der Kapudan Pascha, mit der türkischen Flotte zu Mohammed Ali übergelaufen war.

Weil Ibrahim jedoch nicht auf einen totalen Sieg verzichten wollte, schlossen England, Rußland, Österreich und Preußen in aller Eile den Londoner Vertrag vom 15. Juli 1840, der dem Sultan — selbst auf die Gefahr einer kriegerischen Konfrontation mit Frankreich hin — bewaffneten Schutz vor seinem renitenten Vasallen versprach. Eine britisch-österreichische Flotte fuhr vor Beirut auf, setzte Truppen an Land und vertrieb die Ägypter aus ihren Küstenstellungen. Englische Kreuzer bedrohten zugleich Alexandrien mit einer Blockade und zwangen Mohammed Ali zu einem provisorischen Vertrag, der nicht weniger als die vollständige Räumung Syriens und die Herausgabe der osmanischen Flotte verlangte. Ibrahim Pascha, der sich zunächst nach Damaskus zurückgezogen hatte, mußte wohl oder übel kapitulieren und seine Truppen unter unbeschreiblichen Strapazen nach Ägypten zurückführen, damit ihm der Sultan auf Verlangen der Großmächte wenigstens die erbliche Statthalterschaft über Ägypten und Nubien zugestand.

Ein halbes Jahrhundert später beklagte Carl Schlicht, Pastor einer deutschen evangelischen Gemeinde in Jerusalem, daß die christlichen Großmächte Palästina damals nicht für sich selbst, sondern für die islamischen Türken zurückeroberten und verstärkte Hoffnungen auf eine christliche Herrschaft über die heiligen Stätten zunichte gemacht hätten. Auch D. Hans Wilhelm Hertzberg — von 1924 bis 1930 evangelischer Propst in Jerusalem und später Professor in Kiel — stimmte, als er am Reformationsfest 1964 seine Chronik der Gemeinde Jerusalem abschloß, in das preußische Bedauern ein:

»Niemals im Lauf der Geschichte hatten die europäischen Mächte so das Heilige Land in der Hand wie damals, als Ibrahim Pascha Syrien und Palästina wieder an den Sultan herauszugeben gezwungen wurde... Der Traum der Kreuzfahrer hätte ohne Schwierigkeit verwirklicht werden können. Die Hand, die über Jerusalem sich ausstreckte, hätte nur zuzufassen brauchen; ein ernstliches Widerstreben des Sultans wäre nicht erfolgt, ganz abgesehen davon, daß er nicht die Macht gehabt hätte, einem solchen Widerstreben Nachdruck zu verschaffen. Aber nichts geschah... Man kann es begreifen, wenn damals und später ein allgemeines Kopfschütteln über diese Art von Politik durch die christlichen Völker Europas ging!«

Englisch-preußisches Bistum Jerusalem

»Es heißt, der König von Preußen werde dieses Jahr sterben, und er selber glaubt es... Es heißt, man sehe im hiesigen Palast bisweilen die weiße Frau, welche das Hausgespenst des preußischen Hofes ist und immer erscheint, wenn jemand von der königlichen Familie sterben soll.« So schrieb der Baseler Kulturhistoriker Jacob Burckhardt im März 1840 nach den ersten sechs Monaten seines Aufenthaltes in Berlin. Er ließ keinen Zweifel daran, daß er Verständnis für die Bevölkerung hatte, die ihre Hoffnungen auf einen neuen König setzte.

Das ungewöhnlich lange Regiment Friedrich Wilhelms III. hatte sich in 43 Jahren totgelaufen. Jede noch so sachliche Kritik am Privatleben und an der schwankenden Politik des Hohenzollern unterband der Innenminister mit der Feststellung: »Dem Untertanen ziemt es nicht, die Handlungen des Staatsoberhauptes an den Maßstab seiner beschränkten Einsicht anzulegen und sich in dünkelhaftem Übermute ein öffentliches Urteil über die Rechtmäßigkeit derselben anzumaßen.« Der König schalt sein Volk »eine Nation ohne Intelligenz und Gewitztheit«, liebte jedoch selbst nichts mehr als stupide Geselligkeit am Hofe und seichte Stücke im Theater. Wohl von den Beziehungen zur Hohen Pforte angeregt, mußte der Oberhofmarschall auf Wunsch seines Herrn sogar die »hochschwangere Sultanin« spielen!

Als sich am 7. Juni 1840 bewahrheitete, was die »weiße Frau« angekündigt hatte, ging ein Aufatmen durch Berlin und das Königreich. Die stickige Luft des Kasernen- und Kanzleienstaates schien plötzlich einer frischen Brise zu weichen, als die Reihe an dem vierten Friedrich Wilhelm war, der wegen seiner Ideen und Pläne reichlich mit Vorschußlorbeer bedacht wurde.

Tatsächlich begann der König mit versöhnlichen und populären Maßnahmen, so einem Amnestiegesetz für politische Häftlinge, der Wiederberufung entlassener Reformpolitiker und Professoren, einer Lockerung der Pressezensur, der Förderung von Literatur und bildender Kunst, vor allem auch der Schlichtung des väterlichen »Kulturkampfes« gegen die katholische Kirche. Aber bald erwies er sich, wie der Tübinger Religionsphilosoph David Friedrich Strauß formulierte, als der »Romantiker auf dem Throne«, dem der fürstliche Absolutismus von Gottes Gnaden, das »monarchische Prinzip« und der »christliche Staat« über alles gingen. Das Übergewicht einer pietistisch-schwärmerischen Richtung des Protestantismus trug dazu bei, daß das geistige, religiöse und gesellschaftliche Leben weiterhin in Fesseln blieb.

Um so erstaunlicher war die Entschlossenheit, mit der Friedrich Wilhelm IV. noch am Todestag seines Vaters eine Übereinkunft mit den Katholiken im Sinne ihres Kirchenrechts befahl. Bei der Krönung in Königsberg übernahm er das Bekenntnis, das einst der Moses-Nachfolger Josua vor dem versammelten Volk Israel ablegte, als Losungswort für seine Regierung: »Ich und Mein Haus, Wir wollen dem Herrn dienen.« Dann steigerte sich die Erkenntnis, daß der Niedergang des Christentums auch die Monarchie mitreißen müßte, in der Vorstellungswelt des Hohenzollern allmählich zu einem göttlichen Auftrag: eine deutsche evangelische Kirche zu schaffen, die sich mit der anglikanischen und der römischen gegen den materialistischen Unglauben und den revolutionären Zeitgeist verbünden sollte.

Aus dieser Sicht konnte sich das preußische Regime eine scharfe Abgrenzung zur katholischen Kirche nicht mehr leisten. Die Schlappe in Rom hatte zudem bewiesen, daß der Vatikan nicht am kürzeren Hebel saß. Niemand wußte dies besser als der theologisch ambitionierte Diplomat Bunsen, mit dem sich Friedrich Wilhelm schon 1828 während eines Besuchs in Rom verständigt hatte und der nun bei den kirchenpolitischen Anstrengungen des Königs der wichtigste Berater wurde.

Beide träumten von einer Hochkirche in Preußen, die sich an der englischen orientieren sollte. Für Bunsen, dessen Sohn anglikanischer Geistlicher wurde, waren in der englischen Liturgie »die guten Gebete und Formeln des mittelalterlichen Kultus erhalten und evangelisch wiedergeboren« worden. Der König redete sich ein, die anglikanische Verknüpfung von lutherischen, calvinischen und römischen Elementen, von protestantischem Bekenntnis mit hierarchischen und gottesdienstlichen Ordnungen katholischer Tradition, habe sich so bewährt, daß sie auch für eine deutsch-evangelische Nationalkirche und vielleicht sogar eine überkonfessionell-christliche Reichskirche das Muster abgeben könnte.

Friedrich Wilhelm IV. spann den Faden weiter: Hatten vielleicht die Theologen der vom britischen Hochadel getragenen Oxford-Bewegung recht, die in der griechisch-katholischen, der römisch-katholischen und der anglikanischen Kirche die drei Zweige der »wahren katholischen Kirche«, im Anglikanismus die eigentliche Fortsetzung des Urchristentums und in Canterbury das Bindeglied zwischen Konstantinopel und Rom sehen wollten? Beinhalteten demnach die anglikanischen Weihen nicht auch die apostolische Sukzession?

Je mehr der König darüber nachdachte, desto deutlicher sah er das Bild einer idealen Union der Zukunft. Ein preußisch-englisches Zusammenwirken sollte dem allzu nüchternen deutschen Protestantismus die Einführung des glanzvolleren Episkopalsystems erleichtern, sobald der Erzbischof von Canterbury einem ersten deutsch-evangelischen Bischof die apostolische Weihe erteilte und ihn dadurch ermächtigte, die Sukzession auf weitere Bischöfe im Mutterland der Reformation zu übertragen. Das Oberhaupt dieser hierarchisch organisierten Staatskir-

Friedrich Wilhelm III.

Jerusalem, Tempelberg mit Felsendom und El-Aqsa-Moschee

Die Trümmer des Muristan (oben)
Bischof-Gobat-Schule und protestantischer Friedhof auf Zion

che mußte — mit dem Recht der Bischofsernennung — der König sein. Die Verwirklichung konnte am besten in der Heiligen Stadt Jerusalem beginnen, wo es ohnehin vermeintliche Versäumnisse aufzuholen galt.

Die Zustimmung zu dem Londoner Viermächteabkommen, das Palästina wieder der osmanischen Herrschaft unterstellte, war die erste außenpolitische Amtshandlung des neuen Königs, der es sehr bedauerte, daß sich sein Land mangels einer starken Flotte nicht an den militärischen Interventionen der Vertragspartner beteiligen konnte. Nach dem Urteil der späteren Jerusalemer Pastoren Hertzberg und Schlicht machte Friedrich Wilhelm IV. als einziger wirklich ernsthafte Anstrengungen, die Lage in einem für christliche Ziele günstigen Sinne auszuwerten. »Wenn auch«, trösteten sich schließlich die Chronisten, »kein Fürstentum Jerusalem entstand, auch nicht eine Festung auf Zion mit einer gemischten Garnison der christlichen Großmächte, wie Friedrich Wilhelm IV. selbst es wünschte, sondern die Türken wieder die unbeschränkten Herrscher des Landes wurden, das Interesse der Christenheit war in so hohem Grade geweckt worden, daß es Pläne hervorrief, deren Ausführbarkeit auch ohne politische Umgestaltungen möglich erschien.«

Das Ziel lag schon greifbar nahe, als Bunsen am 9. Juni 1841 die Reise seines Lebens antrat, um in London das Tor zu einem »neuen Kapitol« zu öffnen. Sorgsam hütete er die Instruktionen, die ihm sein königlicher Herr und Freund anvertraut hatte, und stolz las er darin Sätze, die ihm das Gefühl vermittelten, ein weltgeschichtliches Instrument zu sein:

»Die gegenwärtige, offenbar nicht ohne göttliche Leitung herbeigeführte Gestaltung der türkischen Angelegenheiten, und namentlich die politische Stellung Englands und Preußens zu derselben, hat der evangelischen Christenheit zum ersten Male die Möglichkeit gegeben, in der Wiege der Christenheit und im Gelobten Lande sich neben den uralten Kirchen des Morgenlandes und der römischen als ebenbürtiges Glied der allgemeinen Kirche Christi eine Stellung zu fordern, um dem Evangelium freie Verkündigung, den Bekennern der evangelischen Wahrheit freies Bekenntnis und gleichen Schutz zu sichern. Dieser Augenblick ist ein weltgeschichtlich wichtiger: nach seiner Beachtung und Benutzung oder Mißachtung und Versäumung wird die evangelische Kirche von der Geschichte und von Gott gerichtet werden.«

Bunsen war ermächtigt, der erst 22 Jahre alten Königin Victoria, die 1837 den Thron bestiegen und 1840 ihren Vetter, den deutschen Prote-

stanten Albert von Sachsen-Coburg-Gotha, geheiratet hatte, eine Gewissensfrage zu stellen: »Sollte insbesondere im gegenwärtigen Augenblicke der Liebesgedanke des Herrn der Kirche nicht dieser sein, daß im
alten Lande der Verheißung, auf der Stätte seines irdischen Wandelns,
nicht nur Israel zur Erkenntnis des Heils geführt werden, sondern auch
die einzelnen, auf dem ewigen Grunde des Evangeliums und auf dem
Felsen des Glaubens an den Sohn des lebendigen Gottes gegründeten
evangelischen Kirchen, ihrer Spaltungen vergessend, ihrer Einheit sich
erinnernd, über der Wiege und dem Grabe des Erlösers sich die Hand
des Friedens und der Einigkeit reichen mögen?«

Weil England in Jerusalem mit der Judenmission, der »London Society for promoting Christianity amongst the Jews«, und mit einem
Konsulat bereits festen Fuß gefaßt hatte, sollte Bunsen laut königlicher
Weisung »in einer dem englischen Ministerium genehmen, ganz ver-
traulichen Form, durch Besprechung mit dem Erzbischof von Canterbury, als Primas von England, und mit dem Bischof von London, als
unmittelbarem Haupte der einzelnen auswärtigen Gemeinden der englischen Kirche, zu ermitteln suchen: in welcher Art die englische Landeskirche, welche sich bereits im Besitze eines Pfarrgebäudes auf dem
Berge Zion befindet und daselbst den Bau einer Kirche begonnen hat,
geneigt sein dürfte, der evangelischen Landeskirche Preußens eine
schwesterliche Stellung im Gelobten Lande zu gestatten«.

Bei allen Besprechungen mit den Anglikanern mußte sich der Geheime Legationsrat stets zwei Grundsätze vor Augen halten. Zum
einen wünschte der preußische König »möglichste Einheit des Wirkens und Handelns beider Kirchen im türkischen Reiche und insbesondere im Gelobten Lande«, zum anderen »Rücksicht auf die Selbstän-
digkeit der evangelisch-deutschen Kirche und auf die Eigentümlichkeit
des deutschen Volkes«. Erst unter dem Eindruck, daß diese Voraussetzungen erfüllt werden könnten, war es Bunsen erlaubt, das eigentliche Ziel anzusteuern und die Rede darauf zu bringen, »daß die englische Kirche ein eigenes Bistum in Jerusalem errichte«.

Friedrich Wilhelms Beauftragte im Osmanischen Reich hatten inzwischen herausgefunden, daß alle protestantischen Anstrengungen vergeblich waren, wenn es nicht gelang, der evangelischen Kirche zunächst
bei der Hohen Pforte den Status einer staatlich anerkannten Religions-
gemeinschaft zu erwirken. Doch schon für dieses Vorhaben erschien
ihm Preußen allein zu schwach. Erst recht sah er sich nicht in der Lage,
den einmal gewonnenen Status notfalls mit militärischen Mitteln zu

In 'silentio et spe Bunsen

Christian Karl Josias Freiherr von Bunsen

verteidigen. Deshalb war es für den König naheliegend, die Geschlossenheit der anglikanischen Kirche und die Flottenmacht des britischen Reiches für seine Zwecke zu nutzen, auch wenn er selbst dabei in den Hintergrund treten mußte.

Was die staatliche Bestätigung der Religionsgemeinschaften im Osmanischen Reich bedeutete, konnte Bunsen in der königlichen Instruktion nachlesen: »Eine solche Anerkennung schließt für die Vorsteher der Körperschaften die höchsten politischen Rechte in sich. So sind noch im vorigen Monate die Bischöfe der verschiedenen christlichen Körperschaften Syriens in Damaskus mit dem Mufti und Kadi zu einer

Beratung über die künftige Verwaltung des Landes berufen, und es ist
einem jeden derselben bewilligt worden, fünf Abgeordnete seines Bekenntnisses für den obersten Verwaltungsrat Syriens zu ernennen.«

Dem König als dem »summus episcopus« der preußischen Landeskirche war aus dem Orient berichtet worden, »daß in den letzten Jahren in Armenien und in Beirut sowie in Jerusalem mehrere und zum
Teil sehr angesehene Eingeborene sich geneigt erklärt haben, zum
evangelischen Christentume überzutreten oder ihre Kinder darin erziehen zu lassen, davon aber großenteils durch die Unmöglichkeit abgehalten sind, in welcher sich die Missionare befinden, ihnen Schutz
und Sicherheit zu gewähren«.

Weil Bunsen in London trotz aller Bemühungen nicht die raschen
Fortschritte erzielte, die er sich erhofft hatte, drängte er den König zu
einem deutlichen Beweis des guten Willens. So unterzeichnete Friedrich Wilhelm am 6. September 1841 eine Urkunde, mit der er sich im
voraus verpflichtete, »daß Wir zur Dotation eines evangelischen Bistums in Jerusalem, welches von der Krone und Kirche von England
gestiftet wird, die Hälfte beitragen wollen, und bestimmen Wir dazu
ein Kapital von 15 000 Pfund Sterling, welches Wir bei Unserer Dispo-
sitions-Kasse dergestalt zur Verfügung gestellt haben, daß zunächst die
Zinsen von diesem Kapital mit 600 Pfund Sterling, in jährlichen Zah-
lungen pränumerando als Hälfteteil des jährlichen Einkommens des
Bischofs von Jerusalem, zu Händen der Erzbischöfe von Canterbury,
von York und des Bischofs von London als Trustees jenes Bischofs-
sitzes geleistet werden sollen«.

Dieses großzügige Angebot verlieh den Londoner Gesprächen
Schwung. Sofort wurde von der britischen Regierung der Entwurf eines
Gesetzes eingebracht, das einem anglikanischen Erzbischof überhaupt
erst gestatten sollte, einen Bischof von Jerusalem zu weihen. Unver-
züglich gab das Parlament seine Zustimmung, und am 5. Oktober 1841
setzte Königin Victoria ihre Unterschrift unter das neue Gesetz.

Nun waren die Erzbischöfe von Canterbury und York ermächtigt,
Ausländer zu Bischöfen zu weihen, auch wenn sie nicht Untertanen
des Landes waren, in dem sie ihr Amt ausüben sollten. Auf den Hul-
digungs- und den Suprematseid gegenüber dem englischen König als
Oberhaupt der anglikanischen Kirche konnte verzichtet werden; der
Erzbischof mußte sich vor der Weihe eines Kandidaten vergewissern,
daß gegen die hinreichende Gelehrsamkeit, die Reinheit des Glaubens
und die Tadellosigkeit des Lebenswandels nichts einzuwenden war.

Das neugeschaffene Amt, das nach der Fertigstellung des Gotteshauses die Bezeichnung »Bischof der Kirche des heiligen Jakobus in Jerusalem« erhalten sollte, wurde mit einigen bedeutsamen Rechten ausgestattet. Vor allem verlieh das Gesetz dem Oberhirten die Erlaubnis zur Ausübung der kirchlichen Gerichtsbarkeit »über die Geistlichen britischer Gemeinden aus der Vereinigten Kirche von England und Irland sowie über diejenigen anderen protestantischen Gemeinden in jenen Ländern, welche wünschen möchten, sich unter seine oder ihre Gewalt zu stellen«.

Obwohl der preußische König und sein Unterhändler zu erheblichen Zugeständnissen bereit waren, dauerten die Verhandlungen noch bis Dezember 1841. Dann hatte man sich endlich darauf geeinigt, daß der Bischof abwechselnd von der Krone Englands und Preußens ernannt und stets durch den Erzbischof von Canterbury geweiht werden sollte. Doch gerade diese Abmachung löste in der preußischen Landeskirche die stärksten Bedenken aus: Nicht genug, daß jeder Kandidat der anglikanischen Kirche angehören mußte, der Erzbischof behielt sich auch ein unbedingtes Einspruchsrecht gegen die Ernennungen des Königs von Preußen vor. Dies bedeutete nichts anderes, als daß der englischen Seite ein Veto gegen preußische Wünsche offenstand, während Preußen jede englische Entscheidung hinzunehmen hatte. Darüber hinaus sollte es den preußischen Geistlichen in Palästina, Syrien, Chaldäa, Ägypten und Abessinien nur gestattet sein, »sich an die bischöfliche Einrichtung anzuschließen«, wenn sie »ihre Ordination von der englischen Kirche erhalten«. Wirkliche Gleichberechtigung gab es nur in einem Punkt: Das bischöfliche Jahresgehalt von 1200 Pfund Sterling hatten je zur Hälfte England und Preußen aufzubringen.

Überheblich drückte der Erzbischof von Canterbury am 9. Dezember 1841 in seinem »Statement« über den Bistumsvertrag die Hoffnung aus, einen ersten Schritt »zu einer wesentlichen Einheit der Kirchenordnung wie auch der Lehre zwischen unserer eigenen Kirche und den in ihrer Verfassung weniger vollkommenen protestantischen Kirchen Europas« getan zu haben. Am 18. Juni 1842 teilte er dem König von Preußen kategorisch seine Vorstellungen über die preußischen Gemeinden innerhalb des Bistums mit, die zur Überraschung vieler deutscher Protestanten sofort akzeptiert wurden. Danach genehmigte der Metropolit eine deutsche Liturgie, die »den in preußischen Landen kirchlich eingeführten Liturgien entnommen ist«, ordnete jedoch gleichzeitig an, daß die Predigtamtskandidaten zwar vom preußischen König vor-

geschlagen, vom Bischof aber erst ordiniert werden konnten, nachdem
sie »die drei Symbole, das apostolische, nicänische und athanasiani-
sche«, unterschrieben hatten. Außerdem: »Konfirmanden werden nach
ihrem Unterrichte und ihrer Prüfung durch den deutschen Geistlichen
und nach Ablegung ihres Glaubensbekenntnisses in Gegenwart der
Gemeinde dem Bischofe vorgestellt und nach anglikanischem Kirchen-
gebrauche eingesegnet.«

Angesichts der Chance, einen Platz im Heiligen Land zu gewinnen,
gab sich Friedrich Wilhelm IV. nicht nur gegenüber den Anglikanern
auffallend bescheiden. Im Vatikan ließ er durch seinen Ministerresi-
denten die ausdrückliche Versicherung abgeben, daß mit der Gründung
des Bistums Jerusalem keinerlei feindselige Handlung gegen die katholische Kirche beabsichtigt sei. In der Stiftungsurkunde betonte überdies
ein eigener Absatz das Versprechen, der Bischof werde, soweit er könne,
»Beziehungen christlicher Liebe mit anderen in Jerusalem vertretenen
Kirchen, besonders der griechisch-orthodoxen, aufnehmen und erhalten; besonders wird er sich bemühen, sie zu überzeugen, daß die Kirche
Englands weder sie zu stören noch zu spalten noch sich irgendwie ein-
zumischen gesonnen ist«.

Im stillen verfuhr man jedoch in Preußen nach der alten Methode
von Rom, weil Bunsen glaubte, diesmal alle Fäden richtig gesponnen
zu haben. So empfahl er dem König schon vor der Einigung über den
Bistumsvertrag eine Kollekte innerhalb der Landeskirche, die einen
neuen Fonds begründen sollte – »zur Errichtung und Erhaltung eines
Hospitals für bedürftige evangelische Reisende und Ansiedler in Jerusalem und zur Einrichtung einer Schule daselbst«. Während einer
diplomatischen Tätigkeit in Bern, erst recht aber nach dem Antritt der
Sondermission in London hatte Bunsen die Verbindungen nach Rom
ständig gepflegt. Die wichtigste Information bezog er von dem Ge-
sandtschaftsprediger Heinrich Abeken, mit dem er in den letzten und
schwierigsten römischen Jahren eng zusammengearbeitet hatte: Die
»Kapitolinische Gemeinde« lebte im verborgenen weiter, auch wenn
sie sich offiziell nicht so nennen durfte.

Deshalb holte Bunsen im Herbst 1841 mit Genehmigung des Königs
den erfahrenen Pastor, dessen englische Frau wenige Jahre zuvor gestorben war, zu der Endphase der kirchenpolitischen Verhandlungen
nach London. Der junge Theologe, der die Leidenschaften des Pietismus und der Aufklärung gleichermaßen ablehnte, erkannte jedoch
während seines Aufenthaltes an der Themse, daß die wissenschaftliche

und politische Arbeit seine eigentliche Berufung war. Nach einer längeren Orientreise, die ihm Einblicke in die abstoßenden Konkurrenzkämpfe der christlichen Konfessionen gewährte, hatte er von der Theologie vollends genug. Abeken widmete sich nun ganz dem auswärtigen Dienst des Königreichs Preußen, wurde 1853 Vortragender Rat und erlangte als »Bismarcks Feder«, die im Juli 1870 die Emser Depesche verfaßte, noch einige Berühmtheit.

Bunsen trat 1842 die Stelle eines preußischen Gesandten in London an und fand endlich wieder mehr Zeit für seine weitgespannten wissenschaftlichen Interessen. Mit größerem Vergnügen als früher gedachte er nun auch seines einstigen Missionschefs in Rom, der ihm den Orient auf besondere Weise nahegebracht hatte – mit dem 1817 erschienenen Buch »Carsten Niebuhrs Leben«, in dem der preußische Gesandte ausführlich schilderte, was sein Vater in dänischen Diensten zwischen 1761 und 1767 in Syrien, Palästina und am Roten Meer erlebte. Mit Genugtuung konnte Bunsen registrieren, daß in diesem weiten Gebiet – dank seiner Mitwirkung – erstmals ein protestantischer Bischof auch das Königreich Preußen vertrat.

Die Anglikaner hatten bei der ihnen zustehenden Kandidatenwahl genau bedacht, worauf sie und ihr Vertragspartner – wenigstens nach außen hin – Wert legten: Jerusalem sollte die gewichtigste Bastion für einen neuen Feldzug zur Bekehrung der Juden werden. Sie suchten deshalb nach einem »Sohn Abrahams« und fanden als geeigneten Mann den Professor Michael Salomon Alexander, der 1798 in Schönlanke (Provinz Posen) als Jude geboren und 1825 in England zum anglikanischen Christentum übergetreten war. Er galt als ernster Wissenschaftler, frommer Theologe und treuer Sohn der Kirche, wie es das Gesetz der Königin verlangte.

Der in aller Eile geweihte Bischof traf mit seiner Familie und einem Kaplan schon am 21. Januar 1842 in Jerusalem ein, weil die britische Regierung eigens eine Dampffregatte mit dem kriegerischen Namen »Devastation« auf die Reise nach Palästina geschickt hatte. Sofort ließ die Hohe Pforte auf Ersuchen Englands und Preußens in den Moscheen des Landes verkünden, wer den neuen Bischof antaste, werde von den osmanischen Behörden behandelt, als ob er den Augapfel des Sultans, des Padischah, antaste. Das war eine strenge Warnung an die islamischen Untertanen, aber auch an die orthodoxen Juden in Jerusalem.

Bischof Alexander konzentrierte seine Tätigkeit »fast ganz auf das Missionswerk unter den Juden«. Dabei hatte er, so heißt es in der deutschen Chronik weiter, »eine freundliche Natur, ein offenes Ohr und Herz und – einen offenen Geldbeutel«, was besonders betont wurde, so sehr man auch davon überzeugt war, daß den Juden bereits die befreiende Wirkung der Reformation ein geläutertes Christentum erschlossen hatte. Man brauchte den »Verstockten« nur mit Luthers Gedankengängen nachzuweisen, daß Gott das auserwählte Volk zwar zum Träger der Offenbarung gemacht, aber nach Jesu Tod aus diesem Dienste entlassen habe. Somit bleibe dem alttestamentlichen Bundesvolk gar nichts anderes übrig als der Übergang in den Neuen Bund.

Seit ihren frühesten Anfängen hatte die Christenheit auf verschiedenartigste Weise versucht, die Kinder Abrahams, Isaaks und Jakobs zu bekehren – mit Güte, Liebe und Geduld, aber weitaus öfter mit Drohung, Erpressung und Gewalt. Im 19. Jahrhundert trat insofern ein Wandel ein, als immer mehr Stimmen forderten, die Christen sollten, wie es schon 1781 der preußische Geheime Archivar und Kriegsrat Dohm ausgedrückt hatte, »ihre Vorurteile und lieblose Gesinnung« aufgeben und »die Juden wie ihre Brüder und Mitmenschen betrachten«.

Im Entwurf einer Judenordnung vom Dezember 1830 entwickelte das Preußische Staatsministerium trotzdem eine Theorie der »Fremdlinge, welche nur so lange bei uns zu bleiben beabsichtigen, bis der Messias sie nach Palästina zurückführt«. Ein Außenseiter aber könne nicht verlangen, »daß er Teil an den Anordnungen nehme, welche auf die Verwaltung und die innere Organisation des Staates Bezug haben, da bei diesen nicht bloß das Bedürfnis des Augenblicks, sondern die Befestigung der Gesundheit des Staatskörpers für dessen möglichst lange Lebensdauer in Frage kommt. Hieraus dürfte von selbst die Ausschließung der Juden von allen politischen Rechten und vor allem von der Mitwirkung bei der Verwaltung und Gesetzgebung des Staates folgen.«

Ein preußischer König wie Friedrich Wilhelm IV. konnte sich nicht vorstellen, auf welche Weise Untertanen mit einem »Sonderungstrieb« in seinen Staat hineinwachsen sollten. Die protestantisch-preußische Monarchie durfte doch nicht ihren göttlichen Auftrag verleugnen, das reine Christentum nach Kräften zu fördern und alle anderen Glaubensrichtungen durch unablässige Belehrung und Überzeugung ihm zuzuführen. Selbstverständlich hatte auch jeder obrigkeitliche Beamte diesem hohen Ziel zu dienen. »Wie kann das ein Jude, überhaupt ein Nichtchrist?« fragte deshalb der Geheime Oberfinanzrat

Wolfort in einer Untersuchung »Über die Emanzipation der Juden in Preußen«, die 1844 erschien.

Im selben Jahr polemisierte Karl Marx, der 1824 als Sechsjähriger von seinem Vater zur evangelischen Taufe geführt worden war, in der Schrift »Zur Judenfrage«, daß »der sogenannte christliche Staat die christliche Verneinung des Staates, aber keineswegs die staatliche Verwirklichung des Christentums« sei; die Juden täuschten sich sehr, wenn sie glaubten, ihre Verfolgung würde durch die bürgerliche Emanzipation beendet.

Man konnte es drehen und wenden, wie man wollte, einen Weg wies nur die Judenmission, die schon König Friedrich Wilhelm III. für den besten Ausweg aus der »Judenmisere« gehalten hatte. Immerhin wird aus seiner Regierungszeit berichtet, daß von 1822 bis 1840 in den acht altpreußischen Provinzen nicht weniger als 2200 Israeliten evangelisch geworden seien. In seinem Eifer verbot der Monarch, dem nach dem Allgemeinen Landrecht das »jus circa sacra« in Fragen der Kirchenordnung gegenüber allen Glaubensgemeinschaften zustand, jede Modernisierung des jüdischen Gottesdienstes, weil schwankenden Israeliten ihr alter Glaube nicht durch Reformen akzeptabler gemacht werden sollte.

Wo theologische Spitzfindigkeiten des »Institutum Judaicum« in Halle und staatsrechtliche Bedenken der konservativen Judengegner nicht ausreichten, berief man sich in Preußen auf die wirtschaftlichen, sozialen und politischen Umwälzungen, die es zu bewältigen oder abzuschwächen galt. Man zitierte den Philosophen Kant, der die »Palästinenser« zu den Erfindern eines überhandnehmenden »fremden Übels« rechnete, das er als »Handelsgeist des freien Unternehmertums« und Gefahr für die »braven und naiven deutschen Bauern und Handwerker« bezeichnete. Man bemühte die Ansicht des Philosophen Fichte über die »undeutsche« Wettbewerbswirtschaft und die Eigenrechte des »deutsch-christlichen Volkes«. Man erinnerte daran, daß der Turnvater Jahn zu einem »heiligen Kreuzzug« gegen alles Fremde der »Franzosen, Junker, Pfaffen und Juden« aufgerufen und der Freiheitsdichter Arndt die »Art des deutschen Volkes« gegen den »Allerwelts-Judensinn« der »verdammten Humanität« verteidigt hatten. Manche hörten sogar auf den Göttinger Philosophieprofessor Meiners und seine These, die Juden und die Zigeuner seien, was den Ursprung der Menschheit betreffe, von allen Rassen den Tieren am nächsten.

»Unmenschlich ist es«, meinte der Historiker Ruehs als seltsamer

Menschenfreund, »den Juden einen Vorwurf zu machen, daß sie Juden sind; nur darin liegt ihre Schuld, daß sie es bleiben, selbst wenn sie Gelegenheit haben, von ihren Irrtümern und den Ursachen ihres traurigen Zustandes sich zu überzeugen.« Der Geheime Oberregierungsrat Streckfuß trat deshalb als Judensachverständiger des Preußischen Staatsministeriums für eine milde »Endlösung« ein und prophezeite: »Immer mehr der einzelnen Steine werden aus der Ruine fallen, je schwächer der Druck wird. Und wenn er dereinst ganz aufgehört hat, wird die ganze Ruine ohne Geräusch verschwunden sein. Und so wird das Ende des Judentums sein: Ahasver, welcher seine unerschöpfliche Lebenskraft durch die feindselige Berührung der Christen und die von diesen erfahrenen Verfolgungen bis jetzt bewahrt hat, wird still sein müdes Haupt zum ewigen Schlummer niederlegen, wenn man ihn ruhig und unbeachtet sein Ziel sich suchen läßt.«

Mag man der preußischen Judenmission auch das Verdienst anrechnen, zum Verständnis zwischen Christen und Juden einiges beigetragen zu haben – ihre eigentlichen Ziele wichen nicht von denen des »christlichen Staates« ab. Obwohl 1847 eine ministerielle Denkschrift zu dem Schluß kam, daß das Emanzipationsedikt von 1812 bei den Israeliten in Preußen »im ganzen günstige Resultate herbeigeführt hat«, ja daß die Juden sogar beim Militär als tüchtige Rekruten eine »unbestreitbare« moralische Qualifikation für den Kriegsdienst bewiesen und mit ihren Gebräuchen »selbst beim Stubendienst und den Menagewirtschaften keine Störungen« verursacht hätten, lehnte im selben Jahr der Erste Vereinigte Preußische Landtag ihre völlige Emanzipation ab. Für das Stimmenverhältnis von 215 zu 185 sorgten vornehmlich die Protestantisch-Konservativen, in deren Reihen auch der junge Otto von Bismarck saß. Ihr Sprecher, der General und königliche Staatsminister von Thile, beharrte auf dem Standpunkt, es wäre dem Christentum »unverträglich, den Juden obrigkeitliche Rechte beizulegen« – denn ihr einziges Vaterland sei Zion und nicht Preußen!

Seit der Errichtung des englisch-preußischen Bistums war auch dieses ferne Vaterland nicht mehr ein sicherer Hort der Israeliten. Dort folgten ihnen die Missionare bis zu den Synagogen und der Klagemauer, um sie zu der Taufe im Namen Jesu Christi zu überreden. Eine spürbare Erleichterung brachte erst ein Gesetz des Norddeutschen Bundes, das 1869, als Preußen zur Führungsmacht eines größeren Staatsverbandes aufgerückt war, »alle noch bestehenden, aus der Verschiedenheit des religiösen Bekenntnisses hergeleiteten Beschränkungen« aufhob.

Solange der von England erwählte Bischof Alexander amtierte, ließ Preußen nur mit tastenden Schritten erkennen, daß es neben der Judenmission in Palästina auch andere Ziele verfolgte. Deshalb fiel es besonders auf, als nach vier Jahrhunderten wieder ein Hohenzoller eine Wallfahrt nach Jerusalem unternahm. Prinz Albrecht, ein Bruder des Königs, ebnete im Winter 1842/43 den Weg, auf dem schon 1845 als weiterer Pilger und Inspekteur der Domhilfsprediger und spätere Hofprediger Friedrich Adolf Strauß folgte. Ihm wurde nachgerühmt, er habe mit seinem Buch »Sinai und Golgatha« die Seelen für die evangelische Arbeit im Land der Bibel aufgelockert. In Wirklichkeit stellte er im Auftrag der Berliner Hofgemeinde Richtlinien für die Zukunft auf, nachdem er vor allem den Bischof gründlich getestet hatte.

Es war ein harter Schlag für Jerusalem, registrierte kurz darauf die Chronik, als die Nachricht kam, Bischof Alexander sei »auf einer Dienstreise nach Ägypten in der Wüste in Ras el-Wadi am 26. November 1845 gestorben«. Schon der nächste Satz ließ jedoch erkennen, daß man in Preußen über das plötzliche Ende einer kaum vierjährigen Amtszeit nicht allzu traurig war: »Jetzt war die Reihe, den Bischof zu ernennen, an König Friedrich Wilhelm.«

Der evangelische Patriarch

Noch einmal hatte Bunsen die Hand im Spiel: Der preußische Gesandte am britischen Hof erhielt von seinem König den Auftrag, einen Nachfolger des verstorbenen Bischofs von Jerusalem zu nominieren, der sowohl den Berliner Ambitionen entsprach als auch den anglikanischen Kirchenmännern akzeptabel erschien. Nach umsichtigen Erkundigungen und diplomatischen Absicherungen bot Bunsen seinem ausgewählten Kandidaten das hohe Amt an. Doch der Empfänger des Schreibens, ein 47 Jahre alter Missionar auf der Insel Malta, reagierte zunächst mit einem »Nie und nimmermehr!« Seinem ersten Antwortbrief ließ er allerdings bald einen zweiten folgen, in dem er sich zur Übernahme der Bürde bereit erklärte.

Preußens Wahl war auf Samuel Gobat gefallen, der aus Cremine, einem kleinen Dorf in der französischen Schweiz, stammte und über das Missionshaus in Basel zur englischen »Church Missionary Society« gelangt war. »Noch nie habe ich nach einer hohen Stellung getrachtet«, schilderte er später das Selbstgespräch, mit dem er das Ernennungsangebot überdachte. »Obschon ich für ein solches Amt nicht erzogen worden bin, so kommt dieser Ruf vielleicht doch von Gott, und kommt er von Gott, dann darf ich nicht widerstehen; denn wenn er mich berufen hat, wird er auch mit mir sein und mir die nötigen Gaben verleihen, um meine Pflichten in jenem Amt zu erfüllen, meinen Nebenmenschen zu Nutzen und zur Ehre seines Namens.«

Bischof Samuel Gobat

Samuel Gobats Eltern waren fromme Leute, die den Sohn zu so gläubiger Demut erzogen, daß er selbst Stockschläge des Dorfschulmeisters mit einem »Vergelt's Gott!« hinzunehmen verstand. Als alter Mann faßte er in einem Rückblick seinen Werdegang zusammen:

»Von meines Vaters Haus, vom Pfluge weg, bin ich von Gott über Basel, England, Malta, Abessinien durch die Basler Gesellschaft, durch die Kirchliche Missionsgesellschaft, durch das Comité des Malta College, durch den seligen König Friedrich Wilhelm IV. von Preußen zu meiner jetzigen Stellung als Bischof der Vereinigten Kirche Englands und Irlands in Jerusalem geführt worden.«

Was nicht weniger bedeutungsvoll war: Samuel Gobat hatte in dem weiten Feld der Mission auch verwandtschaftlich Wurzeln geschlagen. Auf der Suche nach einer Frau, die »ein gut erzogenes Mädchen mit feinem Zartgefühl« sein und sich zugleich als »Gehilfin in das rauhe abessinische Leben finden« sollte, war ihm während eines kurzen Urlaubs ein »besonderer Erweis der Barmherzigkeit Gottes« zuteil geworden. Er heiratete Maria Zeller, die Tochter eines württembergischen Theologen und Pädagogen, der wie andere pietistische Gesinnungsfreunde mit missionarischem Eifer versuchte, der sittlichen Verwilderung und der revolutionären Unruhe im Volk mit praktischem Christentum entgegenzuwirken.

Diese neue Missionsbewegung innerhalb des Protestantismus genoß auch das Interesse und die Sympathie des Königs von Preußen. Mit sicherem Blick erkannte Bunsen die günstige Konstellation: Samuel Gobat war ein angesehenes Mitglied der englischen Missionsgesellschaft, verfügte über vielfältige Auslandserfahrungen und Sprachkenntnisse, hatte im deutschen Sprachraum eine geistige Heimat und gehörte durch familiäre Bindung zu dem Kreis deutscher Missionspraktiker, der im Sinne einer evangelischen Union bereit war, seine Aktivität auf das Heilige Land auszudehnen.

Doch mit dieser Rechnung war es noch nicht getan. Namhafte britische Persönlichkeiten konnten sich nicht damit abfinden, daß der König von Preußen einen Bischof der Kirche Englands und Irlands ernennen sollte. Sie verfaßten und unterzeichneten deshalb eine geharnischte Protestschrift von 18 Folioseiten, die in erster Linie nachzuweisen versuchte, daß sich Gobat in einem kürzlich veröffentlichten »Abessinischen Tagebuch« einiger schwerwiegender Irrlehren schuldig gemacht habe. Allerdings: Was in dem Protest mit »Nestorianismus« und anderen Umschreibungen bezeichnet wurde, war in Wirklichkeit nur ein Hinweis auf die tiefe Kluft zwischen dem preußisch-evangelischen und dem britisch-anglikanischen Kirchentum, die durch einen Bistumsvertrag nicht ohne weiteres zu überbrücken war.

Samuel Gobat ging erfolgreich aufs Ganze, als er seine Widerlegung der Anklagen mit den Worten begann: »Seit es in der Kirche Englands nötig geworden ist, sich zu entschuldigen oder gar zu rechtfertigen, wenn wir in Glaubenssachen nichts annehmen, als was in der Bibel steht, freue ich mich, bei dieser Gelegenheit aussprechen zu können, was meine Ansichten darüber sind.« Als er kurz nach der Ordination zum Presbyter und der folgenden Weihe zum Bischof dem preußischen König in Berlin seinen Antrittsbesuch abstattete, gewann Friedrich Wilhelm IV. den Eindruck, daß er selten einem Mann begegnet sei, der ihm »ein so vollkommenes Vertrauen eingeflößt« habe.

Dem Amtsantritt in Palästina stand nun nichts mehr im Wege. Bischof Gobat erreichte bei stürmischem Wellengang die Küste, an der er mit eigenen Worten »Immanuels Land« betrat. Den Weihnachtsabend 1846 feierte er mit seiner Familie bereits auf festem biblischem Boden.

In Preußens Orient-Chronik begann das spannendste Kapitel. Schon 1842 hatte der ungeduldige König vorgesorgt, daß im Nahen Osten das bewährte Fünfgespann der führenden Kolonialmächte — Missionar, Handelsvertreter, Wissenschaftler, Militärberater und Konsul — auch für Preußen komplettiert wurde. Eine der beiden noch fehlenden Positionen erschien ihm besonders wichtig, weil die französischen Akademien nach wie vor Napoleons wissenschaftliche Pionierleistung feierten.

Friedrich Wilhelm stattete eine preußische Expedition aus, die in Ägypten, im Sudan, in Äthiopien und auf der Halbinsel Sinai umfangreiche Forschungen anstellen, Abbildungen für ein auf königliche Kosten herauszugebendes Prachtwerk beschaffen und wertvolle Exponate für die ägyptische Sammlung des Neuen Museums in Berlin mitbringen sollte. Wichtigster Berater des Königs war wieder der Gesandte Bunsen. Er nominierte als Leiter der vierjährigen Expedition den Altertums- und Sprachforscher Karl Richard Lepsius, den er bereits in Rom dem Archäologischen Institut zugeführt hatte, und gab ihm als zeitweiligen Begleiter den versierten Legationsrat Heinrich Abeken mit. Tatsächlich verlief das Unternehmen so erfolgreich, daß Lepsius von der Berliner Akademie der Wissenschaften mit vollem Recht als Mitbegründer der Ägyptologie geehrt werden konnte.

Auch in Jerusalem selbst war Preußen schon vor Bischof Gobats Ankunft aktiv geworden. Der 31 Jahre alte Privatdozent Dr. Ernst Gustav Schultz, der aus dem ostpreußischen Hirschfeld stammte und der Sohn eines evangelischen Superintendenten war, wurde am 20. April 1842 zunächst auf zwei Jahre zum Vizekonsul für Syrien und Palästina mit

Sitz in der Heiligen Stadt ernannt. Ihn hatte ebenfalls der Gesandte
Bunsen vorgeschlagen, der 1841 in London mit dem Kenner orientali-
scher Sprachen bekannt geworden war. Im März 1844 wurde Schultz als
Konsul in Jerusalem bestätigt, der bald auch die erste konsularische
Agentur in Jaffa eröffnen durfte.

Sicherlich nicht ohne königliches Einverständnis vertrat Preußens
Vertreter den Standpunkt, daß wohl ein Johanniter-Hospiz am würdig-
sten wäre, die älteste deutsch-evangelische Anstalt im Land der Bibel
zu werden. Immerhin hatte die von Bunsen angeregte Jerusalem-
Kollekte innerhalb eines Jahres den stattlichen Betrag von 46 000 Talern eingebracht. Doch gelang es erst 1851, ein abseits gelegenes Haus
zu mieten, und 1855, ein geeigneteres Gebäude unweit der Grabeskirche zu kaufen, »um dort bemittelte evangelische Reisende gegen Ver-
gütung der baren Auslagen, unbemittelte Reisende unentgeltlich fünfzehn Tage lang zu beherbergen«. Die »durch Allerhöchsten Erlaß vom
15. Oktober 1852« wiedererrichtete Balley Brandenburg – der »evangelische Zweig« des Johanniterordens, der seit 1812 ein preußischer
Hausorden war – übernahm das Hospiz 1858 als Mieter und 1863 als
Eigentümer.

Im Herbst 1846, nur wenige Monate vor der Ankunft des »preußischen« Bischofs, ließen sich weitere Vorläufer einer deutsch-evangelischen Gemeinde in Jerusalem nieder. Sie waren zwar keine Untertanen
oder Beauftragte des Hohenzollern-Königs, standen aber Samuel Gobat
sehr nahe, weil sie – wie ursprünglich auch er – aus der Missionsstadt
Basel kamen. Zwei unternehmungsfreudige Württemberger, der Me-
chaniker Schick und der Seifensieder Palmer, sollten endlich eine Idee
verwirklichen, die voneinander unabhängige evangelische Missionare
und Komitees, besonders in Basel und Genf, seit langem beschäftigte:
den Grundstock für eine Kolonie im Stadtbereich von Jerusalem zu
legen. Noch von Malta aus hatte Gobat den Baseler Freunden geschrieben, man müsse den Kolonisten sagen, sie gingen nicht nur wie Schafe
unter die Wölfe, sondern unter die Wölfe, Tiger, Löwen und Schlangen!

Geistiger Vater der schwäbischen »Brüder« war der Pfarrerssohn
Christian Friedrich Spittler, der – laut Biographie – »nie der Verfüh-
rung durch eine Universität ausgesetzt war«. Wie andere Lutheraner
aus Württemberg, die mit Reformierten in der Schweiz und der Missionsgesellschaft in London Kontakte pflegten, war er vor Jahrzehnten
nach Basel gegangen, um eine Bibel- und Missionsgesellschaft für den
Druck preisgünstiger Schriftausgaben und die Ausbildung von Missio-

naren aufzubauen. Zuletzt hatte er 1840 auf dem Hügel St. Chrischona
bei Basel eine kleine Kirche erworben und dort eine neue Lehrstätte,
die Pilgermissionsanstalt St. Chrischona, eingerichtet.

Nach Spittlers Ansicht wurden Missionare neuerdings auch für die
»ganz erstorbene Christenheit« gebraucht: »Wenn wir dafür sorgen,
daß die Heiden Christen werden, so dürfen wir nicht versäumen, auch
darauf bedacht zu sein, daß die Christen keine Heiden werden.« Besonders wünschte er ein »Bruderhaus« inmitten der oft feindseligen
Christen, Mohammedaner und Juden in Jerusalem, »damit die armen
Leute dort an einem lebendigen Beispiele mit Augen sehen, wie wahre
Christen miteinander leben, beten und arbeiten, ihre Umgebung mit
Liebe behandeln und mit Rat und Tat ihnen zu helfen suchen«.
Palmer und Schick, denen sich zwei Jahre später der Elsässer Baldensperger und der Badener Müller zugesellten, sollten »einträchtig bei-
einander wohnen, die eigene Haushaltung führen, daneben für den
Herrn arbeiten, wie es sich an die Hand gebe, womöglich ihren Unter-
halt selbst verdienen, mehr durch Beispiel als durch Predigen und Lehren zu missionieren suchen und überhaupt heilsamen Einfluß auf je-
dermann, mit dem sie in Berührung kämen, ausüben«.

Mit derartigen Anleitungen befaßten sich damals Männer verschie-
dener Herkunft, die sich aus evangelischen Pietistengemeinschaften,
Erbauungszirkeln und Erweckungsbewegungen heraushoben, um mit
gläubiger Hingabe ihr praktisches Christentum als Damm gegen die
Woge der rationalistischen Theologie, der radikalen Bibelkritik, des
Indifferentismus, des Materialismus und des Atheismus aufzurichten.

Im preußischen Osten gestaltete der Gutsbesitzer Adolf von Thadden sein Schloß Trieglaff zu einem Treffpunkt der »erweckten« Geistlichen und Laien. An der Berliner Universität lehrte der Professor August Neander, der unter dem jüdischen Namen David Mendel in Hamburg aufgewachsen war, eine evangelische »Pektoraltheologie«, die
davon ausging, daß das Herz den Theologen mache. Im Badischen
richtete Bischof Gobats Schwiegervater Zeller in einem alten Deutsch-
ordensschloß die »Freiwillige Armenschullehrer- und Armenkinderan-
stalt zu Beuggen« ein, die das Vorbild für zahlreiche Rettungshäuser
abgab. In der Nähe seiner Heimatstadt Hamburg schuf der Seelsorger
Johann Hinrich Wichern mit dem »Rauhen Haus« für gefährdete Ju-
gendliche eine Keimzelle der männlichen Diakonie und der Inneren
Mission. Nicht weit von Düsseldorf gründete der hessische Pastor
Theodor Fliedner das »Evangelische Asyl für entlassene weibliche

Strafgefangene«, aus dem das Kaiserswerther Diakonissenhaus hervorging.

Alle Praktiker und ihre unzähligen Helfer — Handwerker und Bauern ebenso wie Fabrikanten und Kaufleute, Gutsbesitzer und Gelehrte — schwammen mit ganzer Kraft gegen den Strom der Zeit. Sie hatten erkannt, daß seit Jahrzehnten der deutsche Protestantismus in eine immer ernstere Krise trieb, die ihm eigentlich noch mehr von innen als von außen her zu schaffen machte.

Zwar hatten sich — beeinflußt durch richtig oder falsch verstandene Gedanken der Aufklärung, des Idealismus und der Romantik — breite Schichten angewöhnt, lieber von Vorsehung als von Gott, lieber von Weltanschauung als von Kirche und lieber von Humanität oder Moral als von Religion zu sprechen. Zwar wurden im Zuge wirtschaftlicher und gesellschaftlicher Umwälzungen neue politische Ideen und revolutionäre Konzepte ins Volk getragen, die mit der zunehmenden Verweltlichung des bürgerlichen auch den Verfall des kirchlichen Lebens förderten. Doch die protestantische Krise hatte sich in erster Linie zugespitzt, weil das Kirchenregiment sich nicht dazu durchringen konnte, die politisch-religiösen Richtlinien der Reformatoren Martin Luther und Philipp Melanchthon den Bedürfnissen der Zeit anzupassen.

Weil es die Reformation den Fürsten überlassen hatte, innerhalb ihrer Territorien mit partikularen Gesetzen Kirchenordnungen zu schaffen, war der Protestantismus in vielgestaltige Landeskirchen aufgesplittert und nicht zu geschlossenen Aktionen fähig. Weil sich der Bund von Thron und Altar, von Landesfürst und Landeskirche, zu einem weltlich-geistlichen Machtsystem entwickelt hatte, galt der Protestantismus in den Augen der Massen als Bollwerk gegen jede Art von Fortschritt, als zuverlässigste Stütze der Monarchie und als stärkster Hemmschuh der Demokratisierung. Weil Religion und Politik, Kirche und Staat, Luthertum und Gesellschaftsordnung engstens miteinander verknüpft worden waren, mußten dem Protestantismus zwangsläufig viele verlorengehen, die mit der Politik, dem Staat und der Gesellschaftsordnung nicht einverstanden waren.

Ebenso leidenschaftlich wie den ganzen »irdischen Umtrieb«, die Sucht nach Vergnügung und Luxus, den Geiz der Besitzenden und »den von Gott verfluchten Onansgreuel, wodurch die Zahl der Nachkommen in sündlicher Willkür verkürzt wird«, verurteilten zahlreiche Gläubige auch die Auswüchse des herrschenden Kirchenwesens und suchten in Gemeinschaften außerhalb der Gotteshäuser »Nahrung für Herz und Gemüt«. Die große Zeit des Versammlungschristentums brach an, und aus Justinus Kerners »Wohlauf noch getrunken den funkelnden Wein« wurde in Wicherns Liederbuch ein »Wohlauf noch gesungen im trauten Verein«.

Gemeinschaftsfreudige Pietisten und Orthodoxe richteten auch am sehnsüchtigsten den Blick nach Jerusalem und glaubten immer lebhafter daran, daß von der Heiligen Stadt noch einmal im Sinne des Urchristentums eine Welle der Erneuerung an Haupt und Gliedern ausgehen werde. Letzten Endes verbrauchten sie aber ihre Kräfte nicht im Wettbewerb mit einer feindseligen Umwelt, sondern in theologischen und kirchenpolitischen Auseinandersetzungen mit andersdenkenden Glaubensbrüdern.

Es war bezeichnend, daß im Herbst des Revolutionsjahrs 1848 der erste Kirchentag der »evangelischen Kirchengemeinschaften Deutschlands« in Wittenberg den von vielen erstrebten Kirchenbund – ob als »Union« der Bekenntnisse oder als »Konföderation« der Landeskirchen – nicht zustande brachte, statt dessen nur einen »Central-Ausschuß der Inneren Mission« als Zusammenfassung evangelischer Werke der Nächstenliebe. Dieser schwache Ersatz einer Volkskirche bildete nach Auffassung seiner Initiatoren – besonders Wicherns – den Rahmen für »die freie Liebesarbeit des heilserfüllten Volkes zur Verwirklichung der christlichen und sozialen Wiedergeburt des heillosen Volkes« und für »ein wahrhaft christliches Volk in Staat und Kirche«.

Bezeichnend war auch, daß Wichern, der im Dienste der Inneren Mission nach eigenem Zeugnis »die Rede des Unmuts und der Erbitterung gegen das Bestehende und gegen die obrigkeitlichen Personen unmittelbar vernommen« hatte, die Gunst Friedrich Wilhelms IV. suchte und immer mehr in den Dienst der alten Mächte des Königreichs Preußen trat, bis er, der Hamburger, schließlich in Berlin als Oberkonsistorialrat im Regiment der Staatskirche, als Vortragender Rat im Ministerium des Innern und als Leiter der Felddiakonie in den Kriegen von 1864, 1866 und 1870 ganz für Preußen tätig war.

In Jerusalem ging am Gründonnerstag 1851 in Erfüllung, was 1846 zwischen Samuel Gobat und Theodor Fliedner in der Londoner Residenz des Gesandten Bunsen verabredet worden war: Der Leiter der Kaiserswerther Anstalten ritt als erster Repräsentant der Inneren Mission mit vier deutschen Diakonissen in Jerusalem ein. Dort hatte der Bischof in der Zwischenzeit einiges erreicht. Seit dem 21. Januar 1849

verfügte er sogar über ein Gotteshaus: die »Christ Church« der Judenmission, die erste protestantische Kirche im Nahen Osten, deren Bau
während der milden Herrschaft Ibrahim Paschas geplant, von der zurückgekehrten türkischen Verwaltung aber erst genehmigt worden war,
nachdem der erste britische Konsul in Jerusalem unter Berufung auf
seine Privilegien nachdrücklich eine »Konsulatskapelle« beansprucht
hatte.

Der Kaiserswerther Organisator, der einst als Pastor am Niederrhein
damit begonnen hatte, die auf einer vierzehnmonatigen Kollektenreise
zusammengebrachten 21 000 Taler in holländischen Staatspapieren anzulegen und aus den Zinsen die Kirche, die Schule und die Armenfür-
sorge seiner kleinen Diasporagemeinde zu finanzieren, hatte die Entsendung der Diakonissen in Berlin mit dem König selbst besprochen
und von ihm einen stattlichen Zuschuß aus dem Fonds der Jerusalem-
Kollekte erlangt. Wie Wichern unterstützte er seit einiger Zeit die
preußische Regierung mit geschultem Personal für staatliche Anstalten,
die sich besonders in den östlichen Gebieten der Monarchie um Kranke,
Kinder, Arme und Gefangene kümmerten. Umgekehrt half auch Friedrich Wilhelm IV. den Missionspraktikern, wo er konnte. Eines seiner
Lieblingsprojekte, das nach dem Ort des Lazarus-Wunders benannte
Krankenhaus Bethanien auf dem Köpenicker Feld, wurde schon 1847
ein Diakonissen-Mutterhaus nach Kaiserswerther Statuten, und neuerdings brauchte Fliedner wieder Hilfe bei der Planung des Berliner
»Marthahauses«, das unter dem Namen der Lazarus-Schwester das
erste Hospiz für stellenlose Dienstmädchen werden sollte.

Nach einer kurzen Feiertagspause im Heiligen Land begann für den
Kaiserswerther Vorsteher, wie er es selbst beschrieb, eine Arbeit »in
Knechtsgestalt«. Das Schwesternhaus, das der König hatte mieten lassen, war für die vorgesehenen Aufgaben – Mädchenschule, Hospital
und Hospiz – viel zu klein. Doch schon nach wenigen Wochen konnten
der Bischof und sein Helfer den Diakonissen unweit der Christuskirche
ein anderes Haus für die Missionsarbeit übergeben.

In der bald frequentierten Krankenstation behandelte der Arzt der
englischen Judenmission die schwierigeren Fälle. Die Erziehung der
weiblichen Jugend aus einfachen Familien – ein Novum in der islamischen Umgebung – machte gute Fortschritte. Nur das »Hospitium«,
dessen Einrichtung der Bischof vom König erbeten hatte, paßte nicht
in den Rahmen, weil es hauptsächlich von durchziehenden deutschen
Handwerksburschen, die zwischen Konstantinopel und Kairo gern in

christlichen Anstalten Jerusalems Station machten, in Anspruch genommen wurde. Um diese »Landplage« vom Schwesternhaus fernzuhalten, erwarb man 1855 das Gebäude, das später die Johanniter zu ihrem Hospiz machten. 1856 gingen Krankenstation und Mädchenschule in den Besitz des Rheinisch-Westfälischen Diakonissen-Vereins über, dem der König von Preußen zu diesem Zweck aus dem Kollektenfonds ein unkündbares und zinsfreies Darlehen von rund 13 000 Talern gewährt hatte.

Diese Transaktion war bereits die Folge eines wichtigen Ereignisses, das mit dem 13. Januar 1852 datiert wurde. An diesem Tage wurde Pastor Friedrich Peter Valentiner mit seiner Familie in Jerusalem begrüßt, womit — wie die Chronik hervorhob — »die eigentliche Geschichte der deutschen evangelischen Gemeinde« begann. Seit Jahren schon hatte Fliedner gedrängt, seinen Krankenpflegerinnen und Lehrerinnen den gerade im Orient erforderlichen männlichen Rückhalt zu bieten. Als aber der erste preußische Pfarrer eine evangelische Gemeinde in Palästina übernehmen sollte, rächte sich schon die Nachgiebigkeit des Königs beim Abschluß des Bistumsvertrags. Wie sollte man es mit dem gestiegenen Selbstbewußtsein der Kirche Preußens vereinbaren, daß Friedrich Wilhelm »in dem Sinne apostolischer Katholizität und in der Erwartung gleicher Gesinnung seitens der englischen Kirche« der Bedingung der anglikanischen Nachordination zugestimmt hatte?

Unverhofft führten — wie öfters zuvor und nachher — politische Geschehnisse den König aus der Kalamität: Nach dem Aufstand der schleswig-holsteinischen Deutschen gegen Dänemark und dem Deutsch-Dänischen Krieg von 1848/50 flüchteten mit den Freiheitskämpfern auch mehrere Pastoren, darunter Valentiner, in das Königreich der Hohenzollern. Und obgleich dort die dänische Herrschaft über die meerumschlungenen Herzogtümer ein Stein des Anstoßes war — Jerusalem zuliebe wurde sie doch indirekt anerkannt.

Mit Hilfe des Bischofs Gobat bemühte sich die Berliner Kirchenführung, dem englischen Erzbischof, dessen Regierung im diplomatischen Bund mit Rußland und Frankreich soeben den preußischen Rückzug aus Schleswig-Holstein erzwungen hatte, einen »Ordinations-Trick« schmackhaft zu machen: Er sollte ausnahmsweise annehmen, die bischöfliche Verfassung der evangelischen Kirche Dänemarks wäre einerseits der englischen gleichwertig und zum anderen auch für die beiden Generalsuperintendenten in Schleswig-Holstein gültig; dann könnte er auf die Nachordination eines bereits »dänisch« ordinierten Flüchtlingspastors verzichten!

Diese Lösung wurde in London prompt anerkannt. Der Geistliche brauchte nur die 39 Artikel des anglikanischen Bekenntnisstandes zu unterschreiben, dann konnte er aus seiner »Sonderstellung«, als es sich in der gewachsenen Gemeinde zu lohnen begann, noch weiteren Nutzen für Preußens Kirche ziehen. Schon 1861 feierte Pastor Valentiner – von Bischof Gobat geduldet – die erste Konfirmation entgegen den Regeln des Bistumsvertrags völlig selbständig.

Jerusalem, Blick von der Erlöserkirche nach Osten

Am Anfang bestand die Jerusalemer Gemeinde nur aus den vier Chrischona-Missionaren und den vier Kaiserswerther Schwestern, denen sich einige Handwerker zugesellten. Das mit allzu kühnem Optimismus eröffnete »Brüderhaus« traf der erste Seelsorger aber schon nicht mehr an. Seine Insassen hatten sich auf realistischere Missionswerke verteilt: Palmer wurde Lehrer und Baldensperger Verwalter der Bischof-Gobat-Schule, Schick arbeitete für die Londoner Judenmission im Industriehaus. Müller diente der »Church Missionary Society« im Bethlehemer Stationsbereich, mit dem er bald auf recht eigenartige Weise unter preußische Fittiche kam.

Schon seit einiger Zeit mißfiel Friedrich Wilhelm IV. die kühle Zurückhaltung, mit der die Mehrheit der preußischen Protestanten nach anfänglicher Spendenbereitschaft seine Aktivität im Heiligen Land beobachtete. Das Bistum Jerusalem galt weithin als private Liebhaberei des Monarchen und nicht als öffentlich-kirchliche Angelegenheit. Weder die 1843 angeregte »Jerusalemsfeier«, die jährlich an den Amtsantritt des ersten Bischofs erinnern sollte, noch die Kollekten für das ferne Bistum fanden die erwünschte Resonanz. Selbst im Berliner Dom wurde der 21. Januar als »Jerusalemsfest« erst 1847 mit königlichem Nachdruck zur Dauereinrichtung.

Die laue Haltung der Gläubigen veranlaßte den soeben von einer Orientreise zurückgekehrten Potsdamer Divisionspfarrer Strauß und den Berliner Hofprediger Hoffmann, der schon 1841 als Missionsdirektor in Basel einem Komitee für die Kolonisation Palästinas angehört hatte, zu einer Initiative der Hof- und Armeegeistlichkeit, die mit einer Gruppe namhafter Persönlichkeiten am 21. Januar 1853 den Jerusalemsverein gründete. Die vom König geförderte Vereinigung setzte sich im ersten Paragraphen ihrer Satzung das Ziel, »die im Morgenlande, im Bereich des evangelischen Bistums zu Jerusalem hervorgerufenen deutsch-evangelischen Anstalten und Unternehmungen zu unterstützen, zu erweitern und zu vermehren«.

»Durch Sammlungen von Beiträgen« wollte man »für die innere und äußere Mission unter den Eingeborenen jener Gebiete und den daselbst ansässigen und reisenden Deutschen in den bereits gegründeten und noch zu gründenden Pfarren, Schulen, Krankenanstalten und Hospizen tätig« sein. Ein sechsmal jährlich erscheinendes Vereinsorgan mit dem Titel »Neueste Nachrichten aus dem Morgenlande« sollte das Interesse in der Heimat wachhalten.

Selbst die Tatsache, daß mit dem Berliner Generalsuperintendenten D. Wilhelm Hoffmann ein höchster geistlicher Amtsträger an die Spitze des Vereins trat, brachte jedoch keinen stärkeren Widerhall im Kirchenvolk. So behalf man sich eben, weil für ein größeres Bauvorhaben in Jerusalem die Mittel nicht ausgereicht hätten, mit Hilfeleistungen an deutsche Bistumsangehörige in Beirut, Alexandrien und Kairo, bis endlich die britische kirchliche Missionsgesellschaft eine Starthilfe anbot: Sie trat ihre Station in Bethlehem samt dem Missionar Samuel Müller zu günstigen Bedingungen an die Preußen ab, womit der Jerusalemsverein sieben Jahre nach der Verabschiedung seiner anspruchsvollen Satzung wenigstens in Bethlehem — wie weiland Maria und Josef — eine Herberge gefunden hatte.

Im Gründungsjahr des Jerusalemsvereins erschien bei F. A. Brockhaus in Leipzig der achte Band einer fünfzehnteiligen »Allgemeinen deutschen Real-Enzyklopädie für die gebildeten Stände«, in dem man unter dem Stichwort »Jerusalem« nachlesen konnte, was dem »Conversations-Lexikon« wissenswert erschien:

»Jerusalem, die berühmte Residenz der jüdischen Könige und als solche der bürgerliche wie durch ihren Tempel der religiöse Einigungspunkt des jüdischen Volkes, ist gegenwärtig eine auf den Trümmern der ehemaligen Herrlichkeit schlecht und unregelmäßig gebaute Stadt, die früher zum Paschalik Damaskus gehörte, seit 1840 aber selbst der Sitz eines Paschas ist, mit etwa 23 450 Einwohnern, von denen über die Hälfte Mohammedaner, gegen 7500 Christen und ungefähr 3580 Juden sind ... Im Innern gewährt sie in ihren engen, nur zum Teil gepflasterten, oft schmutzigen Straßen sowie durch ihre meist niedrigen und unregelmäßigen Häuser mit flachen, häufig jedoch mit gewölbten Kuppeln versehenen Dächern einen düstern und unschönen Anblick. Desto reicher ist sie an bedeutungsvollen Erinnerungen, die sich für den dahin Pilgernden an einzelne Örter und hervorragende Gebäude in ihr knüpfen.«

Mehr oder weniger ausführlich wurden die Sehenswürdigkeiten beschrieben, zunächst »des Khalifen Omar prächtige Moschee, gewöhnlich mit den sie umschließenden Räumen El-Haram genannt, deren reich geschmücktes Inneres den halbrunden schwarzen Stein aufbewahrt, welcher Jakob als Kopfkissen und Mohammed als Schemel, von dem er zum Himmel gestiegen, gedient haben soll«. Weiter: »Die Kirche zum Heiligen Grab ..., 1808 durch Brand verwüstet und dann von neuem, aber in schlechterem Stile aufgeführt, umfaßt die heiligen Leidensorte. Nur den letzten Tag vor Ostern ist der Besuch der Kirche freigegeben; sonst wird sie bloß gegen hohe Eintrittsgebühren geöffnet.«

Am ausführlichsten die Besitzverteilung: »Den Franken gehört die Kirche St. Salvator in dem Franziskanerkloster, in welchem europäische Christen jeden Bekenntnisses eine gastfreundliche Aufnahme finden. Das große griechische Kloster beherbergt fast den ganzen griechischen Klerus. Außer der Kirche desselben haben die Griechen deren noch 13. Seit 1845 wohnt hier auch das Haupt der griechischen Kirche, der Patriarch von Jerusalem, der früher in Konstantinopel residierte. Ein Kloster der Armenier auf dem Zion gilt für das reichste in der Levante; ein anderes armenisches Kloster, das zum Gefängnis Christi, soll an der Stelle des Hauses des Kaiphas stehen. Auch die koptischen, abessi-

nischen und syrischen Christen haben in der Nähe der Heiligen Grabeskirche Klöster und Versammlungsorte . . . Auf dem nördlichen Rande des Zion erhebt sich jetzt eine evangelische Kirche.« Von einer
deutschen Gemeinde war noch nicht die Rede, nur von dem »evangelischen« Bistum, das »England und Preußen gemeinschaftlich errichteten« und »das in dem von Preußen gewählten Sam. Gobat seinen
zweiten Bischof erhielt«.

Wie sich Pastor Valentiner »in mancherlei Weise« betätigte, überlieferte statt dessen die Tochter des Vorboten Schick: »Er versah die
Seelsorge im Diakonissenhospital, gab den Kindern in der mit dem
Hospital verbundenen Schule Religionsunterricht, hielt für die Gemeinde im Schwesternhaus Bibelstunden und beteiligte sich an den mit
den Engländern gemeinsamen Missions- und Gebetsstunden; sie wurden öfters in drei Sprachen abgehalten und fanden im übrigen in
einem größeren Raum der englischen Schule statt . . . Jahrelang besuchten die Mitglieder der englischen Gemeinde in Jerusalem den deutschen Gottesdienst und die der deutschen Gemeinde den englischen,
und so war die ursprüngliche Idee des preußischen Königs in dieser
Hinsicht vollständig verwirklicht . . .«

Über die anfangs wichtigste Aufgabe des Bistums, die Judenmission,
ging wie die Chronistin auch der »Brockhaus« von 1853 hinweg. Dafür
schilderte er unter dem Stichwort »Juden« auf sechs Seiten einen
langen Leidensweg vom Babylonischen Exil bis zum 19. Jahrhundert.
Die Gesamtzahl der Juden, über deren Seelenheil man sich in Jerusalem
den Kopf zerbrach, gab das Lexikon mit 3,6 Millionen an: rund 2,9
Millionen in Europa (davon allein 1,7 Millionen in Polen), 504 000 in
Afrika, 138 000 in Asien und nur 30 000 in ganz Amerika. Von den
336 000 deutschen Juden hatten mit 143 000 die meisten ihren Wohn-
sitz im Königreich Preußen, gefolgt von 58 000 im Königreich Bayern.
Demgegenüber wurden in der europäischen Türkei 300 000, in Österreich 84 000, in Frankreich 60 000, in Holland 53 000, in Italien 47 000
und in England 30 000 Juden gezählt.

Die deutsche Jerusalem-Chronik gab zu, daß Bischof Gobat, wie sein
Vorgänger, beim Amtsantritt »an organisierter evangelischer Arbeit
nur die unter den Juden« vorfand. »Sie hatte in den zwei Jahrzehnten
ihrer Wirksamkeit eine kleine judenchristliche Gemeinde sammeln
können«, mit einem kleinen Hospital, das Gobat weiter ausbauen
ließ, einer Schule und dem Industriehaus der »London Jews Society«,
in dessen Druckerei, Schreinerei oder Korbflechterei man zuerst ein

Handwerk lernen mußte, bevor man sich zur Taufe melden durfte. »So hoffe ich«, erklärte Gobat, »von nun an werden die Juden wissen, daß, wer ein Christ sein und werden will, sein Brot essen muß im Schweiße seines Angesichts«. Die Gobat-Biographie des Spittlerverlags Basel betonte später, der Bischof habe sich gegen alle falsche Liebe zu Israel gewandt, weil er in ihr eine Bedrohung der Judenmission gesehen habe. Deshalb sei es ihm nicht auf die Zahl der Bekehrten, sondern auf den Grad der Bekehrung angekommen: »Ich erschrecke, sooft mir die Missionare einen Proselyten zuschicken; denn entweder meint er es von vornherein nicht treu, oder wenn er anfangs aufrichtig und redlich war, so wird er später durch die Schmeicheleien der Freunde Israels in England verdorben.«

Trotz scharfer Anklagen von englischer Seite ließ sich der Bischof nicht umstimmen. Er traute nicht den »poetischen Hoffnungen auf eine baldige Bekehrung des Volkes Israel im großen«. Er hielt auch nichts von der Ansicht, »es werde die Heimkehr der Juden nach Palästina, ihre Ansiedlung daselbst und der Wiederaufbau des Tempels zustande kommen, ehe sie unsern Heiland als Messias erkennen«. Mochten viele, ohne an die Verkündigung des Evangeliums zu denken, die Förderung von Kolonisationsplänen und die Rückführung der Juden in das Land ihrer Väter betreiben — »für solche Unternehmungen wollte Gobat als christlicher Bischof keine Verantwortung übernehmen, noch die Hand dazu bieten«.

Pastor Valentiner erläuterte 1858 die bischöfliche Einstellung in einem Brief an den Jerusalemsverein: »Bischof Gobat ist der vor allen anderen Angefeindete, sintemal er das Volk der Juden heutzutage ebenso sieht, wie es die Propheten des Alten Bundes, wie es unser Herr selbst und die Apostel des Neuen Bundes geschildert haben, und sintemal er von einem Sohn Abrahams nach dem Fleisch dieselbe Herzensbekehrung fordert als von jedem andern sündigen Menschenkinde, demnach auch, wo er solche nicht findet, sein ernstes Zeugnis nicht zurückhält, anstatt nur immer zuzudecken und stehen zu bleiben bei einer Bewunderung um der Abstammung willen, dadurch der Herr Jesus verleugnet und die betreffenden Seelen betrogen werden.« Der Bischof blieb laut Valentiner »getrost und fröhlich in dem Herrn« gegenüber »der Lüge und der Verleumdung von solchen falschen Freunden..., die im Grunde nur sich selbst möchten einen Namen machen und ... durch das, was sie an den Kindern Abrahams tun, sich so gern ein extra Verdienstliches möchten zusammenstückeln«.

Getrost und fröhlich erwies sich Gobat auch im Blick auf die Mohammedanermission. Wohl hatte er vor Jahren während seiner Arabisch-
Studien in Paris den Koran »abscheulich« und die Verdrehung der
Wahrheit mitleiderregend empfunden — »mitten im Lesen fühlte ich
mich gedrungen, auf die Knie zu sinken und mit vielen Tränen für die
Millionen verblendeter Mohammedaner zu beten« —, aber schon während seines ersten Aufenthalts in Kairo überzeugte ihn ein gelehrter
Scheich von der Aussichtslosigkeit missionarischen Tuns. Einerseits
hielt der wahre Muslim seinen Islam für die vollendetste der drei mo-
notheistischen Weltreligionen, andererseits machte die islamische Regierung jedem christlichen Bekehrungseifer einen Strich durch die Rechnung. In Palästina kam noch hinzu, daß die überwiegend sunnitischen
Mohammedaner die Einheit ihres Glaubens um so höher schätzten,
je feindseliger die christlichen Konfessionen einander bekämpften.

Für die Mission unter den Arabern blieben nur die verschiedenen
Gruppen der einheimischen Christen, doch auch da waren dem englisch-preußischen Bischof und seinen Geistlichen durch die Erklärungen
zum Bistumsvertrag die Hände gebunden. Die »Notlösung«, die auch
dem Erzbischof von Canterbury einleuchten sollte, stellte die Geschichte der deutschen evangelischen Gemeinde so dar: »Der Zustand der
Erstarrtheit der orientalischen Kirchen, das geringe Ansehen, das diese
Kirchen und ihre Priester in der nichtchristlichen Umwelt genossen,
drängten nach Abhilfe, und die Lage der christlichen Bevölkerung, die
von ihrer Kirche weithin Steine statt Brot erhielt, noch mehr. Das mußte eine im Evangelium so tief wurzelnde Persönlichkeit wie Gobat stark
empfinden. Es versteht sich daher von selbst, daß er die Kolporteure
und Evangelisten, die er alsbald durch Städte und Dörfer sandte, nicht
an den Türen der Christen vorübergehen ließ.«

»Er gab den Leuten«, heißt es weiter, »auf ihre Bitten das, was sie
zur Vertiefung in die Schrift brauchten: Bibeln, Evangelisten, vor allem
Schulen. Die Trennung solcher evangelisch angeregter Christen erfolg-
te für gewöhnlich gegen Gobats Willen; meist war es so wie in Nablus,
daß die griechische Kirche selbst diejenigen von sich stieß, die ihre
Kinder in Gobats Schulen schickten.« »Und dann«, fügte die Chronik
mit der Treuherzigkeit des preußischen Pastors hinzu, »hatte Gobat ja
nicht nur das Recht, sondern die Pflicht, aus den um ihres Glaubens
willen Ausgeschiedenen evangelische Gemeinden zu bilden.«

Weil es Friedrich Wilhelm IV. gelungen war, die namhaftesten Vertreter evangelischer Liebeswerke in seine staatskirchliche Politik ein-

zubauen, war für das Bistum und die Gemeinde in Jerusalem die Richtung festgelegt. Der Einfluß des Königs war gesichert, seine führende Rolle unbestritten. Kein Wunder, daß der Anglikaner Samuel Gobat in der Geschichte der hohenzollerischen Könige und der preußischen Kirche als »Patriarch der evangelischen Arbeit im Heiligen Lande« einen Ehrenplatz erhielt!

Für König und Vaterland

Ein französischer Orientalist mit dem klangvollen Namen Antoine Isaac Baron Silvestre de Sacy war in den ersten Dezennien des 19. Jahrhunderts der »Papst« der Arabistik und der Islamwissenschaft in Europa. Zu seinem Lehrstuhl an der »École nationale des langues orientales vivantes« in Paris pilgerten aus vielen Ländern Studenten und Gelehrte, unter ihnen die Deutschen Georg Wilhelm Freytag, der Schöpfer eines vierbändigen »Lexicon Arabico-Latinum«, Gustav Flügel, der Herausgeber einer Koran-Bearbeitung, und Heinrich Leberecht Fleischer, dem die wenigen Zunftgenossen seiner Zeit vor allem für drei Taten dankbar waren: die Vollendung der arabischen Originalausgabe von »1001 Nacht«, den Ausbau einer Arabistenschule an der Leipziger Universität und den Anstoß zur Gründung der »Deutschen Morgenländischen Gesellschaft« im Jahre 1845.

Bis dahin hatten wohl, angeregt durch den österreichischen Orientdiplomaten Freiherr von Hammer-Purgstall, die Dichter Goethe mit dem »West-östlichen Divan« und Rückert mit meisterhaften Übersetzungen — wie den »Verwandelungen des Abu Seid von Serug« — breiteres Interesse an der orientalischen Dichtkunst geweckt. Auch das Wissen über den Islam und seinen Propheten war mit den Arbeiten Abraham Geigers und Gustav Weils aus den Studierstuben zu einer größeren Leserschicht vorgedrungen. Eine Vereinigung der deutschen Fachwissenschaftler, die sich mit Sprache, Geschichte, Kultur und Gesellschaft der Völker Asiens beschäftigte, hatte es aber vor Fleischers Initiative nicht gegeben.

Schon gar nicht existierte ein zentrales Institut der Art, wie es Kaiserin Maria Theresia 1753 mit der »K. k. Akademie der Orientalischen Sprachen« in Wien zur Vorbereitung von Diplomaten und Spezialisten geschaffen hatte. Nur in Moskau bestand von 1814 an eine ähnliche Lehranstalt, dazu in Paris die 1795 gegründete École.

Bei den Professoren Rückert in Berlin und Fleischer in Leipzig studierte der unternehmungslustige Juristensohn aus Detmold, der Anfang 1853 in einer Zeit höchster politischer Spannung mit gemischten Gefühlen nach Jerusalem ging: Preußens zweiter Konsul Dr. Georg Rosen. Er zählte zu der Gruppe wissenschaftlich geschulter Staatsbediensteter, mit denen das Königreich Preußen im Orient den Vorsprung anderer Länder aufzuholen versuchte. Friedrich Wilhelm IV. kümmerte sich persönlich um die Auswahl und wurde somit – im Blick auf seine Jerusalemer Vorhaben – ein Gönner und Förderer der deutschen Orientalistik.

Wie jung diese Wissenschaft und wie knapp ihr Nachwuchs war, ließ sich an der Besetzung des Konsulpostens in Jerusalem ablesen. Als der erste Missionschef Dr. Schultz wegen einer Gemütskrankheit die Arbeit einstellen mußte, wurde sein Entlassungsgesuch nicht angenommen, weil er das Konsulat, wie es hieß, zur Zufriedenheit des Berliner Ministeriums verwaltet hatte. Deshalb kehrte er 1850 auf seinen Posten zurück und starb ein Jahr später in Jerusalem. Dr. Rosen hatte, als er die Nachfolge antrat, gerade seinen 32. Geburtstag begangen. Auch sein Kollege Johann Gottfried Wetzstein, den Friedrich Wilhelm im Revolutionsjahr 1848 als ersten Konsul nach Damaskus entsandte, war nach dem Studium in Leipzig bereits jahrelang Dozent für orientalische Sprachen unter Fleischer und Rückert gewesen, ehe er im Alter von nur 33 Jahren preußischer Missionschef in Syrien wurde. Wie er galt später auch Rosen als »Pionier der deutschen Orientforschung und Orientpolitik«.

Forschung und Politik – das war die Kombination, auf die sich der Jerusalemer Konsul sorgfältig vorbereitet hatte. Ein Stipendium der preußischen Regierung ermöglichte ihm die Teilnahme an einer ausgedehnten Orientreise des vielseitigen Naturforschers Koch, der eine reiche Ausbeute nicht nur in naturhistorischer und linguistischer, sondern auch völkerkundlicher und politischer Beziehung nach Hause brachte. Georg Rosen kehrte jedoch nicht nach Preußen zurück. Er blieb in Konstantinopel und diente, während er Bücher über kaukasische Volkssprachen schrieb, der preußischen Gesandtschaft als Dragoman. In dieser Funktion, die mit »Dolmetscher« nur unzureichend übersetzt ist, erwarb er sich im Umgang mit Kollegen bei der Pforte, den Patriarchen und den Auslandsmissionen das Handwerkszeug, das er in Jerusalem dringend brauchte, weil ihm sein ideenreicher König die Arbeit im Heiligen Land nicht leicht machte.

Von Berliner Spöttern war oft der Vergleich zu hören, Friedrich Wilhelm I. habe mit dem Krückstock, Friedrich II. mit dem Schwert, Friedrich Wilhelm III. mit dem Gesangbuch, Friedrich Wilhelm IV. aber mit dem Zauberstab regiert. Ähnlich drückte sich der in Preußens Provinzverwaltung großgewordene Staats- und Finanzminister Flottwell aus, als er gegenüber Wichern meinte: Alles fange gleich zu groß und allumfassend an, weshalb von hundert Plänen nicht einer auch nur halbreif werde. In der Politik, in der Kirche und in der Kunst war der König hauptsächlich auf das Äußerliche, auf Glanz und Wirkung, bedacht.

So zeichnete er mit eigener Hand nach Vorbildern altchristlicher Basiliken Skizzen für die Erbauung eines protestantischen Doms, der Berlin unter die geistlichen Metropolen Konstantinopel, Rom und Canterbury einreihen sollte. So schuf er, nachdem in Jerusalem die apostolische Sukzession auf einen von Preußen nominierten Bischof übergegangen war, eigenhändig Pläne für die hierarchisch-bischöfliche Kirchenverfassung einer preußischen Hochkirche, für die Aufteilung der von Gott eingesetzten Ämter der Diakone, Presbyter und Bischöfe, für die Ausstattung der Domkapitel und Metropolitankirchen, ja sogar für die Einsetzung eines Fürsterzbischofs von Magdeburg, der unter dem »Majestätsrecht« des Königs, einem verbrieften Interzessionsrecht über die Kirche, der neue »Primas Germaniae« sein sollte.

Von seinem Stützpunkt im Heiligen Land erwartete Friedrich Wilhelm verstärkte Kontakte zu den dort vertretenen Kirchen der Griechen, Gregorianer, Jakobiten, Kopten und Äthiopier, möglichst auch zu den Lateinern und den mit Rom unierten Melchiten, Maroniten, Armeniern, Syrern und Chaldäern, um die Christenheit oder wenigstens einzelne Konfessionen einer urchristlichen Wiedervereinigung näherzubringen. Er ging auch mit gutem Beispiel voran: Während eines Aufenthalts in London besuchte er vormittags offiziell in der anglikanischen St.-Pauls-Kathedrale und nachmittags privat in der lutherischen Kapelle den Gottesdienst. Beim Kölner Domfest zeigte er sich mit Königin Elisabeth, die als bayerische Königstochter bis zur Heirat katholisch war, zuerst in der evangelischen Kirche und dann beim feierlichen Hochamt im Dom.

Der Monarch wollte sogar mit seinem geliebten Krankenhaus Be-

thanien die Wiedererweckung des vorreformatorischen »Schwanen-
ordens« verbinden, der 1443 vom Brandenburger Kurfürsten Friedrich II.
als geistlicher Adelsorden gestiftet und wegen der besonderen Verehrung der Jungfrau Maria auch »Sodalitas beatae Mariae virginis«
genannt worden war. Unter dem Großmeistertum Friedrich Wilhelms
IV. und seiner Gemahlin wurde an Weihnachten 1843 wirklich die
erneuerte »freie Gesellschaft von Männern und Frauen ohne Ansehen
des Standes und Bekenntnisses« proklamiert, »zu dem Zwecke, durch
vereinte Kräfte physische und moralische Leiden zu lindern und so das
Christentum durch Leben und Tat zu beweisen«.

Aber wie beim »Schwanenorden« machte der König auch bei anderen christlichen Projekten die Rechnung ohne den Wirt. Innerhalb
der Landeskirche wuchs der Widerstand gegen die hochkirchlichen
Ideen, denen der jüdisch-protestantische Rechtsphilosoph Stahl, der
wegen seiner christlich-konservativen Staatstheorie von Erlangen nach
Berlin berufen wurde, vergeblich weiterzuhelfen versuchte. So bereit-
willig die preußischen Kirchenmänner den gegenrevolutionären Gedanken des späteren Oberkirchenrats zustimmten und so gern sie mit
seiner Verbindung von deutscher Geschichte, preußischer Tradition
und lutherischem Obrigkeitsbegriff einverstanden waren — was die
Hochkirche und das Majestätsrecht betraf, hörten sie doch lieber auf
das Haupt der jüngeren Historischen Rechtsschule, den Berliner Jura-
professor Puchta: »Die Ordnung der Gemeinden ist der Kardinalpunkt
der Kirchenverfassung.«

Wie einst sein Vater angesichts vielgestaltiger Schwierigkeiten sein
liebstes Kind in der römischen Gemeinde sah, wandte Friedrich Wilhelm IV. seine besondere Zuneigung und Fürsorge der protestantischen
Kirche im Heiligen Land zu. Und wie Friedrich Wilhelm III. die Kräfte
seiner Widersacher unterschätzte, so tat es auch der Sohn, der es vor
allem lange Zeit nicht wahrhaben wollte, daß sein Schwager Zar Nikolaus I. alle staatlichen und kirchlichen Mittel Rußlands aufbot, um die
alleinige Vormachtstellung im Nahen Osten zu erringen.

Wie umsichtig die Regierung von St. Petersburg ans Werk ging,
wäre schon ersichtlich gewesen, nachdem Großbritannien 1839 als erste
Großmacht in Jerusalem eine Agentur und 1841 das Konsulat eröffnet
hatte. Obwohl Rußland seit seiner »spontanen« Hilfsaktion gegen
Ibrahim Pascha in Konstantinopel beachtlichen Einfluß ausüben konnte, installierte es im Gegenzug sofort ein Generalkonsulat in Beirut,
das wiederum eine Außenstelle nach der Heiligen Stadt verlegte.

Rasch hintereinander rückten andere Staaten mit Konsulaten in Jerusalem nach: Zuerst 1842 Preußen, danach 1843 Frankreich und Sar-
dinien, 1844 die Vereinigten Staaten von Amerika, 1849 Österreich
und 1854 Spanien. Gebannt verfolgten ihre Missionschefs das prestige-
bestimmte Ringen, das sich mehr und mehr auf einen Dreikampf zwischen Rußland, Frankreich und Großbritannien zuspitzte. Nach außen
hin ging es zwar immer nur um religiöse Bedürfnisse, genau besehen
aber um handfeste politische und wirtschaftliche Interessen. Um so
empfindlicher und ehrgeiziger reagierten die Russen, als ihre Positionen
in der Levante auch protestantische Konkurrenz erhielten.

Der Beendigung des türkisch-ägyptischen Krieges, die sich der britische Außenminister Lord Palmerston allein gutschreiben wollte, folgte
noch im selben Jahr das Londoner »Statement« über die Gründung
des englisch-preußischen Bistums Jerusalem. Ein osmanisches Wesir-
Dekret von 1847 zugunsten der protestantischen Niederlassungen, das
Apostolische Breve vom 23. Juli 1847, mit dem Papst Pius IX. das seit
den Kreuzzügen verwaiste Lateinische Patriarchat Jerusalem wieder-
herstellte, und das Reichsdekret der Pforte vom 24. Oktober 1850, das
den Status anerkannter Kirchengemeinschaften auch englischen, deutschen und amerikanischen Protestanten gewährte, schufen in den
Augen der Orthodoxen eine höchst gefährliche Lage.

Mehr denn je galt die Faustregel, die oft genug mit dem Faustrecht
bekräftigt wurde: Wer im Heiligen Land bestimmen wollte, mußte die
meisten und die wichtigsten heiligen Stätten in Nazareth, Bethlehem
und Jerusalem, in Galiläa und Samaria, in Judäa und Peräa, am See
Genezareth und am Jordan besitzen; wer unter den Einheimischen
erfolgreich missionieren wollte, mußte sie zu den biblischen Plätzen
führen können. Von vornherein waren hier die Protestanten im Nachteil, weil sie nicht auf »historische Rechte« pochen konnten. Die
Orthodoxen und die Lateiner hatten jedoch Eigentum und Erfahrung
aus einem jahrhundertelangen Ringen.

Was ursprünglich allen Christen heilig war, wurde durch die islamische Eroberung Palästinas im 7. Jahrhundert, durch das Schisma der
griechischen Ostkirche und der lateinischen Westkirche im Jahre 1054,
durch die abendländischen Kreuzzüge vom Ende des 11. bis zum auslaufenden 13. Jahrhundert, durch den Untergang des Byzantinischen
Reiches und durch die osmanische Eroberung des Heiligen Landes im
Reformationsjahr 1517 immer wieder in Frage gestellt. Schließlich
schlug die Hohe Pforte, besonders mit ihrem Ferman von 1757, aus

der Zuteilung christlicher Gnadenorte an bestimmte Gruppen sogar innen- und außenpolitisches Kapital, je nachdem sich die griechischen Untertanen und die ausländischen Mächte dem osmanischen Regime gegenüber verhielten.

In den vierziger Jahren schickten die Russen über ihr Außenministerium und ihren Heiligen Synod, ihren Botschafter in Konstantinopel und ihren Generalkonsul in Beirut als Pilger getarnte Kundschafter aus, die alarmierende Memoranden für den Zaren verfaßten. Kaum hatte 1848 wieder ein Lateinischer Patriarch seinen Einzug in die Heilige Stadt gehalten, präsentierte sich schon vier Wochen danach die erste Russisch-Kirchliche Mission in Jerusalem. Ihr Leiter wurde der ebenso hochgebildete wie gerissene Mönch Porfirij Uspenski, der seit 1842 seinen Seelsorgerposten an der Wiener Botschaftskirche mit einem Geheimauftrag in Palästina vertauscht hatte. Den griechisch-orthodoxen Patriarchen, dessen Residenz jahrhundertelang an das Ökumenische Patriarchat in Konstantinopel gebunden war, hatte man bereits 1845 zur Verlegung seines Amtssitzes nach Jerusalem gedrängt.

Dort war bald ein munterer Patriarchen-Wettstreit im Gange. Eine Seite übertrumpfte die andere, um auf die einheimische Bevölkerung und die ausländischen Repräsentanten einen möglichst starken Eindruck zu machen. Das orthodoxe Oberhaupt Kyrill II. trug als Ausdruck des Reichtums ein mit Diamanten und Smaragden umrahmtes Emaillebildnis des Erlösers auf der Brust und benützte bei prunkvollen Audienzen als Zeichen seiner Macht einen scharlachroten Diwan, der mit einem Leopardenfell bedeckt war. Der Lateiner Josef Valerga, der als einstiger Missionar die meisten orientalischen Sprachen beherrschte, setzte sich bei seinen Empfängen auf einen samtüberzogenen Thron und ließ sich zur Unterstreichung der Superiorität mit allen Erfrischungen zuerst bedienen.

Mit größerem Erfolg als sein griechischer Konkurrent beeilte sich der katholische Patriarch, Angehörige von mehr als zwanzig Orden, deren traditionelle Rivalität er geschickt zu nutzen verstand, in Palästina anzusiedeln. An verschiedenen Plätzen baute er Kirchen, Klöster, Priesterseminare, Schulen und Internate, vor allem aber organisierte er — gegen den Widerstand der Franziskaner, deren Kustodie seit den Kreuzzügen die einzigen Kleriker im Land gestellt hatte — mit aller Prachtentfaltung große Festtage, die manchen der zwischen Orthodoxie und Katholizismus schwankenden »Unionisten« die Rückkehr in die päpstliche Kirche erleichterten.

Demgegenüber gewann der Orthodoxe auf dem Gebiet des Pilgerverkehrs, der in vorher ungekanntem Maße von der Russisch-Kirchlichen Mission angekurbelt wurde, einen deutlichen Vorsprung. Angesichts seiner neuen Aufgaben schrieb der Mönch Porfirij, dem das russische Außenministerium äußerste Zurückhaltung aufgetragen hatte, stolz in sein Tagebuch: »In Jerusalem hält mich niemand für einen Pilger zu den heiligen Stätten; alle sehen in mir einen diplomatischen Vertreter des Russischen Reiches.«

Das Resultat: Die Patriarchen erzeugten — von ihren Protektoren ermuntert — eine zum Platzen gespannte Atmosphäre, die geradezu nach ausländischem Schutz der Gebetsplätze und der Pilgerströme verlangte. Um den Machtkampf der konkurrierenden Kirchen zu entschärfen, verkündete die osmanische Regierung 1852 das »Gesetz des Status quo«, womit die damaligen Besitzanteile und Kultusrechte registermäßig erfaßt und unumstößlich »eingefroren« wurden. Als die Einsprüche und Revisionsanträge — besonders Frankreichs und des Vatikans, die sich durch die Legalisierung früherer »orthodoxer Räubereien« betrogen fühlten — bei der Pforte auf taube Ohren stießen, steigerte sich die persönliche Rivalität zwischen den Staatsoberhäuptern Frankreichs und Rußlands zu unversöhnlicher Feindschaft.

Der Patriarchenstreit verlagerte sich auf die Ebene des Kaisers Napoleon III., der bis Ende 1852 noch Präsident der Zweiten Republik gewesen war, und des Zaren Nikolaus I. — »um einigen elenden Mönchen den Schlüssel zum Haupteingang der Geburtskirche in Bethlehem zu verschaffen«, wie der amerikanische Historiker Stavrou trocken konstatierte. Die Pforte brauchte nur noch die vom Zaren ultimativ geforderte Anerkennung der russischen Schutzherrschaft über die Orthodoxen abzulehnen, da rückte schon ein russisches Korps in die Donaufürstentümer ein. Und die Russen brauchten nur türkische Schiffe im Schwarzen Meer anzugreifen, da landete bereits ein französisch-englisches Expeditionskorps zur Belagerung des Kriegshafens Sewastopol.

Das war der Krimkrieg, mit dem nach Ansicht des britischen Diplomaten Sir Morier »der einzige völlig nutzlose moderne Krieg« und nach Auffassung zeitgenössischer russisch-orthodoxer Publizisten das »Megiddo der Apokalypse« (der Endkampf um das Schicksal der Menschheit) ausbrach. In einem Brief an König Friedrich Wilhelm IV. von Preußen, der sich wie der Kaiser von Österreich aus dem Krieg heraushielt, betonte der Zar, er kämpfe nicht wegen weltlicher Vorteile und Eroberungen, sondern einzig und allein für einen christlichen Zweck.

Abgesehen davon, daß der Verlierer Rußland im Pariser Frieden von 1856 auf das Protektorat über die orthodoxen Christen, auf einige Balkangebiete und auf eine Kriegsflotte im Schwarzen Meer verzichtete (was alles schon bald widerrufen wurde), hatte der Krimkrieg keine unmittelbaren Folgen für das Heilige Land. Dort nahm man vornehmlich zur Kenntnis, daß die englischen und französischen Soldaten im ersten Stellungskrieg der modernen Geschichte das »Cigaretten«-Rauchen zu einer europäischen Mode machten und daß die englische Krankenpflegerin Florence Nightingale, die einst durch Fliedners Kaiserswerther Schule gegangen war, nach erschütternden Erlebnissen in Frontlazaretten für eine bessere militärische und zivile Krankenpflege zu kämpfen begann.

Mittelbar und auf längere Sicht blieb aber doch einiges hängen — russischer Groll gegen das neutral gebliebene Österreich, den Preußen 1866 und 1870 nutzbar machte; verstärkte russische Vorstöße in die fernöstlichen Amur- und Ussurigebiete, die seit 1858 die Chinesen zunehmend verärgerten; englisches Mißtrauen gegenüber Napoleon und manches andere mehr, im Orient vor allem eine bedeutungsvolle Schwenkung der russischen Politik: Die während des Krimkrieges aufgehobene Russisch-Kirchliche Mission in Jerusalem arbeitete nach der Wiedereröffnung im Jahre 1857 als eine rein politische Institution, wie Uspenski sie schon immer gewünscht hatte. Sie lockerte die nachteiligen Rücksichten auf die orthodoxen Griechen und wandte sich eigenständiger denn je und mit verstärktem Einsatz den Arabern zu.

Bei ihren Werbefeldzügen um die Gunst der arabischen Christen und Kleriker drangen die Russen auch in das Gehege ein, in dem die protestantischen Missionare unter den einfachen Volksschichten ihre mühselige Arbeit verrichteten. Hier trafen sich Reußen und Preußen unter gleichgearteten Bedingungen im Schatten des lateinischen und des griechischen Patriarchen, die in der interkonfessionellen Hierarchie Jerusalems den protestantischen Bischof und den Chef der Russisch-Kirchlichen Mission überragten.

Der preußische Konsul Dr. Rosen hätte nichts dagegen gehabt, wenn Samuel Gobat etwas kirchenfürstlicher aufgetreten und in der Öffentlichkeit stärker aufgefallen wäre. In einer diplomatisch verschlüsselten Beurteilung der bischöflichen Tätigkeit, die des Königs Vertreter allerdings erst nach dem Abschied von Jerusalem schrieb, ist die leise Kritik nicht zu überhören: »Was man bei oberflächlicher Bekanntschaft an ihm vermissen mochte, war ein verheißender und gewinnender Enthusiasmus. Gobat scheute sich, Hoffnungen zu erregen, deren Verwirklichung nicht gesichert war; überhaupt war er eine kühle, reflektierende Natur, die bei unermüdlich tätiger Pflichttreue sich weder für Personen noch für Unternehmungen jemals sonderlich zu erwärmen schien.« Summa summarum aber stellte der Konsul anerkennend fest, daß der Bischof »in ungewöhnlichem Maße das Rüstzeug besaß, um den Schwierigkeiten seines hohen Berufs zu begegnen«.

Diese Schwierigkeiten waren nach Rosens Beobachtungen für den Schweizer Gobat »sehr erhebliche«: »Abgesehen von dem nationalen Hochmut, mit welchem oft der gebildete Engländer auf den Ausländer, den foreigner, als auf ein niedriger stehendes Wesen herabsieht, von der Mißgunst, welche man dem durch einen nichtanglikanischen Monarchen zum Lordbischof gewordenen Missionar entgegentrug, von dem Anstoß, den man gegenüber einer überhoch gehaltenen, verfeinerten sozialen Etikette an der schlichten Einfachheit desselben nahm, barg die Stellung selber in sich gewisse Widersprüche, welche später oder früher zu Konflikten führen mußten.«

Der Konsul verzichtete auf den Hinweis, daß die konfliktfördernden Widersprüche in erster Linie auf dem Mißverhältnis zwischen der englischen und der deutschen Gemeinde beruhten, das dem Bischof mehr evangelische als anglikanische Gläubige unterstellte. Dabei war es keineswegs nur auf preußische Initiativen zurückzuführen, daß die Briten immer klarer überflügelt wurden.

Das später größte und bekannteste deutsch-evangelische Palästinawerk verdankte seine Entstehung der schlichten Dickköpfigkeit eines Schwaben und den Zufällen, die ihm zu Hilfe kamen. Weil dem unternehmungsfreudigen Chrischona-Bruder Johann Ludwig Schneller die Aufträge, die ihm sein Baseler Vorsteher zuwies, auf die Dauer nicht paßten, sah er sich nach etwas anderem um. Und weil er ein Mann der mutigen Tat war, hatte sein Name im Land der Bibel bald einen guten Klang.

Daß der Älbler aus Erpfingen bei Reutlingen von der Pilgermissionsanstalt nach Jerusalem versetzt wurde, verdankte er seinem ebenso starrsinnigen Landsmann Spittler, der den Mißerfolg des »Brüderhauses« noch immer nicht verwunden hatte und sich an einen zweiten Versuch wagte, diesmal mit einem geänderten Plan: Künftig sollten in der Heiligen Stadt Missionare für Abessinien ausgebildet werden,

Jerusalem, Das Damaskus-Tor um 1850

und zwar unter der Obhut des Bischofs Gobat, der in seinem früheren afrikanischen Wirkungsbereich neue Möglichkeiten erkannt zu haben glaubte.

Mit seiner Frau und sechs Chrischona-Brüdern landete Schneller Ende November 1854 in Jaffa, und schon am nächsten Tag gab es in Jerusalem wieder ein »Brüderhaus«. Allerdings: Die Unterrichtung von Missionsschülern konnte er nicht uferlos ausdehnen, weil der abessinische Bedarf sehr rasch gedeckt war. Den gutgemeinten Vorschlag Spittlers, dann eben ein christliches Hospiz einzurichten, wies Schneller entrüstet zurück: »Ich kann nicht das Wort lassen und zu Tische dienen!«

Um dem »mohammedanischen Landvolk« nahezukommen, wie er seinen Vorgesetzten sagte, mehr aber seinem Selbständigkeitsdrang zuliebe nahm der Missionar seine Ersparnisse und kaufte etwa drei Kilometer vor den nordwestlichen Toren der Altstadt ein Grundstück. Während er darauf eine bescheidene Wohnung errichtete, beschäftigte ihn nur ein Gedanke — er brauchte eine Arbeit mit »gemeindebildender Tendenz«: »Das Haus soll ein Netz werden, in dem man allerlei Gattung fängt.«

Nach allerlei Enttäuschungen half der Ideenreichtum des Chrischona-Vorstehers weiter: Weil Spittler die Missionsverbindung von Jerusa-

lem nach Abessinien in eine »Apostelstraße« verwandeln und an
zwölf Zwischenstationen je zwei Missionare — verbunden mit einem
Handelsgeschäft nach dem Muster der in Jerusalem gegründeten Firma
Spittler & Co. — ansiedeln wollte, ergab sich für Schneller wieder ein
Lehrauftrag. Entscheidender war jedoch für seine Zukunft, was sich
im Jahre 1860 ereignete: In den Gebirgsdörfern des Libanon und des
Hermon, später auch in der Provinzhauptstadt Damaskus, rotteten sich
Drusen und Mohammedaner zusammen, um an der starken Gruppe
der Christen, deren Einfluß seit 1840 unter Frankreichs Schirmherr-
schaft beträchtlich gewachsen war, ein blutiges Exempel zu statuieren.
Noch bevor ein französisches Flottengeschwader Expeditionstruppen an
der Küste von Beirut absetzen konnte, hatte ein Massaker vor allem
den mit Rom unierten Maroniten und Griechisch-Katholischen, aber
auch den Orthodoxen und Protestanten schwere und blutige Verluste
zugefügt.

Mochte auch die unter arabischen Christen verbreitete Schätzung
von 30 000 Ermordeten und 80 000 Obdachlosen zu hoch gegriffen sein,
das Elend erschien doch so unermeßlich, daß es im Orient und im
Okzident eine Welle der Empörung und der Hilfsbereitschaft auslöste.
Scharen von verängstigten Flüchtlingen sammelten sich in der Reichweite französischer Schiffsgeschütze an der libanesischen Küste. In Beirut, Sidon und Tyrus wurden Notlager eingerichtet und Unterstüt-
zungskomitees gebildet, die mit Geld- und Sachspenden aus Europa die
ärgste Not linderten.

Der Missionar Schneller vernahm den »Ruf Gottes«, von nun an
seine Kraft den Waisenkindern zu widmen. Ein Brief Spittlers, der
Maßnahmen für die Überlebenden der Christenverfolgung anregte, be-
stärkte seine Absicht, sofort in das Unglücksgebiet zu reisen und eltern-
lose Kinder in sein Jerusalemer Haus zu holen. Konsul Rosen war sofort bereit, diesen Plan zu befürworten.

Nachdem der Chrischona-Bruder mit einem russischen Dampfer in
Beirut angekommen war, schrieb er zufrieden in sein Tagebuch: »Ich
bat Gott um ein sauberes, annehmbares Zimmer und erhielt auch ein
solches im Chan el-Adaui« — dann aber fingen die Schwierigkeiten an.
Denn niemand wollte dem Mann aus Jerusalem einen Überblick über
das tatsächliche Elend gestatten; niemand wollte die vorhandenen Not-
leidenden und die eingegangenen Spenden mit einem Auswärtigen
teilen; niemand durfte auch den von Frankreich errechneten christlich-
islamischen Proporz in Frage stellen, der schon 1862 in die Garantie

umgemünzt wurde, daß jeder türkische Gouverneur und danach jedes Staatsoberhaupt des Libanon ein maronitischer Christ sein mußte.

Schließlich wandte sich der deutsche Missionar an den amerikanischen Kollegen Ford in Sidon, der ihm einen Rundgang durch die Quartiere der Flüchtlinge aus den amerikanisch-evangelischen Gemeinden Hasbaia und Raschaia erlaubte. Die letzten Seiten im Tagebuch hielten fest, wie sich Schneller bescheiden mußte:
»Donnerstag, 8. November. Obwohl ich mich heute unwohl fühle, so will ich doch ... aus der Zahl der hierher geflüchteten wenigstens eine Auswahl von 30 Knaben zu erhalten versuchen, die ich dann gleich heute abend oder morgen früh mit mir nach Beirut und dann direkt auf den französischen Dampfer nach Jaffa zu nehmen gedenke. O Herr, hilf mir! Amen.« — »Der Versuch wurde gemacht, hatte aber trotz der Mithilfe des preußischen Vizekonsuls von Sidon sehr geringen Erfolg. Ich will zu Gott hoffen, er werde mir doch zu einem Dutzend Knaben verhelfen ...«
»Am 9. November. Gestern abend kam ich noch im Sturm von Sidon fort. Ich hatte eine Liste mit etwa siebzig Knaben, von denen ich endlich und mit Mühe neun fortbrachte, da der zehnte von seiner Mutter vom Schiff hinweggeholt wurde.«

In der Eile konnte Schneller weder das nötige Essen besorgen noch sein Reisegeld umwechseln. »Ich traf aber auf dem Schiff den Jerusalemer preußischen Konsul Dr. Rosen, der bereit war, mir Geld vorzustrecken.« Wohlversorgt zog die kleine Schar auf gemieteten Eseln von Jaffa nach Jerusalem hinauf. Es war der Tauftag Martin Luthers, an dem ein glücklicher Waisenvater noch die deutsche evangelische Gemeinde vor seinem Heim am Stadtrand zusammenrief, um unter Zeugen sein eigenes Missionswerk, das Syrische Waisenhaus, zu eröffnen.

Im selben Jahr 1860, in dem Johann Ludwig Schneller der Verwirklichung alter preußischer Wünsche einen kräftigen Impuls verlieh, starb der zielstrebigste Wegbereiter, der inzwischen geadelte Freiherr von Bunsen, und fand seine letzte Ruhe in Bonn. Eine seiner Verehrerinnen, die Schriftstellerin Ricarda Huch, stellte ihm ein treffendes Zeugnis aus: »Er fühlte sich in Gottes Hand, stellte alles Gott anheim, war aber auch überzeugt, daß Gott ihm nur wohltun könne.«

Die Mischung aus Eifer und Frömmigkeit, Selbstvertrauen und Gottvertrauen, die in Bunsens und Schnellers Aktionen ihren Niederschlag fand, war kennzeichnend für das Denken und Handeln der Protestanten in Jerusalem, die ihre Gottesdienste in der anglikanischen »Christ

Church« nach Bunsens Liturgie und Gesangbuch hielten und im Alltag das Handelsgeschäft Spittler & Co. bevorzugten, aus dem als weitere Stützen das Geschäft des Württembergers Duisberg und die Bank des Schweizers Frutiger hervorgingen. Dem Pastor Valentiner wurde bestätigt, er sei in Jerusalem »the peacemaker«, der Friedensstifter, gewesen, »weil es seiner friedlichen Stimmung und freundlichen Milde immer wieder gelang, die Gegensätze auszugleichen«. Dem Missionar Schneller bescheinigte die Chronik, er habe, um sein Leben ganz dem Missionsdienst zu weihen, Heimat und Eltern verlassen, als »ein Mann des Glaubens, fest und energisch, hart gegen sich selbst, unverzagt in seinem Werk, ein Beter und Ausleger der Bibel — geprägt von den besten Kräften des schwäbischen Pietismus, der so manche charaktervolle Persönlichkeit hervorgebracht hat«.

Während in Jerusalem dieses Lob der Pietisten gesungen wurde, waren in der deutschen Heimat auch andere Töne zu hören. Angesichts der Stagnation des kirchlichen Lebens wurden für den Abfall der Gebildeten und das Desinteresse der breiten Masse, ja sogar für den um sich greifenden Materialismus und Atheismus, vielfach der Pietismus, der Biblizismus und die Orthodoxie mitverantwortlich gemacht. Sie hätten, so hieß es, einem Ludwig Feuerbach den Anstoß gegeben, die Religion als Traum des Menschengeistes, die himmlische Seligkeit als Herzenswunsch der Phantasie, den Menschen als Anfang, Mittelpunkt und Ende der Religion zu sehen. Sie hätten auch Karl Marx angeregt, die Religion den Seufzer der bedrängten Kreatur, das Gemüt einer herzlosen Welt, den Geist zeitloser Zustände und das Opium des Volkes zu nennen.

Der Tübinger Professor Vischer warf den Pietisten zurückgedrängte Wünsche, böses Gewissen, Heuchelei, Hochmut und Dirigismus vor. Ähnliche Kritik am salbungsvollen Reden und unaufhörlichen Beten, an den täglichen Losungen und griffbereiten Bibelzitaten äußerte Bunsens früherer Gesandtschaftspastor Richard Rothe, der als Professor in Heidelberg kompromißlos meinte, der vollendete Staat schließe die Kirche schlechthin aus.

Der namhafte Theologe Nitzsch, einst Diakonus an der Wittenberger Schloßkirche, später Mitglied des Berliner Oberkirchenrats, urteilte besonders hart über die Pietisten von Elberfeld: »Alles ist Kirche und Handel, Mission und Eisenbahn, Bibel und Dampfmaschine; nach Kunst und Wissenschaft fragt man nicht, kaum nach Politik.« Und Friedrich Engels, der Fabrikantensohn aus dem Wuppertal, der sich von den führenden Kreisen seiner Heimat abwandte und 1847 mit Karl Marx das »Kommunistische Manifest« verfaßte, stellte fest, »daß unter den Fabrikanten die Pietisten am schlechtesten mit ihren Arbeitern umgehen, ihnen den Lohn auf alle mögliche Weise verringern«; sie dächten nur an ihr persönliches Heil und beruhigten ihre Seelen, um der Seligkeit willen, mit gelegentlichen Almosen, Stiftungen und Vereinstätigkeit.

Am meisten wurde beanstandet, daß viele Pietisten, die ursprünglich gegen die Entwürdigung des Einzelmenschen, die soziale Ungerechtigkeit und das verweltlichte Staatskirchentum aufgetreten waren, mit ihrem ausgeprägten Protestantismus — sofern sie sich nicht ins Sektierertum flüchteten — wieder der herkömmlichen Staatsräson dienten, die »gottgewollte« Gesellschaftsordnung verteidigten und die Unzufriedenen unter der Maxime, daß Eigentum sittlich verpflichte, auf bessere Zeiten vertrösteten. So wurde es auch der Bürokratie des Königs Friedrich Wilhelm IV. erlaubt, für Protestantismus — wie der Kulturkritiker Paul de Lagarde nachträglich spottete — »stets das auszugeben, was höheren Ortes gerade gewünscht wird«.

Als Preußens zweiter Konsul nach Jerusalem kam, hatte der erste evangelische Pastor gerade ein Jahr harter Eingewöhnung hinter sich gebracht. Als Dr. Georg Rosen 1867 seinen Posten verließ, um Generalkonsul in Belgrad zu werden, konnte der zweite Pfarrer Lic. Carl Hoffmann schon seit einem Jahr auf einer verbreiterten Basis für das Deutschtum in Palästina wirken.

In diesem Sinne hatte sich Rosen, wie schon sein Vorgänger, tatkräftig auch einer Aufgabe gewidmet, für die das Bistum und das Pfarramt auf Grund ihres ursprünglichen Missionsauftrags weniger geeignet waren. Als Jugendfreund des Stettiner Rabbiners und Mitgründers der »Israelitischen Wochenschrift« Dr. Abraham Treuenfels brachte er besonderes Verständnis für die aus Deutschland und Holland eingewanderten Juden auf, die seines Beistands nicht nur im Pest- und Hungerjahr 1866 bedurften. Unterstützt von seiner Frau, die der jüdischen Familie Moscheles entstammte, förderte der Konsul nach dem Krimkrieg den Bau der »Batej Machse«, einer ersten jüdischen Wohnsiedlung für Arme und Pilger, half der europäisch orientierten Gruppe der Aschkenasim bei Sammlungen für eine zentrale Synagoge, beteiligte sich an der Planung einer Erziehungsanstalt für jüdische Waisenkinder und setzte im Streit mit den orientalischen Juden, den Sefardim, das Recht des separaten aschkenasischen Schächtens durch.

Mit diesem engagierten Eintreten für besondere Belange trug der Vertreter des Hohenzollern-Königs wesentlich dazu bei, daß ein Jahrhundert später der israelische Historiker Mordechai Eliav feststellen konnte, das preußisch-deutsche Konsulat in Jerusalem habe — wenn auch in erster Linie um der Ausdehnung des deutschen Einflusses willen — »erhebliches Interesse an der jüdischen Bevölkerung« gezeigt und mit seiner »Wirksamkeit innerhalb des jüdischen Gemeinwesens und für dessen Angelegenheiten bei weitem die Grenzen üblicher diplomatischer Tätigkeit« überschritten.

Neues Volk im Deutschen Tempel

Für die Deutschen im Heiligen Land kündigte sich ein beträchtlicher Zuwachs an, als nicht weit von Friedrich Schillers Geburtsstadt Marbach die »Freunde Jerusalems« den Kirschenhardthof in ein Hauptquartier schwäbischer Rebellen verwandelten. Dort kamen sie zusammen und schmiedeten Pläne für die »Herstellung des Reiches Gottes durch Sammlung des Volkes Gottes in Jerusalem«. Sie schwärmten von der Rückkehr zum Urchristentum, von der Überwindung aller konfessionellen Schranken und von der »Gründung eines Volkes, das sein eigenes Land, sein eigenes Gesetz, seine eigene Verfassung hat«. Sie sahen darin die einzige Möglichkeit, ihre Seelen zu retten und ihren Christenglauben aus den Klammern des Staatskirchentums zu befreien.

Im Jahre 1861 unterschrieben 64 Männer — vornehmlich württembergische Protestanten, aber auch einige Katholiken — ein Schriftstück zur Gründung des »Deutschen Tempels«: »Angesichts der allgemeinen Zerrüttung der Menschen, die ihre Ursache darin hat, daß keine der bestehenden Kirchen die Herstellung des Menschen zum Tempel Gottes und die Herstellung des Heiligtums für alle Völker zu Jerusalem anstrebt, erklären wir Unterzeichneten unsere Lossagung von Babylon, das heißt von den bestehenden Kirchen und Sekten, und verbinden uns zur Herstellung des Deutschen Tempels zur Ausführung des Gesetzes, des Evangeliums und der Weissagung.«

Führer dieser neuen Gesellschaft war der Theologe Christoph Hoffmann aus Leonberg, der schon 1858 mit zwei Gesinnungsfreunden, dem Kaufmann Hardegg und dem Bauern Bubeck, eine Erkundungsfahrt nach Palästina unternommen hatte. Er war der Prototyp des Eigenbrötlers und Sektierers, zugleich auch ein begabter Verkündiger,

Organisator und Seelenhirt. Wie der Doktor Hahnemann mit seiner Lehre der Homöopathie und der Pfarrer Kneipp mit seinem System der Wasserkur treue Laiengefolgschaften an sich zogen, die mit der hergebrachten Medizin den Wettbewerb aufnahmen, so scharten sich auch um Hoffmann biedere Handwerker und Bauern, die den studierten Theologen ihre neue Erkenntnis eines »gesunden sozialen Lebens« in der christlichen Gemeinde entgegenhielten. Ihr Gewissen warfen sie um so entschiedener in die Waagschale, je mehr sie im größeren Gemeindeverband des Protestantismus als Fremdkörper empfunden wurden.

Es war ein verhängnisvoller Circulus vitiosus: Leidenschaftliche Christen verbanden sich zu Gruppen und Sekten, um sich gegen die Verweltlichung im christlichen Staat zu wenden. Doch ihre Zersplitterung in streitbare Gemeinschaften und das Nebeneinander ihrer »alleinseligmachenden« Lehrsätze hatten zur Folge, daß das Christentum insgesamt nicht gestärkt, sondern eher geschwächt wurde. Zudem weckte der religiöse Separatismus das Mißtrauen der Staatsregierung und des Kirchenregiments, was wiederum manche Gemeinschaften in die Abkehr von Staat und Kirche drängte.

Nicht alle Landesherren handelten so klug wie König Wilhelm I. von Württemberg, der den neuen pietistischen Vereinigungen – gewarnt durch eine verstärkt einsetzende Auswanderung nach Amerika und Rußland – manche Sonderrechte innerhalb der Landeskirche einräumte. In Preußen jedoch verbot seit 1834 eine Kabinettsorder alle außerkirchlichen religiösen Zusammenkünfte, die über die gemeinschaftliche Andacht in der Familie des Hausvaters hinausgingen, weil die Regierung revolutionäre Umtriebe witterte, wenn gläubige Untertanen die Freiheit des Christenmenschen geltend machten. In Württemberg dagegen, wo ein Pietist wie der Bibelkritiker und Konsistorialrat Bengel schon um 1750 die Wiederkunft Christi und den Anbruch des Tausendjährigen Reiches für das Jahr 1836 vorausberechnen durfte, ließ man die Sektierer von Calw und Leonberg, Backnang und Schorndorf im allgemeinen freizügiger gewähren.

Einer ihrer resolutesten Sprecher war der Leonberger Bürgermeister Gottlieb Wilhelm Hoffmann, der vom württembergischen König die Genehmigung erlangte, nach dem Vorbild der erweckten Herrnhuter Brüdergemeine die pietistischen Musterdörfer Korntal bei Stuttgart und Wilhelmsdorf im katholischen Oberschwaben als Erbauungszentren mit brüderlicher Sozialordnung einzurichten. Sein Sohn Christoph, der

1815 noch in Leonberg zur Welt gekommen war, verbrachte den Großteil seiner Jugend im Korntaler Brüderdorf, wo er auf den Beruf des
Seelsorgers vorbereitet wurde. Als er endlich Geistlicher der evangelischen Landeskirche war, widmete er seine besondere Aufmerksamkeit
den frommen »Stundenleuten«, die sich mit regelmäßigen Zusam-
menkünften gegen den Rationalismus der »Studierten« und den Materialismus der »Umstürzler« abzuschirmen suchten.

Zu seinem Erzfeind erklärte Pastor Hoffmann den Tübinger Philosophen und Theologen David Friedrich Strauß, den Verfasser des aufsehenerregenden Werkes »Das Leben Jesu, kritisch bearbeitet« (1835/
36), obgleich der Professor im Grunde genommen dasselbe Ziel verfolgte wie der Pfarrer: dem von modernen Krankheiten bedrohten
Christentum durch eine tiefgreifende Entschlackung zu neuer Kraft
und gesünderem Leben zu verhelfen.

Nur – der liberale Denker aus dem Tübinger »Stift« tat es mit den
Mitteln der aus Altertumsforschung und Zeitphilosophie erwachsenen
radikalen Bibelkritik, die das gebildete Volk von einigen versteinerten
Dogmen befreien wollte, gewisse Zweifel an den Verfassern der Heiligen Schrift erhob und nicht jeden biblischen Bericht von vornherein
als geoffenbartes Wort Gottes gelten ließ. Der pietistische Theologe aus
der Korntaler Schule sah demgegenüber seine Aufgabe vor allem in
der Befreiung der Gläubigen vom staatskirchlich verfälschten Christentum, das die Weissagung der Schrift nicht mehr beachtete und ihre
Anwendung in der Gemeinde erschwerte.

Nicht auf theologischer, sondern auf politischer Ebene gelang dem
Pastor ein Triumph über den Gelehrten: Hoffmann gewann im Revolutionsjahr 1848 gegen Strauß in dessen Heimatbezirk Ludwigsburg
die Wahl zum deutschen Parlament und zog als einziger erklärter
Pietist zur ersten Nationalversammlung in die Frankfurter Paulskirche
ein.

Damals war der erweckte Pfarrer noch ein rühriges, wenn auch
schwieriges Mitglied seiner württembergischen Landeskirche. Zwar gab
er schon seit 1845 die Zeitschrift »Süddeutsche Warte« heraus, um
seine Ideen zu verbreiten und allmählich eine Gemeinde von »Hoffmannianern« um sich zu sammeln. Doch erst als er zu spüren bekam,
daß seine Forderungen an den Mauern des Staatskirchentums abprall-
ten, geriet er mehr und mehr in die Rolle eines Sektenführers.

1856 vollzog Hoffmann den ersten Schritt in Richtung Palästina, als
er den Kirschenhardthof zum vorläufigen Treffpunkt machte. Ein Jahr

später entzog ihm die Kirchenbehörde das Recht, die Sakramente zu verwalten. Und 1859, kurz nach der Erkundungsreise ins Heilige Land, kam es zum endgültigen Bruch: Der Führer der »Freunde Jerusalems« wurde aus der evangelischen Landeskirche ausgeschlossen, weil er dem Konsistorium auf eindringliche Fragen antwortete, er könne sich dessen

Jerusalem, An der Klagemauer

Anordnungen wegen grundsätzlicher Meinungsverschiedenheit nicht unbedingt unterwerfen. Der Ausschluß traf auch sämtliche Anhänger, die weiterhin zu ihrem geistlichen Vorstand hielten. Der Weg zur Errichtung des »Deutschen Tempels« war damit frei.

Vier ungeduldige junge »Hoffmannianer« traten 1860 die Reise nach Jerusalem an. Als sie sich in dem fremdartigen Land nicht gleich zurechtfanden, wandten sie sich an ihren Landsmann Schneller, der sie als unbefangener Praktiker gastfreundlich aufnahm, weil er in seinem angehenden Waisenhaus dringend einige kräftige Mitarbeiter brauchen konnte. Auch wenn die Helfer immer wieder beteuerten, sie wollten »Fundamente des neuen Tempels« und Träger ihres eigenen Glaubensgebäudes sein, verstanden sie sich mit dem Chrischona-Missionar doch recht gut. Schließlich kamen beide Seiten aus derselben Glaubensschule und gingen lediglich auf getrennten Wegen in dieselbe Richtung. »Bete und arbeite« lautete das gemeinsame Grundgesetz, »Erweckung« der Christen und »Rettung« ihrer Seelen waren das gleichgeartete Ziel.

Bald suchten die vier Jünger des Tempels zwischen dem Bergland von Judäa und der Küste des Mittelmeers nach unbenützten Grundstücken, die für eine Besiedlung geeignet waren. Sie wanderten über öde Sandflächen und steinige Berghänge, hausten in Felshöhlen und kämpften unaufhörlich gegen Hunger, Durst und Fieber, bis einer nach dem anderen den Entbehrungen erlag.

Jahrzehnte später gedachte die Lehrerin und Nobelpreisgewinnerin Selma Lagerlöf in ihrem Roman »Jerusalem« — nach Ina Seidel das größte und reifste Werk der Dichterin, nach Hermann Hesse »wohl das Schönste und Größte, was die neuere schwedische Dichtung gebracht hat« — auch der Pioniere aus Württemberg, als sie die Irrwege und Kolonistenschicksale ihrer ausgewanderten Landsleute nachzeichnete. Die deutschen Bauern und Handwerker, mit denen die skandinavischen Pilger zusammentrafen, gehörten jedoch schon zum Gros der Tempelgesellschaft, das 1868 unter der Führung von Christoph Hoffmann und Georg David Hardegg die Heimat verließ und im Heiligen Land die ersten Gemeinden gründete. Vorher waren noch mehrere Gruppen auf eigene Faust losgezogen und in der Wildnis den ungewohnten Lebensbedingungen zum Opfer gefallen. Im Gegensatz zu den ersten Kundschaftern hinterließen sie wenigstens ein paar Grabsteine und einige provisorisch gebaute Häuser — so an den Hügeln westlich von Nazareth.

Die nachfolgenden »Hoffmannianer« führten ihr Siedlungswerk nur noch in der Zusammenarbeit größerer Gemeinschaften aus. Diesen Grundsatz verfocht der erfahrene Geschäftsmann und überzeugte Demokrat Hardegg aus Ludwigsburg, der schon ausgiebig über die Bewältigung des Daseins unter schwierigsten Voraussetzungen nachgedacht hatte, als er wegen seines Eintretens für die Revolution in Deutschland eine sechsjährige Festungshaft auf dem Hohenasperg verbüßen und anschließend die Landesverweisung auf sich nehmen mußte. Noch im heimischen Sammellager bereiteten sich die Auswanderer mit theoretischem Unterricht und praktischen Übungen auf das künftige Leben vor. Dann bildeten sie gemischte Gruppen aus jüngeren und älteren Leuten verschiedener Berufe, die in Abständen nach Palästina reisten.

Als erste verabschiedeten sich die kräftigsten und gewandtesten Männer, die in Haifa am Fuße des Berges Karmel, wo bereits ein größeres Grundstück erworben worden war, im Winter 1868/69 mit dem Bau der ersten Kolonie begannen. Je mehr Siedler nachfolgten, desto rascher wuchs am Rande der Hafen- und Fischerstadt, die nur rund 3000 Einwohner zählte, ein schmuckes schwäbisches Dorf mit ein- und zweistöckigen Wohnhäusern, Werkstätten, Kaufläden und Geräteschuppen, mit Gärten ums Haus und Bäumen an schnurgeraden Straßen.

Nur wenige Monate später gingen die Bauleute vor den Toren von Jaffa an die Errichtung der zweiten Tempelkolonie, wobei ihnen bereits die Hilfe einer Großmacht zustatten kam, mit der sie nicht gerechnet hatten: Das Königreich Preußen trat dem zwischen Frankreich und der Pforte geschlossenen Vertrag von 1867 bei, der es Fremden erlaubte, im Osmanischen Reich unbewegliches städtisches und ländliches Eigentum zu erwerben, sofern sie sich in allen Fragen des Grundbesitzes der türkischen Gerichtsbarkeit unterwarfen. Sie brauchten — das war entscheidend — nicht Untertanen des Sultans zu werden, wenn sie durch ein Konsulat ihres Herkunftslandes vertreten wurden. Und weil es ein Konsulat des Königreichs Württemberg nicht gab, erhielten die »Hoffmannianer«, obgleich sie Abtrünnige einer evangelischen Landeskirche waren, den Schutz der protestantischen Führungsmacht.

Der preußische Konsul gewöhnte sich rasch daran, bei Feiern und Festen öfters von den »Deutschen« als den »Preußen« oder »Württembergern« und mehr von der »deutschen« als der »evangelischen« Arbeit im Heiligen Land zu sprechen. Damit kam er durchaus einem Bedürfnis der Zeit entgegen, das dem Revolutionär und späteren Konsularbeamten Fröbel auffiel, als er 1857 von einem mehrjährigen Aufenthalt in Nordamerika nach Europa zurückkehrte: Welches Volk hat wie das deutsche das Beiwort immer im Munde, welches seinen eigenen Charakter bezeichnet? ›Deutsche Kraft‹, ›deutsche Treue‹, ›deutsche Liebe‹, ›deutscher Ernst‹, ›deutscher Gesang‹, ›deutscher Wein‹, ›deutsche Tiefe‹, ›deutsche Gründlichkeit‹, ›deutscher Fleiß‹, ›deutsche Frauen‹, ›deutsche Jungfrauen‹, ›deutsche Männer‹ ... Der Deutsche verlangt

von sich ganz extra, daß er deutsch sein soll, als ob ihm freistünde, aus der Haut zu fahren.«

Im Krieg von 1866 hatte Preußen inzwischen die Vormachtstellung in Deutschland nicht nur mit dem Sieg über Österreich, sondern auch mit der Einverleibung Schleswig-Holsteins, Kurhessens, Nassaus, Hannovers und der Freien Stadt Frankfurt am Main sowie mit dem Abschluß einiger zum Teil geheimer Schutz- und Trutzbündnisse mit süddeutschen Staaten untermauert. Jetzt war das preußische Volk berufen, wie der Historiker Dahlmann schon 1849 in der »Deutschen Zeitung« schrieb, »jene Wandelung seines inneren Wesens, welche ehemals Brandenburg in ein Preußen umschuf, zum zweiten Male und im größeren Maßstabe bewußter zu vollbringen, indem es in Deutschland eingeht«.

Auf welche Art dies geschehen sollte, erklärte Heinrich von Treitschke nach der Gründung des Norddeutschen Bundes, in dem Preußen das Bundespräsidium, den Oberbefehl über das Bundesheer, das Bundeskanzleramt und die Leitung der Außenpolitik übernahm: »Die feste Einigung des Nordens scheint mir der sicherste Weg, in einigen Jahren auch den Süden zu gewinnen.« Was dazu fehlte, erläuterte Bundeskanzler Otto von Bismarck 1868 freimütig dem deutsch-amerikanischen Politiker und Journalisten Carl Schurz: Der Krieg mit Frankreich werde kommen — in etwa zwei Jahren. »Der wird uns vom Kaiser der Franzosen aufgedrängt werden ... Wir werden siegen, und das Ergebnis wird gerade das Gegenteil von dem sein, was Napoleon anstrebt, nämlich die vollständige Einigung Deutschlands außerhalb Österreichs und wahrscheinlich auch der Sturz Napoleons.« Keine Prophezeiung, ergänzte Carl Schurz seine Aufzeichnung, sei je scharfsinniger gemacht und genauer und vollständiger erfüllt worden ...

Auch in Jerusalem, wo die Schutzmächte der christlichen Kirchen ein Spiegelbild des zerstrittenen Europa abgaben, machte sich die »deutsche Kolonie« auf ein Gewitter gefaßt. Die Beziehungen zu den katholischen Österreichern waren schon abgekühlt, seitdem Kaiser Franz Joseph I. auf einem fast 4000 Quadratmeter großen Grundstück in der Altstadt das Pilgerhospiz zur Heiligen Familie bauen ließ, das 1863 eröffnet und bald auch von deutschen Katholiken benützt wurde. Daß Frankreich die Schutzherrschaft über alle Lateiner beanspruchte, stellte in den Augen der protestantischen Deutschen nicht nur die Österreicher, sondern auch die katholischen Landsleute in ein schiefes Licht.

Lautstärkster Wortführer des evangelischen Deutschtums unter preußischer Führung wurde D. Ludwig Schneller, der als zweiter Sohn des württembergischen Waisenvaters in Jerusalem zur Welt gekommen und dank der Gemeindehilfe in preußischer Umgebung aufgewachsen war. Als Gymnasiast in Brandenburg, als Student in Berlin, als Hauslehrer eines Oberhofmarschalls in Potsdam, als Garnisonshilfsprediger und als Pastor einer Gemeinde an der Oder sammelte er das Vokabular, mit dem er in unzähligen Aufsätzen, Vorträgen und Büchern den Ruhm des Königreichs der Hohenzollern verkündete.

Der Palästinaschwabe war vor allem ein Herold König Wilhelms I., der am 2. Januar 1861 den preußischen Thron bestieg, nachdem am selben Tag sein geisteskranker Bruder Friedrich Wilhelm IV. im Schloß Sanssouci gestorben war. Seit Jahren schon hatte sich der Zustand des kinderlosen »Romantikers« so verschlechtert, daß Wilhelm als Thronfolger mit dem Titel »Prinz von Preußen« zunächst die Stellvertretung und 1858 die Regentschaft übernehmen mußte. Voller Zuversicht übertrug die deutsche Gemeinde in Jerusalem ihre Dankbarkeit und Treue vom Gründer des englisch-preußischen Bistums auf den neuen Herrn.

In seinen »Königs-Erinnerungen« begründete Pastor Schneller die Anhänglichkeit an das Hohenzollernhaus: »Preußen, das nach der Vernichtung deutscher Macht und Größe durch die unseligen, immer nur nach eigenem Vorteil habgierigen Habsburger den deutschen Namen zuerst wieder in der Welt zu Ehren gebracht hat, nahm damals alle Deutschen im Auslande unter den Schutz seiner Konsuln ... Jedes Jahr am 22. März, dem Geburtstage des Königs Wilhelm, versammelten sich in Jerusalem die in der Stadt lebenden Deutschen und Schweizer in dem mitten zwischen Tempelplatz und Grabeskirche prächtig gelegenen preußischen Konsulat, und unser Konsul Rosen schloß dann seine Rede auf den fernen König mit einem Hoch, in das die Anwesenden gerne einstimmten.«

»Im Jahre 1866 gab es freilich unter den Deutschen Jerusalems eine Zeitlang eine Spannung«, registrierte Schneller mit dem Hinweis auf den »Deutschen Krieg«, in dem Bismarck — seit 1862 preußischer Ministerpräsident — den Deutschen Bund von 1815 zerschlug. Weil zu Beginn dieses Entscheidungskampfes die Truppen Sachsens, Bayerns, Württembergs, Badens, Hannovers, Hessens und Nassaus an der Seite Österreichs standen, wurde mancher Protestant im Heiligen Land von patriotischen Gewissensbissen geplagt. »Aber so schnell wie der ganze Feldzug ging auch die Spannung in Jerusalem vorüber. Bald waren alle darin einig, daß Preußen mit seinem Kriege gegen die unverbesserli-

chen Habsburger nur Deutschlands Sache geführt habe und daß dieser
Staat durch seine ganze Geschichte zur Führung aller Deutschen berufen sei.«

Vom Haus Hohenzollern erwartete der Pastor nicht nur die nationale
Einigung, sondern auch die Bildung einer geeinten deutsch-evangelischen Kirche, wie sie im kleinen bereits in Jerusalem bestand. Der
Luther-Choral »Ein' feste Burg ist unser Gott«, klagte Schneller, werde
»in verschiedenen Teilen Deutschlands noch immer verschieden gesungen. Unsere klägliche Kleinstaaterei auf kirchlichem Gebiete ist
daran schuld. Bei Festen oder größeren Tagungen... kommt der Gesang bei gewissen Stellen regelmäßig ins Schwanken. Meistens geschieht das an der Stelle: ›Fragst du, wer der ist? Er heißt Jesus Christ.‹«

»Ich habe meine Kindheit in Jerusalem fernab von der Gemeinschaft
mit einer großen christlichen Kirche zugebracht«, schrieb der Sohn des
Waisenvaters. »Die Gottesdienste wurden in der kleinen, bescheidenen
Kapelle unserer arabischen Missionsgemeinde gehalten... Es waren
da einige gemietete Zimmer eines arabischen Hauses in der Nähe der
Grabeskirche zu einem Betsaal vereinigt. Staunend sahen wir Kinder
neben diesem schlichten Raum, der unsere Kirche darstellte, die pomp-
hafte Pracht der Grabeskirche oder das geheimnisvolle Halbdunkel der
schönen armenischen Jakobskirche.«

Daß Ludwig Schneller diesen Eindruck behielt, war in erster Linie
auf die Protestanten selbst und auf ihren Pastor Carl Hoffmann zurückzuführen. Sicherlich im Einverständnis mit seinem Vater, dem
Berliner Generalsuperintendenten und Vorsitzenden des Jerusalemsvereins, legte der Geistliche größten Wert auf die »Verselbständigung«
und das »Eigenleben« der Deutschen, weshalb er sich mit den Nach-
mittagsgottesdiensten in der englischen Christuskirche nicht mehr zu-
friedengab. Statt dessen versammelte er die Gläubigen am Sonntagvor-
mittag zu deutschem Kirchgang im Speisesaal des Johanniter-Hospizes,
wo es zwar an Platz fehlte, wo man sich aber »auf deutschem Grund
und Boden« befand, was die Gemeinde »als Fortschritt und Segen«
bezeichnete.

Die Verselbständigung hatte noch einen weiteren Grund: Der preußische Generalsuperintendent konnte es sich in der Hochstimmung von
1866 keineswegs leisten, einen bereits in Berlin ordinierten Domhilfsprediger, dazu seinen eigenen Sohn, der anglikanischen Nachordination zu unterwerfen. Das wäre Verrat an Preußens Gloria gewesen!
»Über die Ordinationsfrage wurde, wie dann auch bei Hoffmanns

Nachfolgern, stillschweigend hinweggegangen«, stellte die Gemeinde-chronik fest.

Als eine neue Aufgabe fielen dem Geistlichen gelegentliche Gottes-dienste in Jaffa zu, wo sich neben den »Hoffmannianern« auch landes-kirchentreue Protestanten niedergelassen hatten. Carl Hoffmann hielt es aber auch für angebracht, mit den Anhängern des »Deutschen Tem-pels« im Gespräch zu bleiben. Zum einen war er ein Neffe des Kolo-nistenführers, zum anderen konnte man nicht wissen, ob das eine oder andere verirrte Schaf vielleicht schon den Weg zurück zur Herde suchte!

Den Templern, die auf ihre geschrumpften Ersparnisse und ihre nur langsam wachsenden Einkünfte angewiesen waren, blieb es nicht ver-borgen, daß es sich mit Geldüberweisungen und Sachspenden aus der Heimat leichter arbeiten ließ. Zu offensichtlich war der Aufschwung, den die evangelische Gemeinde in den sechziger Jahren nahm. Im Syrischen Waisenhaus erhöhte sich die Zahl der betreuten Kinder und der neuen Räume im selben Maße, wie die Freunde der Anstalt in Württemberg und der Schweiz ihre Hilfe steigerten. Die Kaiserswerther Diakonissen erweiterten mit Unterstützung des preußischen Königs und vieler Helfer nicht nur ihr Haus durch einen Flügelanbau, sondern kauften auch außerhalb der Stadt auf der »Gottfriedshöhe« ein Grund-stück und bauten, nach den Plänen des einstigen Chrischona-Bruders Schick, eine neue Mädchenschule.

Preußens neuer Konsul Freiherr von Alten wußte bereits, weshalb alle diese Anstrengungen unternommen wurden: Um die »deutsche Sache« im Heiligen Land weiter voranzutreiben, war für Herbst 1869 der bis dahin prominenteste Besucher aus Berlin angesagt.

Deutschland über alles

> »Nichts ist so sehr für die
> gute alte Zeit verantwortlich
> wie das schlechte Gedächtnis.«
> Anatole France

Eigener Grund und Boden

Am 17. November 1869 gaben sich Europas Fürstlichkeiten ein Stelldichein im Land der Pyramiden. Ein Sproß des berühmten Ibrahim Pascha, der 39 Jahre alte Khedive Ismail, dem der osmanische Sultan kurz zuvor die Würde eines Vizekönigs von Ägypten verliehen hatte, trat als Gastgeber einer außergewöhnlichen Festveranstaltung auf: Nach zehnjähriger Bauzeit wurde der Suezkanal als schleusenloser Großschiffahrtsweg zwischen dem Mittelländischen und dem Roten Meer eröffnet.

Den König Wilhelm I. von Preußen vertrat Kronprinz Friedrich Wilhelm, der ein Jahr jünger als der Khedive war, in den Kreisen der herrschenden Dynastien aber schon einiges Ansehen genoß: Er führte 1858 in Anwesenheit des europäischen Hochadels die Tochter der britischen Königin Victoria, die Princess Royal Victoria, zum Traualtar, und er zählte außerdem zu den preußischen Armeeführern, die im Krieg gegen Österreich die Schlacht bei Königgrätz gewannen.

Nur vier Monate vor der Orientreise des populären »Fritz« wurde der Ägypter Ismail in Berlin als Staatsgast empfangen und mit Ehrungen überhäuft. Das Königreich Preußen legte Wert darauf, mit dem Herrn über die international wichtige Wasserstraße gute Beziehungen zu pflegen, bevor sich der Kronprinz zu einer ausgedehnten Freundschaftstour auf den Weg nach Süden machte.

In Wien trug Kaiser Franz Joseph zur Begrüßung Friedrich Wilhelms erstmals seit dem verlorenen Krieg wieder eine preußische Ehrenuniform; Kaiserin Elisabeth unterbrach sogar einen Erholungsaufenthalt in der Sommerresidenz Bad Ischl, um den Hohenzollern freundlich willkommen zu heißen. »Es konnte nach den Ereignissen von 1866«, notierte der Gast in seinem Tagebuch, »keinem Österreicher leicht werden, einen Vertreter unseres Königs, wie ich es sein sollte, eintreffen zu sehen. Aber niemand hat mich diese nur zu begreifliche Empfindung fühlen lassen.« In aufgeschlossener Atmosphäre wurden auch viele Einzelheiten des Programms besprochen, das den Kaiser über die Türkei und Palästina zu der Einweihung des Suezkanals führen sollte.

Auf der Weiterfahrt nach Brindisi an der Adria, dem traditionellen Hafen für Orientreisen, spürte der preußische Thronfolger die Unruhe auf der italienischen Halbinsel. Rom stand seit zwei Jahren wieder unter französischer Besatzung, der dritte Marsch der »Rothemden« Garibaldis hatte die ersehnte Hauptstadt nicht erreicht. Der 1861 eingesetzte König Victor Emanuel II. mußte das bis dahin geeinte Italien noch von Florenz aus regieren. Zwar hatte er 1866 in den Krieg Preußens gegen Österreich eingegriffen und im Frieden von Wien Venetien erhalten, aber die Herrschaft Frankreichs über Rom und den Kirchenstaat war noch nicht gebrochen.

Auf der Korvette »Hertha«, begleitet von den kleinen Kriegsschiffen »Grille« und »Delphin«, fuhr Friedrich Wilhelm nach Athen, wo er das griechische Königspaar von seinem Vater grüßte. Georg I. aus dem Hause Schleswig-Holstein-Sonderburg-Glücksburg, ein Sohn des dänischen Königs, der im Krieg gegen Preußen und Österreich seine südlichen Herzogtümer einbüßte, war 1863 auf britische Empfehlung von der Athener Nationalversammlung zum König gewählt worden.

Die wichtigste Station der Rundfahrt lag aber nicht in Europa, sondern in Kleinasien. In Konstantinopel sollte der Kronprinz bei Sultan Abd ul-Asis eine Stärkung der preußischen Position im Heiligen Land erwirken. Denn der Osmane, dem erst zwei Jahre zuvor in Koblenz die Gastfreundschaft des Königs und der Königin von Preußen zuteil geworden war, hatte die Verfügungsgewalt über Grund und Boden in Jerusalem. Es war für den Königssohn aus Berlin eine besondere Auszeichnung, daß ihn der Herr eines riesigen Reiches und Khalif der sunnitischen Muslime persönlich vor dem erst 1865 errichteten Beylerbey-Palast am asiatischen Ufer des Bosporus empfing.

In Varna, der bulgarischen Hafenstadt am Schwarzen Meer, hatte inzwischen auch Kaiser Franz Joseph die Schiffsreise nach Konstantinopel angetreten. Für ihn hatten die zuerst in den Bosporus eingefahrenen Preußen eine Überraschung bereit: Die Korvette »Hertha« schoß zu seiner Ehre Salut — »wohl seit 1866 der erste preußische Gruß für ihn«, wie der Hohenzoller in seinen Aufzeichnungen vermerkte.

Das entscheidende Gespräch im Palast Beylerbey führte Friedrich

Wilhelm am 29. Oktober mit dem Großwesir Ali Pascha, einem Bewunderer Preußens. Der Dragoman der preußischen Gesandtschaft, Dr. Busch, den der Kronprinz als »höchst unterrichteten, gewandten und verdienstvollen Gelehrten« pries, übersetzte die Unterhaltung mit dem Regierungschef des Sultans. Es ging um die Verwirklichung eines Plans, den der Johanniter-Rechtsritter Kammerherr Freiherr von Tettau 1868 in Jerusalem geschmiedet hatte.

»Sehr glücklich bin ich«, berichtete Friedrich Wilhelm seinem Vater, »daß es mir gelungen ist, den Wunsch unseres Königs zu erfüllen und vom Sultan ein in Jerusalem gelegenes, einst dem Johanniterorden gehöriges Grundstück als Geschenk für evangelische Zwecke zu erhalten. Der Großwesir war völlig überrascht, als ich ihm jene Angelegenheit vortrug, denn es war das größte Stillschweigen bis dahin beobachtet worden, aber dank seiner wie auch des Sultans Bereitwilligkeit, unserem Könige eine Artigkeit zu erweisen, wie auch den Bemühungen des Dr. Busch, gelang das Unternehmen.«

»Es kam darauf an«, betonte der Kronprinz, »während der fünf Tage meines Verweilens in Konstantinopel die notwendigen Verhandlungen zu Ende zu führen, was die Anwendung aller Kraft angesichts der üblichen orientalischen Langsamkeit erforderte. So erreichten wir's, daß telegraphische Befehle an den Pascha von Jerusalem behufs direkter Unterhandlungen mit unserem dortigen Konsul ergingen, und schließlich setzte noch Ali Pascha in meinem Palast eigenhändig eine Art ›Ferman‹ auf, durch welchen ich zur Übernahme gedachten Grundstücks berechtigt wurde.«

Mit dieser Anordnung in der Tasche schiffte sich Friedrich Wilhelm zur Weiterfahrt nach Palästina ein. Am 3. November ging er in Jaffa an Land und bestieg noch am selben Tag ein Pferd zum Ritt nach Jerusalem, voraus drei Bannerträger mit den Farben Preußens, des Norddeutschen Bundes und des Kronprinzen. Am 4. November ritten ihm die ungeduldigen Gemeindemitglieder der Heiligen Stadt bis zu dem Ort Qalonieh entgegen, worüber der Besucher in sein Notizbuch schrieb: »Eine Stunde vor Jerusalem empfingen uns die Deutschen der Stadt, alle zu Pferde, angeführt durch den evangelischen Pfarrer Hoffmann, einen Sohn des Generalsuperintendenten und Hofpredigers in Berlin. Während einer kurzen Rast zogen wir Uniform an, wobei ich den Dragonerrock anlegte, und im Gespräch mit den meist aus Württembergern bestehenden Landsleuten erstiegen wir den letzten steilen Berg, von dem aus sich der erste Blick auf Jerusalem bieten sollte.«

Einzug des preußischen Kronprinzen Friedrich Wilhelm in Jerusalem

»Zunächst«, so wurde der Kronprinz noch auf die Folter gespannt, »kam uns der griechische Bischof im Namen des Patriarchen entgegen, dann die Vorsteher der Juden in unnachahmlichen Verbeugungen und einer unglaublichen Wortverschwendung. Währenddessen hatte sich

unser vorausgeschicktes Kommando Seesoldaten aufgestellt, präsentierte und empfing mich mit Hurra — gewiß der erste preußische Militär-
gruß dieser Art an der Heiligen Stadt —, und dann noch immer kein
Jerusalem, sondern ein ungeheures Zelt, von zahllosen Menschen

nebst türkischer Ehrenwache umringt, und mit einer Menge fremder Uniformen angefüllt. Hier begann dann die Vorstellung der englischen Geistlichen, der Patriarchen, römischen Prälaten, Konsuln, Mönche, Geistlichen ohne Ende, wobei im Drange der Aufregung einer statt des anderen genannt wird; dazu gab es Süßigkeiten und Sorbets. Leider war der deutsch-englische Bischof Dr. Gobat abwesend, was ich erst hier erfuhr.«

Trotz der Hitze konnten die kühlen Erfrischungsgetränke die Vorfreude des Kronprinzen nicht länger zügeln. »Endlich«, atmete er in seinem Bericht auf, »mache ich mich los, besteige wieder mein Pferd, und, hoffend, nun endlich Jerusalem in Ruhe betrachten zu können, suche ich mich dem Gedränge der Menge zu entziehen, indem ich mich an unsere unmittelbar vor mir marschierenden Soldaten dicht anschließe. Doch vergebens! Um völlig alle Möglichkeit gehobener Stimmung zu rauben, spielt die entsetzliche türkische Musik ›La Madrilena‹, begleitet von einer ambulanten Chaine türkischer Soldaten; Haufen von Juden, deren verschiedene Vorsteher mir vorausgeeilt sind, um unter Laubbögen und kostbar geschmückten Zelten Ansprachen zu halten, schreien mich in allen Zungen an.«

»Rührend war dagegen die Freude der Diakonissen aus Kaiserswerth, die den einzelnen Kranken- und Erziehungsanstalten hierselbst angehören und die mir alle die Hand reichten im Jubel darüber, endlich einmal wieder Landsleute zu erblicken; an ihrer Spitze stand Fräulein Charlotte Pilz, deren wohltätigen Einfluß ich schon seit längerer Zeit hatte rühmen hören. Schließlich frage ich unsern Konsul von Alten, ob wir denn nicht bald Jerusalem sehen würden. ›Sie haben's ja längst vor sich‹, ist die Antwort.«

So unbewußt der erste Anblick war, so bewußt genoß Friedrich Wilhelm in den nächsten Tagen die Heilige Stadt. Sie beeinflußte nicht allein das Gemüt des Kronprinzen: Seine Freuden und Leiden, seine Hochstimmungen und Niedergeschlagenheiten wurden überhaupt zum Maßstab der Palästinareisen, die 29 Jahre nach ihm sein Sohn Kaiser Wilhelm II. und weitere 12 Jahre später sein Enkel Prinz Eitel Friedrich unternahmen. Das Tagebuch von 1869 wurde, was die Wahl der Wege und die Beurteilung der Sehenswürdigkeiten betraf, zum »Baedeker« der Hohenzollern.

Am Abend des 4. November schrieb der preußische Pilger, nachdem er durch das Damaskustor die Altstadt Jerusalems betreten hatte: »Wenn ich von dieser erhabensten Stätte der ganzen Welt aus versuchen wollte, es auszudrücken, wie bewegt mein Herz bei dem Gedanken ist, in Jerusalem zu sein, würde ich zu viel unternehmen. Man muß selbst hier gewesen sein, selbst zunächst die große Enttäuschung durchgemacht haben, die der erste Anblick und der Eintritt in die Stadt hervorrufen, und selbst endlich den tiefen inneren Frieden gewonnen haben, nachdem ruhige Anschauung und Betrachtung die Oberhand erlangten, um das zu begreifen.«

»Fassung allein gewann ich«, schilderte er seinen ersten Gang zur Grabeskirche, »in dem Gedanken an Frau, Kinder, Eltern und Vaterland, deren ich in stillem inbrünstigem Gebete gedachte.« Vor allem fühlte er sich durch die Eifersucht der verschiedenen Konfessionen auf Golgatha und am Heiligen Grabe »bitter enttäuscht«, obwohl doch auch er ausgezogen war, um im Wettbewerb der Nationen und Konfessionen für Preußen und seine evangelische Kirche möglichst viel herauszuholen. Friedrich Wilhelm wurde »durch das Konglomerat von Kapellen, Altären, Treppen und Gängen so verwirrt, daß mir schließlich ganz schwindlig zumute wurde. Dazu kam eine enge, dumpfe Luft, jeglicher Frische entbehrend, der Dunst des Weihrauchs, welcher beständig dicht vor mir hergetragen wurde, und endlich das unangenehme Gefühl über alle die märchenhaften Legenden, auf welche eine Masse von Stiftungen und Denkmälern hinweisen sollen, bis ich schließlich bei der Vorführung der ›Adams-Kapelle‹, in der Adams Schädel sich befinde, genug hatte und mich entfernte.«

Diese Meinung revidierte der Kronprinz, nachdem er allein das Heiligtum betreten hatte. »Ein nochmaliger Besuch der leeren Kirche im späten Zwielicht beim Schimmer nur weniger Lampen, unbelästigt durch die sich streitenden Mönche, bot einen kleinen Ersatz für das Abstoßende des offiziellen Morgenganges. Ich liebe es überhaupt, Kirchen in später Abendstunde bei mäßiger Beleuchtung zu sehen; in diesem einzig in seiner Art dastehenden Gotteshause aber ward mir wunderbar zumute, wiewohl doch nichts den Empfindungen auf dem Ölberge gleichkommen wollte ... Hier konnte das Gemüt sich von der Erde abwenden und dem Gedanken ungestört nachhängen, der jedes Christen Innerstes bewegt, wenn er auf das große Erlösungwerk zurückblickt, das an dieser Stätte seinen erhabensten Ausgangspunkt feierte.«

Am glücklichsten aber war der Hohenzoller, als er in Begleitung des osmanischen Gouverneurs von Jerusalem das Grundstück übernahm, das der Sultan dem König von Preußen zum Geschenk machte. Daß es die Bevölkerung »Muristan« nannte, was Irrenanstalt bedeutet, störte ihn nicht. Ohnehin gab es an dieser Stätte niemals ein Heil- und Bewahrungshaus europäischer Art; der Ruinenplatz, auf dem sich jetzt Schutt und Abfälle häuften, diente nur lange Zeit als Aufenthalts- ort der abgesonderten Geisteskranken.

Ein Gang über das Grundstück vermittelte dem Empfänger nicht den erfreulichsten Anblick. Die unmittelbare Nachbarschaft der Grabeskir- che ließ ihn jedoch ahnen, daß hier seit frühesten Zeiten Christen gebetet und gebaut hatten. Geschichtsforscher berichteten für den König von Preußen, daß an dieser Stelle schon zur Zeit Kaiser Karls des Großen ein Pilgerhospiz stand, das im Jahre 1010 zerstört wurde, und daß hier Kaufleute aus der Handelsstadt Amalfi am Golf von Salerno für die Kreuzfahrer einen Konvent mit der Kirche »Maria Latina« und dazu ein Frauenkloster mit der Kirche »Maria Parva« (Maria Magda- lena) bauten.

Später, so erfuhren die hohenzollerischen Grundstücksbesitzer, er- hoben sich auf dem Platz ein Hospiz und die ehrwürdige Kirche, die dem Patriarchen Johannes von Alexandrien (606 bis 616) geweiht wur- de und dem Johanniterorden den Namen gab. Die Hospitalbrüder besaßen unter ihrem zweiten Großmeister Raymond du Puy (1118 bis 1159) unmittelbar neben der Grabeskirche ihre eigene Ordenskirche, dazu die Kirche »Sancta Maria Latina Major« für den von ihnen gestifteten Frauenkonvent und ein großes Hospital für mehr als tau- send Kranke und Pilger, das Sultan Saladin nach der Eroberung Jeru- salems als Residenz diente.

Nach dem endgültigen islamischen Sieg über die Kreuzfahrer, ver- merkte der historische Abriß, verfielen die Einrichtungen der Johanni- ter. Aus der Klosteranlage wurde ein Khan, ein Stützpunkt der durch Jerusalem ziehenden Karawanen. Auf den unbebauten Flächen brei- teten die Gerber der Stadt die Felle und Häute zum Trocknen aus, weshalb die ganze Gegend um den Muristan »Dabbagha« (Gerber- viertel) hieß. Ein Teil der Ruinen, wohl ein altes Refektorium, war verhältnismäßig gut erhalten.

Friedrich Wilhelm ließ sich von Pastor Hoffmann die vielseitige Arbeit in der Gemeinde erläutern. Das Ende Mai 1867 eingeweihte Aussätzigenheim »Jesushilfe« westlich des Jaffatores wurde ihm als jüngste deutsche Einrichtung gezeigt. Es ging auf eine Stiftung der pommerischen Freifrau von Keffenbrink-Ascheraden und ihres Mannes zurück, die während eines Jerusalem-Aufenthaltes das Elend der Aussätzigen kennengelernt hatten. Eine Tochter des Bischofs Gobat war eine ihrer wenigen Helferinnen gewesen, ehe das neue Heim mit zwölf Pflegeplätzen unter der Obhut der Brüdergemeine und ihres Diakonissen-Mutterhauses in Emmaus-Niesky eröffnet wurde.

Das Hospiz der Johanniter-Balley Brandenburg diente dem Kronprinzen und einigen seiner Begleiter als Wohnung. Allerdings war Friedrich Wilhelm nicht begeistert, weil ihm die Unterkunft in der Nähe der Grabeskirche zu wenig Komfort bot. Auch sonst hatte er an den Jerusalemer Gegebenheiten manches auszusetzen, vor allem an dem Straßenpflaster »aus großen, nach der Mitte sich senkenden Feldsteinen bestehend, auf denen das Pferd bei jedem Tritt gleitet, so daß man beständig bergauf und bergab wandelt, jegliche Art von Vorwärtsbeförderung zur Unerträglichkeit wird«. Letzten Endes war der fürstliche Pilger froh, als er die Heilige Stadt verlassen und an den Ruinen von Baalbek vorbei nach Beirut weiterziehen konnte. Dort wartete die Korvette »Hertha«, die ihn nach seinen Abenteuern wie ein Luxusdampfer zur Fahrt nach Ägypten, dem offiziellen Ziel der Reise, aufnahm.

Bei dem großangelegten Schauspiel der Kanaleröffnung nahm Friedrich Wilhelm aufmerksam zur Kenntnis, daß sich alles um die französische Kaiserin Eugenie drehte, die ihrem Onkel Ferdinand Vicomte de Lesseps, dem Schöpfer der Wasserstraße, und der »Compagnie Universelle du Canal maritime de Suez«, deren Aktienkapital überwiegend in Frankreich und Ägypten gezeichnet worden war, die Ehre erwies. Denn Franzosen hatten den alten europäischen Traum verwirklicht, den Seeweg nach Ostasien um einige tausend Meilen zu verkürzen. Die Jacht »L'Aigle« führte die erste Kanaldurchfahrt einer internationalen Flotte an — mit der »Imperatrice« auf der Kommandobrücke.

Die Entstehung und die erste Benützung des »allzeit freien, für Kauffahrteischiffe aller Größe immer zugänglichen Kanals« überzeugten den Kronprinzen von einem weltpolitischen Rückstand Preußens und Deutschlands. Es wurde ihm klar, weshalb Monsignore Bauer, der Delegierte des Papstes Pius IX., in der Predigt des Weihegottesdienstes Ferdinand de Lesseps mit Christoph Kolumbus verglich, der im Auftrag der Krone Kastiliens den Westweg nach Indien suchte und Amerika entdeckte, ehe Vasco da Gama für den König von Portugal die Route um das Kap der Guten Hoffnung erschloß.

Seither rangen europäische Mächte um Stützpunkte, Märkte und

Seeherrschaft. Die Bedeutung der Landverbindungen zwischen Mittelmeer und Persischem Golf sank im selben Maße, wie an den Küsten und auf den vorgelagerten Inseln West-, Süd- und Ostafrikas bis hin nach Indien, Ceylon, Malakka, Australien und Neuseeland Wasserstationen, Handelsniederlassungen und Befestigungen entstanden. Ägypten, Syrien und Mesopotamien, die in römischer, byzantinischer und islamischer Zeit noch viel vom europäisch-asiatischen Handelsverkehr profitiert hatten, wurden osmanische Provinzen, in denen sich die Wüste ausbreitete.

Viele Jahre lang hatten sich die Briten gegen das Kanalprojekt gestemmt, das Lord Palmerston im Unterhaus als »Schwindelunternehmen verantwortungsloser Elemente« deklassierte und das der britische Gesandte in Konstantinopel zu hintertreiben versuchte. In London hatte man nicht vergessen, daß Napoleon während seiner Orientexpedition an die Wiederherstellung des künstlichen Wasserweges dachte, der schon altägyptische Pharaonen, persische Könige, makedonische Ptolemäer, römische Kaiser und islamische Khalifen beschäftigt hatte.

Die Briten wußten auch, daß sich der Ex-Diplomat de Lesseps weitgehend auf die Pläne des Österreichers Ritter Negrelli von Moldelbe stützte, der schon 1843 den Wiener Staatsmann Metternich veranlaßt hatte, den ägyptischen Statthalter für die Berechnungen der napoleonischen Kanalkommission zu interessieren, und der zunächst die deutschen Bundesstaaten als Schutzmächte des Bauvorhabens zu gewinnen versuchte, was aber Österreichs Mißtrauen gegenüber Preußen von vornherein scheitern ließ. Nach dem blutig niedergeschlagenen Sepoy-Aufstand von 1857/58, den der erste Vizekönig Britisch-Indiens mit der Auflösung der einst mächtigen East India Company und der Übernahme der Regierungsgewalt durch die britische Krone abschloß, war London plötzlich bereit, in einer neuen Ostroute auch Vorteile für das Empire zu erkennen. Jetzt kam es in erster Linie auf die Verhinderung eines französischen Alleinerfolgs an.

Als der Kanal nach unbeschreiblichen Strapazen und Opfern fertiggestellt war, folgten dem französischen Flaggschiff der Flottenparade Österreichs Kaiser auf der Jacht »Greif« und Preußens Kronprinz auf der Korvette »Hertha«. Die Niederlande, Rußland, Italien, Spanien, Griechenland und viele andere, ja sogar Hessen, waren durch Angehörige ihrer regierenden Häuser auf offiziellen Schiffen vertreten. Die britische Königin Victoria begnügte sich mit der Entsendung ihres Gesandten in Konstantinopel, versäumte aber nicht, Ferdinand de

Lesseps als Helden des Tages mit dem Großkreuz des Sterns von Indien auszuzeichnen. Eine britische Jacht fehlte zwar im Festkonvoi, doch das erste Handelsschiff, das den Kanal durchfuhr, zeigte die Flagge Großbritanniens.

Kronprinz Friedrich Wilhelm unternahm nach den Feiern in Port Said, Ismailia, Suez, Alexandien und Kairo noch die weite Reise nach Assuan, die ihm viel Zeit ließ, über seine Erlebnisse nachzudenken. Der Schwiegersohn der britischen Königin verstand nun besser als zuvor, welche weltweite Macht von London ausging, welche Bedeutung der Kette britischer Stützpunkte von Gibraltar und Malta bis Aden und Bahrein zukam, welche Möglichkeiten auch das englisch-preußische Bistum in Jerusalem aufzeigte. Für den jungen Hohenzollern war das Kanalfestival eine politische Lektion.

Nur acht Monate nach Kaiserin Eugenies Triumph am Suezkanal führte der Kronprinz seine Armee nach Frankreich. Kaiser Napoleon III. hatte dem König von Preußen wegen der Auseinandersetzungen um die spanische Thronkandidatur des Erbprinzen Leopold aus der schwäbisch-katholischen Linie der Hohenzollern den Krieg erklärt; aus französischer Sicht war es schon mehr als genug, daß Leopolds Bruder Karl seit 1866 in Südosteuropa als Fürst von Rumänien regierte. Die Truppen Friedrich Wilhelms beteiligten sich entscheidend an der siegreichen Schlacht bei Sedan und der Einschließung von Paris.

Napoleon mußte kapitulieren und nach der preußischen Kriegsgefangenschaft auf Schloß Wilhelmshöhe bei Kassel den Rest seines Lebens im englischen Exil verbringen. Auch Eugenie floh nach England und starb dort als Gräfin von Pierrefonds. Beider Sohn Louis Napoleon trat in den britischen Kolonialdienst ein und fand sein Ende in Südafrika. Für den hohenzollerischen Thronfolger aber war schon am 18. Januar 1871 gewiß, daß er nicht nur zum König von Preußen, sondern auch zum Deutschen Kaiser berufen war.

Von Versailles ins Heilige Land

Als die deutschen Fürsten und ihre Generäle im Spiegelsaal des französischen Königsschlosses Versailles den ersten Hohenzollern zum Deutschen Kaiser proklamierten, feierten sie nachträglich das »große Neujahr 1871« als »Epochenscheide«. Das erste Hoch, das der Großherzog von Baden auf »Seine Kaiserliche Majestät den Kaiser Wilhelm I.« ausbrachte, ließ sie in diesem Augenblick vergessen, daß bei weitem nicht alles nach Wunsch verlaufen war.

Der König von Preußen wäre lieber ein »Kaiser von Deutschland« oder wenigstens, wie es Kronprinz Friedrich Wilhelm nach napoleonischem Muster vorgeschlagen hatte, ein »Kaiser der Deutschen« geworden. Doch man nahm Rücksicht auf antipreußische Kräfte in Süddeutschland — wie die »Ultramontanen« in Bayern und die »Demokraten« in Württemberg, Baden und Hessen —, aber auch auf die preußischen Konservativen, die nicht so recht annehmen wollten, daß die gemeinsam erfochtenen Siege in Frankreich schon ausreichten, die deutsche Einheit im Sinne eines Großpreußentums auf der traditionellen Einheitsbasis von Thron, Altar und Militär »den Hintersassen eines herrschenden Volkes« schmackhaft zu machen.

Bei der Siegesfeier der Deutschen in Rom wurden jedoch — getreu den Prinzipien des preußischen Gemeindelebens — die Akzente von Anfang an neu gesetzt. Der Kulturhistoriker Gregorovius frohlockte in seiner Festrede, das Heilige Römische Reich Deutscher Nation sei nach einem Interregnum von 65 Jahren als das Zweite Reich in neuer Gestalt erstanden — nunmehr bescheidener und glücklicher »das Deutsche Reich« genannt. Denn: »Römisch ist nichts mehr an ihm als die große Erinnerung oder die Mythe seiner Abkunft von dem weltbeherrschenden Rom; heilig ist nichts mehr an ihm im Sinne des römischen Priestertums, aber heilig, so hoffen wir, ist sein Ursprung in der sittlichen Kraft des Volkes und seine Mission für den Frieden der Welt. Deutsch ist alles an ihm, Haupt und Glieder, und all das herrliche Land von der Stadt Kants in der preußischen Ostmark bis jenseits des Rheins zum Münster von Straßburg, auf welchem endlich wieder die Fahne Deutschlands weht.«

Weil von den Millionen nichtdeutschen Preußen — den Polen, Litauern, Wenden und Kassuben im Osten, den Dänen im Norden, den Wallonen und Franzosen im Westen — nicht die Rede war, warnte die »Deutsche Vierteljahresschrift« vor dem immer häufiger gehörten Ausdruck »Preußen, der einzige rein deutsche Staat unter den Großstaaten germanischer Rasse« und auch vor der Auffassung, nach dem Ausschluß Österreichs aus der nationalen Neugestaltung gebühre den Fürsten des Königreichs Preußen, »des protestantischen Staates par excellence«, die Suprematie in Deutschland. Die ausgezeichnetsten Geschichtsschreiber preußischer Richtung hätten doch nur, so wurde argumentiert, den mächtigen Partikularismus ihrer Fürsten und ihres

Friedrich Wilhelm IV.

Wilhelm I.

Friedrich III.

Stammes für eine unvergleichliche Deutschtümlichkeit ausgegeben und als nationale Politik des Hauses Hohenzollern in Umlauf gesetzt.

Das Preußisch-Protestantische war schon obenauf, als Ende Oktober 1870 Otto von Bismarck an sein »liebstes Herz« schrieb, die Minister der süddeutschen Staaten kämen nach Versailles, »um das neue tausendjährige Reich zu beraten«. Während der Kanzler in einem weiteren Brief an seinen »geliebten Jungen« Herbert kaltblütig konstatierte, im Hauptquartier habe man Zeit, bis die Franzosen im belagerten Paris »ihre Hunde und die schönen langhaarigen Katzen gegessen haben werden«, hatte auch König Wilhelm I. Muße genug, um in Versailles die Urkunde zu unterzeichnen, die den Theologen Lic. Hermann Weser zum neuen Pastor der evangelischen Gemeinde in Jerusalem ernannte.

Unmittelbar vor der Kaiserproklamation unterstrich der Hohenzoller die Bedeutung der preußischen Besitzungen im Heiligen Land. Das neugeschaffene Erbkaisertum bedurfte einer geistlichen Metropole, der Fundamentierung seines Gottesgnadentums, die geradezu auf eine Umkehrung der reformatorischen Tradition hinauslief: Kaiser und Reich — einst die Gegenpole des Reformators Martin Luther — mußten sich nunmehr über jene partikularen Gewalten, die zu den Trägern des Protestantismus geworden waren, hinausheben. Eine neue Reichsgewalt sollte mächtig genug werden, den noch zersplitterten und zerstrittenen Glaubensbrüdern der Reformation universalen Zusammenhalt und Schutz zu garantieren. Noch 1871 reiste der Wirkliche Geheime Oberbaurat Professor Adler nach Jerusalem, um die ersten Baupläne für neue Kristallisationskerne auszuarbeiten.

Auch Pastor Weser entwickelte gleich nach dem Amtsantritt eine außergewöhnliche Aktivität, und bald schrieb ihm die Jerusalemer Chronik vor allem zwei Verdienste gut: die Einweihung einer Gemeindekapelle in den Muristanruinen, die 27 Jahre lang als deutsch-evangelisches Gotteshaus diente, und die Eröffnung einer Gemeindeschule, die nach einigen Erweiterungen 45 Jahre lang bestand.

Im Namen der Deutschen Jerusalems hatte der Geistliche schon Ende 1870 geklagt, es sei »unwürdig für ein so großes Volk, wie wir es jetzt durch Gottes Gnade geworden, immer wieder die Gastfreiheit anderer in Anspruch nehmen zu müssen und kein eigenes Gotteshaus zu haben«. Deshalb war er sich mit dem Konsul einig, fürs erste auf dem Johanniter-Gelände, von wo man seit einem Jahr bereits »über 100 000 Eselladungen von Schutt vor die Tore hinausgeschafft« hatte,

einen der weniger zerstörten Räume wiederherzustellen, der »gerade
uns circa 250 Deutsche und unter deutsch-evangelischem Einflusse
stehende Personen fassen würde«. Selbstverständlich dürfe deswegen
der Bau einer größeren Kirche nicht vernachlässigt oder gar unterlassen
werden. »Alle katholischen Nationen Europas haben hier ihre prächtigen Kathedralen, so können wir evangelischen Deutschen uns nimmermehr mit einer kleinen Kapelle begnügen, zumal wir der Zahl nach bei
weitem alle übrigen europäischen Völker hier überragen.«

Baron von Alten, notierte der Pfarrer, wandte sich »direkt an Seine
Majestät nach Versailles mit der Bitte, die nötigen Gelder zu bewilli-
gen. Des Kaisers Zeit war gewiß stark in Anspruch genommen, denn
es handelte sich damals gerade um die Kapitulation von Paris. Dennoch
fand er Zeit, auch des irdischen Jerusalems zu gedenken, und welche
Gefühle mögen es gewesen sein, mit denen er die Herstellung des
Gotteshauses in der Friedensstadt angewiesen hat! Wie sehr der Kronprinz daran teilgenommen und sich darüber gefreut hat, geht daraus
hervor, daß er sofort nach der Unterzeichnung der Order durch Seine
Majestät die Nachricht hierher an den Generalkonsul telegraphieren
ließ«.

Am 16. Juli 1871 wurde die Kapelle mit einem feierlichen Gottesdienst eingeweiht, bei dem neben Bischof Gobat und seinen Geistlichen
die Vertreter des deutschen und des englischen Konsulats die ersten
Bänke füllten. Obwohl auch viele Mitglieder des Deutschen Tempels
sowie einige Griechen und Lateiner teilnahmen, fühlte sich Pastor
Weser verpflichtet, in der ersten Predigt »gegenüber der abergläubi-
schen Verehrung des Ortes, der man in der Grabeskirche ebenso wie
in der Omar-Moschee begegnen kann«, auf die evangelische Freiheit
hinzuweisen, »die jeden Ort der Erde zu einem Heiligtum machen
will«.

Was dem preußischen Gesandten in Rom einst versagt blieb, gelang
in Jerusalem auf Anhieb: Der evangelischen Kapelle folgte die evangelische Schule. »Nicht unerwähnt soll bleiben«, vermerkte fast beiläufig die Gemeindegeschichte, »daß der Beginn der Schule zum guten
Teil auch auf das Konto des damaligen Konsuls Baron von Alten zu
schreiben ist, der seinerseits die treibende Kraft war, daß vom Reich
Unterstützungsgelder flüssiggemacht wurden.«

Das Reich des deutschen Kaisers finanzierte jetzt auch alte Lieblingsprojekte der Könige von Preußen. Das Schlagwort von »Preußens
deutschem Beruf« galt für Jerusalem ebenso wie für Straßburg oder

Königsberg. Nur — der protestantische Beruf der Hohenzollern ließ sich mit dem preußisch-deutschen nicht ohne weiteres vereinbaren. Das erwies sich bald nach der Reichsgründung, als es zu jener heftigen Auseinandersetzung mit der katholischen Kirche kam, die der liberale Mediziner Virchow in einem kirchenfeindlichen Wahlaufruf seiner Fortschrittspartei als »Kampf für die Kultur«, oder kurz »Kulturkampf«, bezeichnete.

Wieder ließ sich Preußen in einen Streit ein, wie ihn einst Friedrich Wilhelm III. gegen Papst Gregor XVI. führte. Diesmal hatte man es mit dem kampferfahrenen Pius IX. zu tun, dessen Pontifikat nicht nur das umstrittene Dogma von der Unbefleckten Empfängnis Mariä, sondern 1864 auch die politische Eigengesetzlichkeit der Kirche und im Vatikanischen Konzil von 1870 die päpstliche Unfehlbarkeit »ex cathedra« definierte und fixierte.

Der Reichskanzler von Bismarck und sein preußischer Kultusminister Falk bissen auf Granit, als sie — zunächst im preußischen Landtag und dann auch im Reichstag — mit dem Schulaufsichtsgesetz, dem Kanzelparagraphen, dem Jesuitengesetz, den sogenannten Maigesetzen zur Einengung kirchlicher Rechte, dem Klostergesetz und schließlich mit der Absetzung vieler Geistlicher und Bischöfe, darunter wie vor Jahrzehnten auch der Erzbischöfe von Köln und Posen-Gnesen, die Katholiken und ihre Zentrumspartei einer Zentralgewalt zu unterwerfen suchten.

Das Ergebnis war jedoch nicht die erstrebte Stärkung der nationalen Zusammengehörigkeit, sondern eine zunehmende Opposition gegen das kleindeutsche Reich und seine protestantisch orientierte Regierung. Wie im Mischehenstreit zwang der hartnäckige Widerstand der »Römischen« die preußische Führungsmacht zum Einlenken und zum Friedensschluß mit dem 1878 gewählten Papst Leo XIII., in dem der Dichter Stefan George »ein Vorbild erhabnen Prunks und göttlicher Verwaltung« zu sehen glaubte.

Deshalb war es für Wilhelm I. ein gewisser Trost, daß die protestantischen Erfolge im Heiligen Land schon weit über das hinausgingen, was einst der Diplomat Bunsen zu erhoffen gewagt hatte. Zudem hatten sich die Verhältnisse gründlich geändert, seitdem Friedrich Wilhelm IV. seinem »lieben Freund« Bunsen in Briefen nach London bittere Gedanken über ein hohenzollerisches Kaisertum anvertraut hatte: Die dem Preußen-König von der Frankfurter Nationalversammlung angebotene deutsche Kaiserkrone nannte er einen »imaginären

Reif, aus Dreck und Letten gebacken«, den sogenannten Patrioten warf er vor, sie hätten ihn mit dem »Ludergeruch der Revolution von 1848« verunehrt; sie wollten »die Souveränität deutscher Nation unwiderruflich dadurch befestigen, daß sie dem Narren, dem Preußenkönig, ein Hundehalsband umschnallten, das ihn unauflöslich an die Volkssouveränität fesselte, der Revolution von 48 leibeigen macht«; »jedoch zum Abschied die Wahrheit: Gegen Demokraten helfen nur Soldaten; Adieu!«

Jetzt, nach 1871, hatte zu gelten, was »Wir, Wilhelm, von Gottes Gnaden König von Preußen« nach dem »einmütigen Ruf« der deutschen Fürsten und freien Städte im Hauptquartier Versailles bekundeten: »Mit Herstellung des Deutschen Reiches die seit mehr denn sechzig Jahren ruhende deutsche Kaiserwürde zu erneuern und zu übernehmen«, »in deutscher Treue die Rechte des Reiches und seiner Glieder zu schützen«, »allezeit Mehrer des Deutschen Reiches zu sein, nicht an siegreichen Eroberungen, sondern an den Gütern und Gaben des Friedens auf dem Gebiete nationaler Wohlfahrt, Freiheit und Gesittung«.

Davon ausgehend, daß »von Berlin aus verkündet wurde, das neue deutsche Reich müsse ein Weltreich sein, stark genug, um ohne Allianz und Vertrag jeder einzelnen Macht, aber auch einer Koalition aller fremden Mächte gewachsen zu sein«, prophezeiten die »Historisch-politischen Blätter für das katholische Deutschland« mit fast gespenstischer Voraussicht: »Der letzte politische Krieg wird erst der sein, welcher über die Zukunft Österreichs und der Türkei definitiv entscheidet. Eine ›Lokalisierung‹ ist bei diesem Krieg von vornherein eine vollendete Unmöglichkeit; wahrscheinlich wird er nicht einmal auf Europa beschränkt bleiben, sondern auch die nordamerikanische Union in seinen Strudel hineinziehen.«

Die zwangsläufige Entwicklung in Deutschland veranlaßte Bayerns König Ludwig II. in einem Brief an seinen Bruder Otto zu dem Stoßseufzer: »Jammervoll ist es, daß es so kam, aber nicht mehr zu ändern.« Die »Wochenschrift der Fortschrittspartei in Bayern« wagte die Prophezeiung: »Lang, denken wir und sind wir gewiß, wird dieses preußisch-deutsche ›Kaiserreich‹ übrigens nicht dauern.«

Man mißtraute den Tönen, wie sie etwa in der Universität Königsberg angeschlagen wurden, als der Festredner Maurenbrecher zum »75. Geburtstag unseres erhabenen Monarchen, Wilhelm des Ersten, des siebten Königs von Preußen, des ersten Kaisers von Deutschland«

alle Volksgenossen vor den Abwegen »des römischen Imperatorentums, des mittelalterlichen Universalreichs, des gallischen Cäsarismus« warnte und an den Investiturstreit erinnerte, der »allen bösen Säften im Körper Deutschlands Gelegenheit zu üppigster Entfaltung« bot: Denn »die selbstsüchtige Unbotmäßigkeit der Fürsten und der Partikularismus der Stämme verbanden sich mit dem revolutionären Papsttum«.

Sarkastisch schrieb Jacob Burckhardt angesichts des um sich greifenden Reichstraditionalismus von einem »wunderlichen Anblick«, an den sich die Welt gewöhnen müsse: »Das protestantische Haus Hohenzollern als einzige effektive Schutzmacht des nunmehr zum italienischen Reichsuntertan gewordenen Papstes.«

Der Groll, mit dem der Gesandte Bunsen aus der Ewigen Stadt geschieden war, verwandelte sich zusehends in den Ehrgeiz der Protestanten, mit einem »deutschen Jerusalem« das katholische »Klein-Deutschland am Tiberstrand« in den Schatten zu stellen. Weitere Anstrengungen in der päpstlichen Metropole hatten ohnehin wenig Sinn: Durch die preußisch-deutschen Siege im Siebzigerkrieg war die französische Besatzung zum Abzug aus Rom gezwungen worden, worauf italienische Truppen einrücken und Papst Pius IX. in die »vatikanische Gefangenschaft« zurückdrängen konnten. Der Kirchenstaat wurde aufgelöst, Rom zur Hauptstadt Italiens erklärt und mit einem der ersten Gesetze die Religionsfreiheit verkündet.

Dem Herrschermythos der Hohenzollern diente nun das »deutsche Rom« als Vorbild für Jerusalem. Das zeigte schon der Bebauungsplan für den Muristan, der die beabsichtigte Traditionsverlagerung dokumentierte: Wo die Grundmauern des auf Karl den Großen zurückgeführten Pilgerhospizes nahe der Grabeskirche vermutet wurden, sollte die Erlöserkirche des Zweiten Reiches erstehen, so wie sich in Rom die Erinnerung an den ersten karolingischen Kaiser mit dem »Campo Santo der Deutschen« nahe der Peterskirche verband, wohin die Überlieferung die Erlöserkirche und das Hospiz der »Schola Francorum« verlegte.

In Jerusalem und in Bethlehem brauchte sich das preußisch-evangelisch geführte Deutschland nicht zu verstecken. Hier konnte es an Traditionen anknüpfen, die von deutschen Künstlern, Kreuzfahrern und Pilgern zum selbstverständlichen Besitz der ganzen Nation gemacht worden waren. Hatten nicht seit frühesten Zeiten Dichter, Maler, Bildhauer und Komponisten das Gemüt und die Phantasie des

Volkes geprägt, indem sie das biblische Geschehen einfach auf deutsche Dörfer und Städte übertrugen?

Die altsächsischen Stabreimverse des »Heliand« stellten Jesus von Nazareth als germanischen Helden und König dar. Die bildende Kunst kannte seit den Karolingern und Ottonen nur ein »deutsches« Palästina, von den ältesten Illustrationen klösterlicher Handschriften und den ersten holzgeschnittenen Bildern für Wiegendrucke bis zu den Tafelbildern, Schnitzaltären und Weihnachtskrippen in unzähligen Kirchen und Herrschaftshäusern. Die Bamberger »Biblia pauperum« des Albrecht Pfister und der Mainzer Heilig-Grab-Bericht des Domherren Bernhard von Breidenbach gingen ebenso von deutschen Menschen, Stadtansichten und Landschaften aus wie die christlichen Werke der Meister Pacher und Riemenschneider, Bertram, Lochner und Grünewald, Schongauer, Altdorfer, Cranach, Baldung, Dürer und Holbein.

Was die Kreuzzugsliteratur, die religiöse Spruchdichtung und das geistliche Drama ausdrückten, das übersetzten die Oratorien und Passionen von Schütz, Bach und Händel oder die Messen von Haydn, Mozart, Beethoven und Schubert in die Sprache der Musik. Wo immer deutsche Kunst geschaffen wurde, war das Land der Bibel nicht unbekannte Ferne. Wer von »heiliger Wanderlust« beseelt nach Palästina Ausschau hielt, der sang »mit frohem Mute und heller Stimme« — wie 1483 der wallfahrende Bartscherer und Lautenspieler Jost Artus:

> »Sei uns gegrüßt du heiliges Land,
> wo unser Christ sein Leiden fand.«

Nach 1871 gewöhnten sich in Palästina auch die nicht-evangelischen Deutschen daran, »in Kaiser Wilhelm«, wie Pastor Ludwig Schneller jubelte, »die von wunderbaren Siegen und hohen Herrschertugenden umleuchtete Schicksalsgestalt des deutschen Volkes zu sehen«. Sie profitierten davon, daß sie in das Konzept der Berliner Regierung paßten, die es an ideeller und finanzieller Unterstützung nicht fehlen ließ. Als die evangelische Schule sogar Zuwachs aus der neuen Tempelkolonie Jerusalem erhielt, war es vielen bald nicht mehr klar, ob sie sich stärker als getrennte Christen oder als geeinte Deutsche fühlen sollten.

So empfanden es die Protestanten keineswegs als schmerzhaften Verlust, daß sich die arabisch-bischöfliche Gemeinde allmählich von der deutsch-evangelischen löste, nachdem sie 1874 unter der Obhut der britischen Missionsgesellschaft ihren behelfsmäßigen Betsaal in der Christenstraße mit der Paulskirche außerhalb des Neuen Tors vertauscht hatte. Die deutschen Anstalten, aus denen die meisten evangelischen Araber kamen, stellten sich mehr auf nationale Wünsche und Ideale ein.

»Ich hatte den Kaiser«, erzählte Schneller in seinen Memoiren, »vor einiger Zeit gebeten, dem Syrischen Waisenhause in Jerusalem aus dem Metall eroberter französischer Kanonen eine Glocke gießen zu lassen. Jetzt erwiderte er, der Kriegsminister habe zwar gemeldet, daß keine solchen Kanonen mehr zur Verfügung stünden. Er wollte aber die Glocke selbst stiften. Und nicht lange, so kam sie, mit der Kaiserkrone geziert, übers Meer . . .«

Makler der orientalischen Frage

Der Berliner Akademie-Direktor Anton von Werner hatte sein Monstergemälde von der Kaiserproklamation in Versailles gerade vollendet, als er 1878 an eine noch kompliziertere Aufgabe heranging: die Darstellung des Berliner Kongresses, der unter dem Vorsitz des Reichskanzlers Fürst von Bismarck einen Ausweg aus den Verwicklungen des Orientkonflikts suchte.

Der angesehene Hof- und Schlachtenmaler mußte sein ganzes Kompositionstalent aufbieten, um 26 führende Politiker und Diplomaten so um den Verhandlungstisch zu gruppieren, daß die Gewichte der beteiligten Mächte und besonders die Verdienste des vermittelnden Deutschen Reiches gebührend zum Ausdruck kamen. Deshalb bildete er im Vordergrund zwei Schwerpunkte mit je einem Vertreter Österreich-Ungarns, Großbritanniens und Rußlands. Den osmanischen Delegierten Mehemed Ali Pascha, den eigentlichen Gewinner des politischen Tauziehens, stellte er abseits an den rechten Bildrand. Als Verlierer der Konferenz durfte dafür der zweite Mann der russischen Delegation, der von London nach Berlin abgeordnete Botschafter Graf Schuwalow, der hünenhaften Zentralfigur des »ehrlichen Maklers« die Hand reichen.

Alle Teilnehmer schienen zufrieden zu sein — doch der Eindruck des erst nach sechs Jahren fertiggestellten Bildes täuschte. Der Berliner Kongreß konnte einen aufgeloderten Brand nur eindämmen, aber nicht löschen. Was zwischen dem 13. Juni und dem 13. Juli 1878 ausgehandelt wurde, wirkte als Zündstoff fort. Die »orientalische Frage«, das Verhältnis des Osmanischen Reiches zu seinen Nachbarn, seinen Vasallen und den Schutzmächten seiner christlichen Untertanen, war nicht mehr am Verhandlungstisch zu lösen, erst recht nicht unter der Leitung eines jungen Staates, der mit der Übernahme des undankbaren Schiedsrichteramtes seinen Eintritt in das weltpolitische Spiel der älteren Großmächte unterstreichen wollte.

Mit der Entstehung des Deutschen Reiches verknüpften mißgünstige und mißtrauische Beobachter eine Reihe bedeutsamer Kräfteverschiebungen: die Schwächung Österreich-Ungarns, den Rückgang der weltlichen Macht des Papsttums, den Aufstieg des Königreichs Italien zu einem neuen Nationalstaat in der Mitte des Kontinents, dazu den Sieg der Republik über die Monarchie im gedemütigten Frankreich, das einen empfindlichen Substanzverlust erlitt, weil es dem Deutschen Reich nicht nur die Gebiete Lothringen und Elsaß abtreten, sondern auch eine unvorstellbar hohe Kriegsentschädigung von 5 Milliarden Francs zahlen mußte.

Auch im Orient blieben die Ereignisse von 1870/71 nicht ohne Auswirkungen, weil sich Rußland angesichts der Lähmung Frankreichs und Großbritanniens beeilte, die Ergebnisse des Krimkrieges zu revidieren. Überraschend holte sich der Zar die Bewegungsfreiheit im Schwarzen Meer zurück und zwang die übrigen Mächte, den neuen Tatbestand noch während des Deutsch-Französischen Krieges auf der Londoner Pontus-Konferenz zu bestätigen. Seine Dankbarkeit für die Öffnung des Weges zu den begehrten Meerengen bekundete Alexander II. an der richtigen Stelle, als er 1872 zum Drei-Kaiser-Treffen mit Wilhelm I. und Franz Joseph I. nach Berlin reiste.

Allerdings war der Dreier-Entente, so wie sie Bismarcks konservativen Vorstellungen entsprach, keine lange Lebensdauer beschieden. Die Rechnung des Reichskanzlers, die auf eine Isolierung der revanchelüsternen Franzosen hinauslief, ging nicht auf, solange auf dem Balkan die russisch-österreichischen Interessengegensätze aufeinanderstießen und im Vorderen Orient die Briten ihre eigenen Fäden spannen. Das zeigte sich schon, als es 1875 zu einer entscheidenden Wendung kam.

Während die »Krieg-in-Sicht-Affäre« zwischen Paris und Berlin dem deutschen Regierungschef mit Warnungen der britischen Queen und des russischen Kanzlers die Gefahr einer britisch-französisch-russischen Verständigung vor Augen führte, gelang London ein glücklicher Schachzug. Premierminister Disraeli erfuhr über einen bekannten Bankier in Paris, daß der uferlos verschuldete Khedive Ismail daran dachte, seinen Aktienanteil am Suezkanal zu verkaufen.

»Kaum Zeit zum Atemholen«, schrieb der Regierungschef an die

Königin, »aber das Geschäft mußte gemacht werden.« Noch war die Regierung unschlüssig, das Parlament zum Glück in Ferien — da sprang Lionel Rothschild in die Bresche. Der Londoner Repräsentant des in Frankfurt beheimateten Bankhauses, dessen Pariser Zweig bereits die vorzeitige Ablösung der französischen Kriegsschuld an Deutschland ermöglicht hatte, besorgte in kürzester Frist die vier Millionen Pfund Sterling, die Disraeli am 25. November 1875 brauchte, um die 176 602 Aktien des ägyptischen Vizekönigs zu kaufen.

Den Absichten des Premierministers kamen die Verhältnisse in Konstantinopel entgegen, die sich der vom Judentum zu den Anglikanern übergetretene Romanschriftsteller nicht günstiger hätte ausmalen können. Rechtzeitig war ihm aus dem weitverzweigten Bereich des Bistums Jerusalem von der katastrophalen Finanzlage des Sultans Abd ul-Asis berichtet worden, der im selben Jahr, in dem Großbritannien — auch Frankreichs Schwäche ausnützend — das Aktienpaket erwarb, nach vierzehnjähriger Regierung den Staatsbankrott erklären mußte.

Aus eigener Erfahrung wußte der deutsche Missionar Müller in Bethlehem dem »Hochwürdigen, Hochverehrten Herrn Hofprediger« in Berlin ein Lied von den »schlechten und bösen Zeiten« zu singen: »Die Untertanen der Pforte müssen Schweres verspüren. Seit einem halben Jahr sind schon drei- bis viermal Unterstützungssteuern eingetrieben worden. Vor kurzem waren zwölf Effendis hier, jetzt in Beitschala, behufs Aufnahme und Schätzung der Häuser und Grundstücke. Mehrere Wochen lang wollen sie samt ihren Pferden aufs properste und äußerste unentgeltlich versorgt werden. Nebst dem werden ihnen bedeutende Bestechungen zugeschoben. Es scheint, daß die Bezahlungen an die Zivil- und Militärbeamten in Papiergeld letztere nicht sehr beglücken, da solche Papiere niemand, nicht einmal die Regierung, annimmt. Da suchen sie sich auf alle Weise zu helfen.«

Auch im Drei-Sultan-Jahr 1876 waren die Osmanen praktisch handlungsunfähig. Abd ul-Asis wurde während eines Aufstandes der von Koranstudenten geführten »Softa«-Bewegung abgesetzt und ermordet. Sein Nachfolger Murad V. brachte es auf eine nur dreimonatige Regierungszeit. Dann kam mit dem 34 Jahre alten Abd ul-Hamid II. zwar ein tatkräftiger Sultan und Khalif an die Macht, doch er geriet unausweichlich in die Abhängigkeit auswärtiger Helfer, als ihn die Russen in den Krieg von 1877/78 verwickelten.

Vorher hatte sich der Zar geschickt nach mehreren Seiten hin abzusichern versucht. In der Konvention von Reichstadt nahm er Österreich-

Ungarn das Versprechen der Neutralität ab und stimmte dafür einer
österreichischen Besetzung der osmanischen Provinzen Bosnien und
Herzegowina zu. In Berlin erkundigte er sich, ob das Deutsche Reich
während einer kriegerischen Auseinandersetzung zwischen Rußland
und Österreich neutral bleiben könnte. Als es dann in Bulgarien, Bosnien, Serbien und Montenegro mit teilweiser Unterstützung durch
russische Freiwillige zu heftigen Kämpfen mit der türkischen Oberhoheit kam, forderten die russischen Panslawisten, auch um von innen-
politischen Unruhen abzulenken, immer lauter den großen Krieg zur
Befreiung der »balkanischen Brüder«.

Sogar in Palästina befürchtete man das Schlimmste, wie Samuel
Müller Ende 1876 dem Berliner Vorstand des Jerusalemsvereins berichtete: »In diesem Land herrscht über den Ausgang des serbischen
Krieges große Spannung. Die Christen sind in großer Angst und glauben, daß, wenn endlich Rußland öffentlich mit der Türkei Krieg führen
wird, der Fanatismus der Mohammedaner so gesteigert werden würde,
daß sie über die Christen auch in diesem Lande herfallen werden, ohne
alle Schonung und Erbarmen. Es werden immer mehr Reserven im
Lande eingezogen und täglich exerziert. Von hier sind wieder vor kurzem 18 Mann von Weib und Kind weggenommen und nach Jerusalem
gebracht worden. Dort sind nun 2200 Mann wieder bereit, um nach
Konstantinopel geschickt zu werden. Der Herr möge in Gnaden darein
sehen.«

Es dauerte nicht lange, bis der Zar den Einmarsch in das Osmanische
Reich befahl. Die Großmacht Rußland, die ihr Staatsgebiet seit dem
Regierungsantritt Peters des Großen bereits um durchschnittlich 90
Quadratkilometer pro Tag erweitert hatte, wollte endgültig zum Mittelmeer durchbrechen. Der Angriff stockte zwar monatelang vor der
tapfer verteidigten Türkenfestung Plewna, dann drangen die Russen
jedoch bis zu den Randbezirken von Konstantinopel vor und diktierten
am 3. März 1878 unweit der osmanischen Hauptstadt den Friedensvertrag von San Stefano.

Dieser Erfolg der Petersburger Regierung ging vor allem Großbritannien, das schon in Mittelasien genug Sorgen wegen der russischen
Expansion in Richtung Indien hatte, entschieden zu weit. Mit der
Einfahrt in das Marmarameer demonstrierte ein britischer Flottenver-
band, daß die den Türken aufgezwungenen Friedensbedingungen in
London nicht anerkannt wurden. Dort hatte Königin Victoria aus Anlaß ihres vierzigjährigen Regierungsjubiläums soeben den Titel einer

»Kaisar-i-Hind« angenommen und als »Empress« das britische Weltreich offiziell aus der Taufe gehoben.

Schon 1877 war die Londoner Regierung dem Sultan zu Hilfe gekommen, als sie die Zustimmung zu dem vom Zaren angeregten Berliner
Memorandum verweigerte, das dem Osmanischen Reich dringende Reformen zugunsten seiner christlichen Untertanen vorschreiben sollte.
Jetzt, da es der Frieden von San Stefano ermöglichte, das russische
Übergewicht auf dem Balkan zu zementieren und zwischen Schwarzem
und Mittelländischem Meer ein russisches Protektorat Großbulgarien
zu schaffen, war den Briten jede direkte oder indirekte Unterstützung
ihrer Orientpolitik willkommen. So konnte der deutsche Reichskanzler,
von Wien mehrfach ermuntert, nach eingehenden Vorverhandlungen
der interessierten Mächte den Berliner Kongreß einberufen.

Der »kranke Mann am Bosporus« wurde vorübergehend kuriert und
gleichzeitig davon überzeugt, daß der Anspruch auf die Rolle des
uneigennützigen Helfers inzwischen vom Königreich Preußen auf das
Deutsche Reich übergegangen war: Bulgarien wurde nicht vergrößert,
sondern in ein der Pforte tributpflichtiges Fürstentum und eine osmanische Provinz Ostrumelien geteilt. Der Bosporus und die Dardanellen blieben türkisch. Rußland erhielt Teile Bessarabiens von Rumänien, das seinerseits mit der Dobrudscha entschädigt wurde. Österreich-Ungarn bildete das Gegengewicht mit dem verbrieften Recht auf
die Besetzung und die Verwaltung Bosniens und der Herzegowina unter formeller osmanischer Oberhoheit. Serbien und Montenegro wurden unabhängige Pufferstaaten zwischen den Interessenzonen Peters-
burgs, Wiens und Konstantinopels.

Mehr als diese Veränderungen in Südosteuropa wirkte sich jedoch
auf die Dauer eine bittere Enttäuschung der Russen aus, die in Berlin
den Dank dafür erwartet hatten, daß sie während des preußisch-öster-
reichischen Krieges stillgehalten und beim Ausbruch des Deutsch-Französischen Krieges die Österreicher indirekt zur Neutralität veranlaßt
hatten. Demgegenüber konnte sich der britische Premier bei der Rückkehr vom Berliner Kongreß wie ein Held feiern lassen, weil ihm aus
dem Gebiet der Osmanen die Insel Cypern als weiteres Glied in der
Stützpunktkette am Weg nach Indien zugewiesen worden war.

Dem Vermittler Bismarck fiel es künftig nur noch schwerer, den
von ihm erstrebten außenpolitischen Idealzustand zu erreichen: »Eine
Gesamtsituation, in welcher alle Mächte unser bedürfen und von
Koalitionen gegen uns durch ihre Beziehungen zueinander abgehalten

werden.« Fürs erste brachte er 1879 – gegen den Widerstand seines Kaisers, der sich auch dem Zaren verpflichtet fühlte – einen geheimen Zweibund zwischen Berlin und Wien zustande, der allerdings bald die Bedeutung eines kühnen außenpolitischen Kurswechsels gewann.

Später wurde dem Reichskanzler nachgesagt, er habe als Vorsitzender der Berliner Konferenz absichtlich auf jeden Vorteil verzichtet, um die Friedenspolitik des aus Kriegen erwachsenen Deutschen Reiches und sein persönliches Desinteresse am Orient glaubhaft zu machen. In Wirklichkeit verschaffte Bismarcks Zurückhaltung dem neuen Reich die dringend benötigte Atempause vor der Einschaltung in die internationale Wirtschafts- und Kolonialpolitik, die besonders durch die Schachzüge Großbritanniens und Frankreichs bereits dazu geführt hatte, daß Afrika mit nur noch wenigen Ausnahmen dem Einfluß europäischer Mächte unterworfen war. Vom Zugang zu Rohstoffquellen und Absatzmärkten, Kapitalanlagen und Auswanderungsgebieten, Seehäfen und Kabelstützpunkten wollte sich die erstarkende Industriemacht Deutschland nicht länger ausschließen lassen.

Zunächst galt es aber, unter dem Vorzeichen dynastischer Ebenbürtigkeit die Gunst des Sultans auszunützen und die preußisch-deutsche Stellung im Heiligen Land zu festigen. Otto von Bismarck brachte den hohenzollerischen Palästinaplänen viel Verständnis entgegen, schon seit er dem Pietistenzirkel seines Freundes von Blanckenburg angehörte, in dem er auch seine streng religiöse Braut Johanna von Puttkammer kennenlernte. Nachdem er Regierungschef des Deutschen Reichs geworden war, bemühte sich der treue Diener der Staatsgewalt erst recht um das protestantisch-kaiserliche Prestige der Dynastie, die sich mit zielstrebiger Familienpolitik seit langem für höhere Aufgaben und die Eingliederung in den exklusiven Kreis der höchstrangigen Herrscherhäuser gerüstet hatte.

Schon 1821 hatte der König von Preußen als Haupt des Gesamthauses alle früheren Erbfolgeordnungen und Erbverträge der fränkischen und schwäbischen Hohenzollern in einem Statut zusammengefaßt, worauf es nicht mehr schwierig war, nach den politischen Erschütterungen von 1848 die Lande der abgedankten Fürsten von Hechingen und Sigmaringen, vor allem aber den begehrten Stammsitz der Hohenzollern, in das preußische Königreich einzugliedern. Der »Romantiker« Friedrich Wilhelm IV. fand größten Gefallen an der Rückkehr zu den Ausgangspunkten seines Geschlechts, dessen »Urgeschichte« unter Aufsicht des Vizeoberzeremonienmeisters Graf Stillfried erforscht und in den »Monumenta Zollerana« niedergelegt werden mußte. Eifrig betrieb er die Erneuerung des mehrmals zerstörten Schlosses auf der Alb, so daß bald im beliebten neugotischen Stil die Mauern und Türme einer »stolzen königlichen Festung« erstanden. Die Einweihung konnte allerdings erst 1867 von Wilhelm I. vollzogen werden, wobei mit Trauer und Stolz des schwäbischen Hohenzollern-Prinzen Anton gedacht wurde, der noch 1866 als Vertreter des Gesamthauses nach Jerusalem gereist und wenige Monate später in der Schlacht bei Königgrätz gefallen war.

Nach der Kaiserproklamation von 1871 zahlte es sich aus, daß die preußischen Könige bei der Ausgestaltung des Schlosses mit anspruchsvollen Mythen und Symbolen nicht gespart hatten. Völlig neu waren eine evangelische Kirche am alles überragenden Nordflügel, der sogenannte Wartturm am schmalen Westbau und das erweiterte Wehrhaus, das einer preußischen Kompanie als Garnison diente. In der Stammbaumhalle ehrte man mit Namen und Wappen auf laubumrankten Blumenkelchen die Verwandtschaft der am Wiederaufbau beteiligten Fürstlichkeiten:

> »Und allen in den Adern gut
> Wallt' Hohenstaufisch Heldenblut.«

Die zehneckige Kaiserhalle zierten schon bald die Standbilder des Franken Heinrich V., der Staufer Friedrich Barbarossa und Friedrich II., des Habsburgers Rudolf I., des Bayern Ludwig IV., der Luxemburger Karl IV. und Sigismund sowie des Habsburgers Friedrich III., dazu Medaillons der Habsburger Maximilian I. und Karl V., ergänzt durch die Büste des Hohenzollern-Kaisers Wilhelm I. als Prunkstück der hochfürstlichen Galerie.

Der Grafensaal enthielt die Porträts hohenzollerischer Burggrafen, Markgrafen und Kurfürsten, die Bischofshalle die Statuen des Augsburger Oberhirten Friedrich und des Mainzer Kurfürsten Erzbischof Albrecht, in der Bibliothek verstieg man sich gar zu einem Bilderzyklus, der mehr einem evangelischen Wunderglauben als der Familiengeschichte huldigte. Da sah man den Pfeilschuß, den der Diener Wilhelm des Grafen Jos Niklas auf ein Kruzifix abgab, das an der Stelle zu bluten begann, wo die Heiligkreuzkapelle am Aufstieg zum Zollernschloß gebaut wurde. Da zeigte man, wie das Kirchlein Mariazell von Engeln durch die Luft herangetragen wurde. Und da wurde auch das Wundermädchen aus Mössingen verewigt, das als Geliebte des »Öttingers« Friedrich wie ein überirdisches Wesen durch das Lager der Feinde schritt, um der Burgbesatzung des bedrängten Hohenzollern Pulver und Arznei zu bringen.

Als Vorsitzender der Baukommission und des Heroldsamtes schmiedete 1879 Graf Stillfried von Alcantara und Rattonitz ein Gedicht, das von der Etsch bis an den Belt die neue Pracht und Herrlichkeit verkündete:

>»Die Zollerburg in Schwaben, von alters her bekannt,
>Vor jeder Burg erhaben im deutschen Vaterland,
>Sie grüßt aus blauer Ferne, sie hält die Wacht am Rhein,
>Sie blinkt gleich einem Sterne ins Elsaß tief hinein.
>Ein Adler auf der Klippe, umtost von wildem Sturm,
>Thront auf der Felsenrippe ihr stolzer Kaiserturm.
>Es wuchs aus ihren Mauern der Stamm des Alten Fritz,
>Er soll, gleich ihnen, dauern auf Deutschlands Kaisersitz.
>Ein Hoch auf Deutschlands Siege, ein Hoch dem deutschen Heer,
>Ein Hoch der Heldenwiege vom Felsen bis zum Meer!«

Das war der Ton, der unmittelbar nach den Berliner Verhandlungen über die orientalische Frage angeschlagen wurde. Er drang auch über das Mittelmeer hinweg zum Heiligen Land. Aus »hohenstaufisch Heldenblut« geschöpfter Sendungsglaube unterstützte das politische Taktieren des Fürsten von Bismarck und beflügelte die osmanisch-hohenzollerische Freundschaft, die speziellen kaiserlichen Wünschen in Jerusalem zum Durchbruch verhalf. Nur wurde es später dem entlassenen Reichskanzler nicht mehr gedankt, daß er als »ehrlicher Makler« eine wichtige Voraussetzung dafür geschaffen hatte.

Träger einer Kulturmission

»Die gesamte Zeit meiner Arbeit in Jerusalem trägt weniger den Charakter einer äußerlich sichtbaren Ausdehnung der Gemeinde und ihres Werkes als den der Bewahrung des vom Herrn Gegebenen«, schrieb Pastor Dr. Carl Reinicke am Ende einer achtjährigen Amtsführung, die er am Totensonntag 1876 begonnen hatte. Nach dem Russisch-Türkischen Krieg und den jahrelangen Wirren in Ägypten, die auch die Entwicklung im Heiligen Land gehemmt hatten, durfte er aber hoffen,

»daß unter künftigen günstigeren Verhältnissen von der Basis aus, die wir jetzt haben, eine umfassendere Tätigkeit in evangelischem Sinn zum Segen Palästinas entfaltet werden kann«. Damit wurde angedeutet, daß sich bereits ein tiefgreifender Wandel zugunsten »unserer deutsch-evangelischen Kirche« abzeichnete: die allmähliche Loslösung und die endgültige Trennung von den Anglikanern.

Der Wendepunkt ist mit dem Konsul Dr. Paul von Tischendorf verbunden, der seit der Mitte der achtziger Jahre das Deutsche Reich in Jerusalem vertrat. Der gelernte Orientalist war der Sohn eines berühmten Theologen, den der russische Zar für außergewöhnliche Verdienste um die Erforschung des Neuen Testaments in den erblichen Adelsstand erhob, und zugleich der Schwager des eifrigen Pastors Ludwig Schneller, der Ende 1884 in Bethlehem den Missionar Müller ablöste und die Station des Berliner Jerusalemsvereins zum Mittelpunkt einer selbständigen Gemeinde machte.

Bis dahin war dem alten Chrischona-Bruder das Leben in der Davidsstadt immer schwerer geworden. In unzähligen Briefen an das »geehrte Komitee« in Berlin klagte er über Bedrängnisse durch Mohammedaner, Katholiken und Juden, über politische Spannungen und über einen ständigen Mangel an Geld, das manchmal kaum für das Extrabrot reichte, das seine Schulkinder jedes Jahr am 22. März zum Geburtstag des Deutschen Kaisers erhielten.

Dabei hätte es Samuel Müller gar nicht so schlecht zu gehen brauchen, wenn ihm nicht private Grundstückskäufe besonders am Herzen gelegen hätten. Doch er berief sich auf den Vorsteher der Kaiserswerther Anstalten, und zwar auf »einen Ausspruch, den Herr Fliedner öfters gebraucht haben soll: ›Jeden Schuh Landes, den wir im Heiligen Land erworben, sollen wir festzuhalten suchen, und sollte es auch mit unseren Zähnen geschehen.‹ Nun, wenn der, welcher hier viel Land besitzt, glücklich geschätzt werden muß, muß ich zu den Glücklichen gehören. Denn ... mein privates Land mag 79 bis 80 Preußische Morgen betragen.«

Der jahrzehntelange Aufenthalt im Heiligen Land verbrauchte Müllers Kräfte. Im gleichen Maße steigerte sich seine Neigung, die Vorstandsmitglieder des Jerusalemsvereins in ständiger Unruhe zu halten. Jede Wahrnehmung und jedes Hörensagen fanden einen schriftlichen Niederschlag:

»Letzten Montag erzählte mir ein Jude in Jerusalem, daß ihr Komitee, wo Rothschild und andere sehr reiche Juden sind, beschlossen hätte, die bereits hier wohnenden Juden sollten das Land, welches sie durch Kauf im Heiligen Lande an sich bringen können, aufkaufen für ihre Station, daß die Einwanderer bald ein Unterkommen fänden.«

»Es ging die Sage, daß die Türken die Christen ermorden wollen. Ein jeder suchte seine wenigen Habseligkeiten in Verwahr zu bringen. Die Männer suchten ihre Waffen in Ordnung zu stellen, um schlagfertig einen Kampf aufnehmen zu können. Viele Familien flüchteten sich in die Klöster und blieben über Nacht daselbst. Nachdem die Nacht ruhig verfloß, atmeten die Leute des Morgens wieder leichter auf, jedoch der Sache bis heute nicht recht trauend.«

»Merklicher als die Anhänger des Islams zeigen sich unsere Glaubensbrüder in der römischen Kirche gegen die Evangelischen und deren Arbeit gehässig. Während die Mohammedaner im Durchschnitt äußerlich uns Achtung zollen, Rat und Lehre von uns gerne hören, Kinder zu erziehen uns übergeben, sind wir den Römischen ein großer Dorn im Auge. Der Zweck der Letzteren ist, das Werk des Evangeliums zu vernichten. Darauf los steuern sie mit aller Gewalt ... Es wurde und wird gepredigt, daß niemand, der sich zur katholischen Kirche bekenne, sich den Protestanten nahen dürfe, noch mit oder für dieselben arbeiten, noch sie grüßen, namentlich soll dem Missionar nicht mehr die Hand geküßt werden.«

Nachdem der Missionar »wegen andauernden Gemütsleidens« in den Ruhestand versetzt worden war, wirkten sich die Verbindungen des neuen Pastors zum deutschen Konsul für die evangelischen Stützpunkte recht günstig aus. Das hohe Ansehen, das beider Väter genossen, verstärkte die Aufmerksamkeit, die der Hof der Hohenzollern ihren Berichten und Vorschlägen schenkte. Dazu kam, daß sich die Möglichkeiten des Konsulats seit der Gründung des Norddeutschen Bundes und erst recht des Deutschen Reiches ohnehin beträchtlich erweitert hatten. Für die Deutschen im Heiligen Land war es schon eine Selbstverständlichkeit, daß die amtlichen Vertreter in Gemeindeangelegenheiten nicht weniger zu sagen hatten als die Pfarrer und auch die jüdischen Repräsentanten.

So nutzte Freiherr von Alten als erster reichsdeutscher Missionschef besonders seine engen Beziehungen zu dem Berliner Rabbiner Esriel Hildesheimer, um im Sinne des Deutschtums Belange der Juden zu beeinflussen. Er unterstützte deren Vereine für die Kolonisation im Heiligen Land und für palästinensische Angelegenheiten, nahm 1871 in der Synagoge »Ahawat Zion« am Festgottesdienst zum Sieg über

Hospital der Kaiserswerther Diakonissen (oben)
Talitha kumi, das Mädchenwaisenhaus der Kaiserswerther Diakonissen

Johanniter-Hospiz in Jerusalem

Frankreich teil und setzte sich gegen manche Widerstände für ein Deutsch-Israelitisches Hospital in Jerusalem ein. Drei führende orthodoxe Juden, die Rabbiner in Altona, Würzburg und Berlin, nannten ihn in einem gemeinsamen Schreiben einen »edlen, väterlichen Freund, der in dem Kampf für Kultur und Menschenrechte in den vordersten Reihen steht«.

Das Konsulat kümmerte sich auch um die Verteilung jüdischer Spenden aus Europa, weil »hiesige wohlhabende Juden Mittel gefunden haben, in die Zahl der an der Chaluka beteiligten Hilfsbedürftigen aufgenommen zu werden«, und befürwortete nach einem Besuch des Breslauer Redakteurs der »Monatsschrift für Geschichte und Wissenschaft des Judentums«, Professor Heinrich Graetz, die Bildung eines Komitees zur Gründung jüdischer Waisenhäuser in Palästina als »sehr verdienstvolles Unternehmen«.

Für die nachfolgenden Konsuln Freiherr von Münchhausen (bis 1881) und Dr. Julius Reitz (bis 1885) gab es nur noch eine große »deutsche Kolonie«. Zur Festigung der deutschen Interessen, hieß es schon in einem Jahresbericht von 1875, habe das Konsulat, das ursprünglich als preußische Staatsbehörde zur Unterstützung des evangelischen Bistums eingerichtet worden sei, weitere Aufgaben übernommen – von der Aufsicht über die Vizekonsuln in Jaffa und Haifa bis zu der Betreuung der Tempelfreunde, der deutsch-jüdischen Gemeinschaft und der nichtdeutschen Schutzbefohlenen.

Ein einschneidendes Ereignis verlieh der Auslandsvertretung zusätzliche Bedeutung: Am 11. Mai 1879 starb im Alter von 80 Jahren Bischof Samuel Gobat, der sich mehr als drei Jahrzehnte lang bemüht hatte, seine Berufung durch den König von Preußen zu rechtfertigen. Seine deutsche Frau hatte ihm neun Kinder geboren, die so erzogen wurden, daß einer der Söhne sogar das deutsch-evangelische Pfarramt verwalten konnte, als eine halbjährige Vakanz zu überbrücken war.

Nach dem Tod des »evangelischen Patriarchen« ließ der Erzbischof von Canterbury fast acht Monate verstreichen, ehe er einen sorgfältig ausgewählten Nachfolger in das Heilige Land entsandte. Der »wahre Anglikaner« Joseph Barclay lag jedoch schon am 22. Oktober 1881 auf dem Totenbett. 33 Amtsjahren des »preußischen« Oberhaupts der Gemeinschaftsdiözese standen somit nur knappe 21 Amtsmonate des »englischen« gegenüber, als die Kandidatenauswahl schon wieder ein Vertragsanspruch des Hohenzollern-Königs war.

In Berlin zeigte man aber keine Eile mehr. Noch 1884 beendete Dr.

Reinicke die Bilanz seiner Jerusalemer Pastorenzeit mit dem Satz:
»Eine etwaige Neubesetzung des nunmehr seit beinahe drei Jahren
erledigten bischöflichen Stuhls erscheint unserer deutsch-evangelischen Kirche nicht als notwendig und würde vielleicht gar der Entwicklung unserer Mission ungerechtfertige Schranken ziehen.«

Dabei kam dem Hinweis auf »unsere Mission« bereits eine neuar-
tige Doppelbedeutung zu. 1884 war nämlich das Jahr, in dem das
Deutsche Reich mit einiger Verspätung und gegen den Willen Englands
in den Wettbewerb um übriggebliebene Kolonialgebiete eintrat. Waren
es zunächst auch nur einige afrikanische Enklaven und pazifische Ko-
ralleninseln — der 1882 gegründete Deutsche Kolonialverein sprach
dennoch von überseeischen Imperien, deren das zivilisatorische Macht-
und Sendungsbewußtsein der Nation bedurfte.

Den ersten Schutzbrief des Reiches stellte Bismarck am 24. April
1884 dem Bremer Kaufmann Adolf Lüderitz für Deutsch-Südwestafrika aus. Kurz danach übernahm der Afrikareisende Gustav Nachtigal
als kaiserlicher Reichskommissar zwei westafrikanische Küstenstreifen
samt dem Hinterland als Schutzgebiete Togo und Kamerun. In der
fernen Südsee erwarb das Kaiserreich eine melanesische Inselgruppe,
die bald das Bismarck-Archipel genannt wurde, und den nordöstlichen
Teil Neuguineas, den ein Schutzbrief vom Mai 1885 zum Kaiser-Wil-
helms-Land machte. Im selben Monat schon zwang ein deutsches Flottengeschwader den Sultan von Sansibar zur Anerkennung Deutsch-
Ostafrikas, für das dem abenteuerlustigen Carl Peters, dem Gründer
der Berliner Gesellschaft für deutsche Kolonisation, der kaiserliche
Beistand verbrieft worden war.

In Deutsch-Südwestafrika und Togo hatten fast ausschließlich deutsche Missionare, in den anderen Gebieten vornehmlich Geschäftsleute,
Forschungsreisende und — wie in Kamerun — ein deutscher Konsul die
Vorarbeit für die Flaggenhissung geleistet. Sie alle kannten die Methoden des modernen Imperialismus, die von den Briten und Franzosen
am offensichtlichsten beim Einbruch in das abgeschirmte China erprobt
worden waren. Die sogenannten Friedensschlüsse von Nanking, Tient-
sin und Peking, die europäische Expansionsgelüste und Geschäftsin-
teressen in ein christlich-humanitäres Gewand kleideten, dienten Nach-
züglern wie den Deutschen geradezu als Vertragsmuster für eine heuch-
lerisch getarnte Kolonialpolitik. Es klang besser, von dem Segen der
christlichen Missionstätigkeit und der konsularischen Beziehungen als
vom Schutz der missionarischen Freizügigkeit und der Konsularge-

richtsbarkeit über Ausländer zu sprechen. Man betonte lieber den entwicklungsfördernden Handel und das kirchliche Hilfswerk als das Recht auf politische und militärische Intervention.

Einer der ersten evangelischen Repräsentanten, die gleich den passenden Ton fanden, war D. Fabri, Inspektor der Barmer Mission, der 1879 in seiner Schrift »Bedarf Deutschland der Kolonien?« postulierte, »daß ein Volk, das auf die Höhe politischer Machtentwicklung geführt ist, nur so lange eine geschichtliche Stellung mit Erfolg behaupten kann, als es sich als Träger einer Kulturmission erkennt und beweist . . . Als das Deutsche Reich vor Jahrhunderten an der Spitze der Staaten Europas stand, war es die erste Handels- und Seemacht. Will das neue Deutsche Reich seine wiedergewonnene Machtstellung auf längere Zeiten begründen und bewahren, so wird es dieselbe als eine Kulturmission zu erfassen und dann nicht länger zu zögern haben, auch seinen kolonisatorischen Beruf aufs neue zu bestätigen.«

Angesichts des zähen britischen Widerstandes gegen deutsche Ansprüche verlängerte der Reichskanzler im März 1884 das Drei-Kaiser-Bündnis um drei Jahre und suchte sogar, erstmals seit 1871, direkte Kontakte zu Frankreich, um über ein »gemeinsames Vorgehen in Kolonialfragen« zu sprechen. Von Mitte November 1884 bis Anfang Februar 1885 leitete Bismarck in Berlin den internationalen Kongo-Kongreß, der den Briten einiges Kopfzerbrechen bereitete, und im Frühjahr 1885 schickte er seinen Sohn Herbert als persönlichen Gesandten zu Gesprächen über einen »kolonialen Ausgleich« nach London. Trotz aller Spannungen und Verbitterungen hielt der britische Premierminister Gladstone am 12. März 1885 die erstaunlichste Rede: Er begrüßte den Eintritt des Deutschen Reiches in die Reihe der europäischen Kolonialmächte und erflehte Gottes Segen für die gemeinsame Arbeit zum Wohle der Menschheit!

Währenddessen ging die Gemeinsamkeit ausgerechnet da, wo sie bereits seit Jahrzehnten bestand, unaufhaltsam in die Brüche. Der imperialistische Wettbewerb machte das englisch-preußische Bistum Jerusalem zum Anachronismus, weil Palästina ein Teil des »kranken« Osmanischen Reiches und somit eine Provinz mit unentschiedener Zukunft war. Jede Seite war auf ihre eigenen Vorteile bedacht, jedem stand der Partner im Weg.

Zwar betonte Pastor Reinicke, sein stetes Bestreben sei darauf gerichtet gewesen, »die Einigkeit im Geist durch das Band des Friedens mit Bischof Gobat, respektive den beiden anglikanischen Gemeinden,

der London Jews Society und der Church Missionary Society, aufrechtzuerhalten«. Dann aber folgten die Einschränkungen: Weil der deutsche Pfarrer die Einführung eines regelmäßigen Kindergottesdienstes
für notwendig erachtete, konnte er nicht mehr abwechselnd mit dem
Judenmissionar an den Sonntagnachmittagen in der Christuskirche predigen, wie es noch seine Amtsvorgänger getan hatten. »Auch sah ich
keine Veranlassung, die von denselben geleistete und auch von mir
verlangte Unterschrift der Articuli XXXIX ecclesiae Anglicanae zu vollziehen. Der deutschen evangelischen Gemeinde und ihren Anstalten
in erster Linie zu dienen, betrachtete ich als meine Aufgabe, gegenüber
den Anglikanern blieb es mir Grundsatz: In necessariis unitas, in
dubiis libertas, in omnibus caritas.«

»Es war kein Wollen, sondern ein Müssen, daß es so kam«, begann
Reinickes Nachfolger Carl Schlicht, der 1885 das Jerusalemer Pfarramt
übernahm, die Schilderung der folgenden Ereignisse. Unter strenger
Geheimhaltung war schon am 17. Juli 1882, neun Monate nach dem
Tode des Bischofs Barclay, der deutsche Botschafter in London beauftragt worden, der englischen Regierung die »Ungleichheit des Ver-
hältnisses ... als unvereinbar mit der Würde der Krone Preußens und
der deutschen evangelischen Christenheit« darzulegen. In Jerusalem
wußte Konsul von Tischendorf, der vorher bei der Botschaft in Konstantinopel gearbeitet hatte, daß wegen der preußischen Forderungen
mit einer Einigung zwischen Berlin und London nicht zu rechnen war.
In Bethlehem fühlte sich Pastor Schneller nicht mehr dem Bistum in
Jerusalem, sondern ausschließlich dem Jerusalemsverein in Berlin zu-
gehörig.

Die englischen Bistums-Trustees zogen mit einem Beschluß vom 28.
Juli 1885 die Konsequenzen, und am 3. November 1886 befahl ein
»Allerhöchster Erlaß« des Königs Wilhelm I. von Preußen kurz und
bündig, den Vertrag über die gemeinsame Diözese aufzulösen. »Der
Schriftwechsel zwischen Preußen und England«, hielt die Jerusalemer
Chronik fest, »schloß mit dem beiderseitigen Wunsche eines ferneren
einträchtigen Zusammenwirkens beider Kirchen und dem Zugeständ-
nis englischerseits, daß der evangelische Friedhof in Jerusalem nach
wie vor in gemeinsamem Gebrauch bleibe.« Wenn schon nicht zu Leb-
zeiten, so wollte man wenigstens im Tode vereint bleiben!

Pastor Ludwig Schneller hielt sich zeitlebens zugute, gemeinsam mit
dem Konsul in Jerusalem die Befreiung von britischer Vormundschaft
erreicht zu haben. Stolz gab er der neunten Folge seiner Weihnachts-

Schriftenreihe den Titel »Tischendorf-Erinnerungen« und widmete sie den Kindern seines Schwiegervaters. An erster Stelle nannte er seine Frau »D. Katharina Schneller geborene von Tischendorf«, die ihren Vornamen dem Katharinenkloster auf dem Sinai verdankte, wo der Vater kurz vor ihrer Taufe eine der ältesten griechischen Bibelhandschriften, den Codex Sinaiticus, entdeckte.

Bevor er die »merkwürdige Geschichte einer verlorenen Handschrift« nacherzählte, beschrieb Schneller ausführlich das Familienwappen des Professors aus Lengenfeld im Vogtland: Oben ein Köhler mit dem Schürbaum, ein Tischendorf-Urahne, der angeblich um 1450 die geraubten wettinischen Prinzen Ernst und Albert rettete und es somit überhaupt ermöglichte, daß die Albertiner zur sächsischen Königswürde und ernestinische Wettiner über das Haus Sachsen-Coburg auf die Throne von England, Belgien, Portugal und Bulgarien gelangten! Im unteren Teil des Schildes drückten die Bibel mit den Zeichen Alpha und Omega, das Schwert des Gotteswortes und die Palme des Friedens symbolisch aus, was Konstantin Tischendorf nach seiner Probevorlesung in Leipzig geschrieben hatte: »Vor mir steht eine heilige Lebensaufgabe, das Ringen um die ursprüngliche Gestalt des Neuen Testaments.«

Wieder schloß sich der Kreis, der die Könige von Preußen und die Streiter für den rechten Glauben umspannte, der die Pietisten und die Gründer evangelischer Missionswerke in Deutschland und im Heiligen Land auf einen Nenner brachte: Gemeinsamer Kampf gegen die wissenschaftlich-revolutionären Strömungen der Zeit, die sogar nicht davor zurückschreckten, das Neue Testament wie ein Sagenbuch des klassischen Altertums zu behandeln. Vor der ersten seiner drei Reisen zum Sinai faßte Tischendorf zusammen, was ihn bewegte: »Wie segnet mich Gott! Jerusalem wird um die Tage meiner Zukunft einen verklärenden Schimmer werfen. Die goldene Frucht dieser Reise hängt über einem Abgrund! Aber das ist es ja eben, was mich glücklich macht, daß ich die heiße Schlacht schlagen darf, aus der ich mit dem ewigen Lorbeer Segen erkämpfe für die Kirche, für die Wissenschaft, fürs Vaterland. Ginge ich unter, ich ginge im schönsten Streben unter.«

Ludwig Schneller hob hervor, weshalb Tischendorf nach seinen ersten Entdeckungen den Fundort streng geheimhielt: »Schon damals galt es in England als ein Glaubenssatz, daß das Beste der Welt selbstverständlich den Briten gehöre.« Letzten Endes wanderte der etwa eineinhalb Jahrtausende alte Codex Sinaiticus, den der Forscher dem russischen Zaren Alexander II. überbracht hatte, aber doch von Petersburg nach London, wo sich auch schon die wertvolle Alexandrinische Handschrift aus dem 5. Jahrhundert befand.

Ein Grund mehr, nachträglich das Mißtrauen gegenüber den anglikanischen Glaubensbrüdern zu rechtfertigen und den im Heiligen Land eingeschlagenen Weg der Trennung weiterzugehen. Ganz besonders galt dies für Dr. Paul von Tischendorf, der noch bis 1899 Konsul in Jerusalem und damit in den gewinnbringendsten Jahren deutscher Sachwalter auf biblischem Boden blieb.

Mit dem Pfunde wirtschaften

Der jüngste Hauptdarsteller gab sich so unreif, taktlos und arrogant wie möglich, als die Hohenzollern im Drei-Kaiser-Jahr 1888 eine Familientragödie zu Ende spielen mußten. Offen und versteckt agierte der 29 Jahre alte Sohn gegen die impulsive Mutter, die ihn als »ebenso blind und grün wie verschroben und hitzig in politischen Dingen« beurteilte. Unfair und respektlos ging er mit seinem schwerkranken Vater um, der an des Prinzen »Hang zur Überhebung wie zur Überschätzung« Anstoß nahm. Das regierende Familienoberhaupt aber, ein Greis von 91 Jahren, hielt seine Hand schützend über den Enkel; um so selbstverständlicher schwang sich der junge Mann bald nach dem Tod des Großvaters zum neuen Haupt des Hauses Hohenzollern auf.

Innerhalb weniger Monate ging der Thron des Deutschen Reiches von Wilhelm I. über Friedrich III. auf Wilhelm II. über. Fast unmittelbar vollzog sich zwischen dem 9. März und dem 15. Juni 1888 der Generationenwechsel zum dritten und letzten hohenzollerischen Kaiser, weil der zweite wegen eines Kehlkopfleidens nur noch ein Schatten seiner selbst war. Die peinlichen Begleitumstände seiner 99 Regierungstage offenbarten jedoch eine politische Tendenz, die für die deutschen Aktionen im Heiligen Land schon seit Jahren bestimmend war: feindselige Eifersucht gegenüber Großbritannien.

Der wichtigtuerische Prinz Wilhelm sah in seiner Mutter Victoria vor allem die Engländerin, die seinen geschwächten Vater zum Schaden des Deutschen Reiches beeinflußte. Begierig schaltete er sich in Hofintrigen und medizinische Meinungsverschiedenheiten ein, als unter den behandelnden Ärzten ein hinzugezogener englischer Laryngologe das entscheidende Wort führte. Victoria und ihr Landsmann wurden sogar verdächtigt, die wahre Krankheit, nämlich Krebs, zu verheimlichen und auf diese Weise einen Thronverzicht zu verhindern, damit die herrschsüchtige Tochter der Queen das Gefühl der kaiserlichen Macht über Deutschland wenigstens vorübergehend auskosten konnte. Dementsprechend benahm sich Wilhelm ihr gegenüber nicht nur in den Monaten der Krankheit »roh, unangenehm und frech«, wie Victoria ihrer Mutter klagte, sondern auch in der Sterbenacht und nach dem Tode des Kaisers Friedrich ungehemmt, kalt und herzlos.

Rückendeckung suchte und fand der junge Herr zunächst bei dem kühl berechnenden Fürsten von Bismarck, der die »Kaiserin Friedrich« wegen mancher Ungereimtheiten ihres Charakterbildes und ihrer Äußerungen seit langem nicht leiden konnte. Als der alte Reichskanzler jedoch erkannte, daß der regierende Wilhelm II. außer den verwandtschaftlichen Beziehungen zum englischen und russischen Herrscherhaus auch das Verhältnis zu deren Ländern belastete, sah er seine staatsmännische Konzeption und sein europäisches Prestige bedroht. Weil keiner nachgeben und jeder sein eigener Herr sein wollte, kam außen- und innenpolitisch eins zum andern, bis verletzter Stolz auf beiden Seiten den Kaiser und den Kanzler entzweiten.

Am 18. März 1890, nur zwei Jahre nach dem Tod des alten Kaisers, wurde der »Eiserne« gestürzt, zwei Tage später der General von Caprivi zum Reichskanzler und preußischen Ministerpräsidenten ernannt. Die erste Folge des wilhelminischen »Neuen Kurses«: Der Rückversicherungsvertrag mit Rußland, den Bismarck 1887 auf drei Jahre geschlossen hatte, wurde nicht erneuert. Zar Alexander III. — ein Enkel der preußischen Königstochter Charlotte — reagierte verbittert und knüpfte freundschaftliche Verbindungen mit Deutschlands »Erbfeind« Frankreich an. Auch in London stellte man sich auf den Kurswechsel ein. »Es ist keine erfreuliche Aussicht«, schrieb der Minister Sir William Harcourt über den Enkel der Queen, »Europa der Gnade eines Hitzkopfes überlassen zu sehen, der außerdem ein Narr zu sein scheint«.

Ein völlig anderes Bild bot sich den Deutschen in Jerusalem und Bethlehem. Sie, die dem Geschlecht der Hohenzollern alles zu verdanken glaubten, wandten ihr ganzes Vertrauen dem neuen Herrscher zu. Der englandfreundliche Kaiser Friedrich, der als Kronprinz im Heiligen Land gefeiert worden war, trat in den Hintergrund, je mehr Wilhelm II. mit Feuereifer daranging, das Palästinawerk der Preußen-Könige zu vollenden. Selbst in Ludwig Schnellers breit angelegtem Loblied auf die Hohenzollern wurde der einst geliebte »Kronprinz Fritz« auffallend spärlich genannt.

In seinen »Königs-Erinnerungen« rückte der Autor andere preußisch-deutsche Denkwürdigkeiten in den Mittelpunkt und garnierte sie mit hohenzollerisch gefärbten Aufsätzen über ausländische Fürstlichkeiten. So bot die Geschichte des Theodoros II. von Abessinien, der sich 1868 nach einer schweren Niederlage gegen die Engländer das Leben nahm, Gelegenheit zu dem Hinweis, daß deutsche Missionare aus Jerusalem dem »König der Könige« die Waffen schmiedeten und daß einer von ihnen – mit Namen Saalmüller – der Taufpate Ludwig Schnellers war. Ein Kapitel über den preußenfreundlichen Sultan Abd ul-Hamid warb um Verständnis für dessen grausame Behandlung der christlichen Armenier, die nach Meinung des Autors vor allem deshalb leiden mußten, weil die Türken die Politik der europäischen Einmischung durch Rußland, England und Frankreich durchschaut hatten.

In Berlin prägte sich dem jungen Theologen Schneller ein empörender Vorfall ein, als »im Jahre 1883 bei der Einweihung des Niederwalddenkmals ruchlose Hände alles vorbereitet hatten, um das eherne Standbild samt dem Kaiser und allen versammelten Fürsten in die Luft zu sprengen – das Wetterleuchten der furchtbaren Gefahr der Sozialdemokratie, die mit den Lehren des Juden Mardochai, genannt Marx, weite Kreise unseres Volkes vergiftet hatte«. Um so bewußter erlebte er die Zeit der Neugeburt des »Kyffhäuserdeutschen«, die den Geschichtsschreiber und Dichter Felix Dahn veranlaßte, den weißbärtigen Kaiser Wilhelm I. als »Barbablanca« zu rühmen, worauf der Ästhetik-Professor Emanuel Geibel, der als Lyriker der deutschen Einigung ein Jahresgehalt von den Hohenzollern bezog, sogar die Hochzeit des Kaisers Weißbart und der Germania besang.

Unvergessen blieb dem Missionarssohn aus Jerusalem das Königliche Schloß in Berlin, das von der Kuppel der Schloßkapelle überragt wurde – »ringsum in Riesenbuchstaben das Bekenntnis der Hohenzollern: Es ist in keinem anderen Heil, ist auch kein Name den Menschen gegeben, darin sie selig werden sollen, denn allein der Name Jesus«. Freudig beobachtete er die Frömmigkeit des Reichskanzlers Fürst von Bismarck, des Generalfeldmarschalls Graf von Moltke und des Armeekapellmeisters Gottfried Piefke, des Komponisten von »Preußens Gloria«, der laut Schneller ein Freund des alten Kaisers war, seit er nach der Schlacht bei Königgrätz die Hymne »Heil dir im Siegerkranz, Herrscher des Vaterlands« im Marsch angestimmt hatte.

Der Palästina-Schriftsteller war auch dabei, als der 24 Jahre alte Prinz Wilhelm Ende Februar 1881 die »holdselige Prinzessin Auguste Viktoria« heiratete. Nur sieben Jahre später beschrieb er die tiefe Trauer um Wilhelm I., der noch kurz vor seinem Tod eine Bitte des Autors erfüllt hatte: Durch den deutschen Botschafter in Konstantinopel intervenierte der Kaiser beim osmanischen Sultan mit dem Ergebnis, daß Ludwig Schnellers Vater in der Philisterebene südlich Jaffa — trotz der vorherigen Ablehnung durch die Provinzbehörden — kostenlos ein Stück Land für die Ackerbaukolonie des Syrischen Waisenhauses erhielt.

Der Hohenzoller bekundete damit ein letztes Mal sein persönliches Interesse an der Erweiterung der deutsch-evangelischen Gemeinde Jerusalem, die er von der anglikanischen Diözese getrennt hatte. Seither verlegten sich die Chronisten auf wohlmeinende Nachrufe: »Das Bistum war für die Gemeinde, was die Mutter für das junge Kind ist. Aber die Zeit kommt, da das Kind heranwächst und des Gängelbandes nicht mehr bedarf. Die Gemeinde war so erstarkt, daß sie der Aufsicht und Führung entbehren konnte. Im Gegenteil, so wie die Entwicklung ging, konnte das Bistum eine Erschwerung und Fessel für sie bedeuten.«

Pastor Schlicht fügte während seiner Amtszeit hinzu: »Somit hatte Preußen völlig freie Verfügung über seine für das anglikanische Bistum gebildeten Fonds.« Das waren in der Tat stattliche Geldbeträge — allein 430 000 Mark aus dem freigewordenen Dotationskapital, das Friedrich Wilhelm IV. den Anglikanern bereitgestellt hatte, weitere 220 000 Mark aus dem 1841 angelegten und vom preußischen Kultusminister verwalteten Jerusalem-Kollektenfonds sowie rund 530 000 Mark aus dem seit 1869 angesammelten Kirchenbaufonds.

Eine Woche nach dem ersten Jahrestag seiner Thronbesteigung holte Wilhelm II. als König von Preußen nach, was sein Großvater und sein Vater nicht mehr bewerkstelligt hatten. Mit der Unterzeichnung des Statuts vom 22. Juni 1889 ordnete er die Gründung der Evangelischen Jerusalem-Stiftung an, deren Zweck nach Paragraph 2 der königlichen Satzung »die Erhaltung der bestehenden sowie die Schaffung neuer evangelisch-kirchlicher Einrichtungen und Anstalten in Jerusalem, insbesondere Kirche und Schule, sowie die Einrichtung und Unterstützung der evangelischen Gemeinde daselbst« sein sollte.

Die Verwaltung der Stiftung übertrug Wilhelm einem fünfköpfigen Kuratorium, das er der Aufsicht des preußischen Kultusministers unter-

stellte. Mit der Zusammensetzung des Gremiums wurde — laut Jerusalemer Gemeindegeschichte — klar angedeutet, daß die Stiftung »darauf angelegt war, nicht einfach eine deutsch-evangelische Vereinigung
neben den bereits vorhandenen, sondern eher eine zentral zusammen-
fassende Einrichtung aus den anderen und für die anderen deutschen
evangelischen Arbeiten in Jerusalem darzustellen«. Als Vorsitzender
fungierte der Präsident des Oberkirchenrats DDr. Barkhausen, dem
der Oberhofprediger Kögel und der Johanniter-Werkmeister Graf von
Zieten-Schwerin, beide zugleich Vorstandsmitglieder des Jerusalemsvereins, sowie Vertreter der Inneren Mission und der Kaiserswerther
Generalkonferenz zur Seite standen.

Der junge Herrscher war von Anfang an bestrebt, in Jerusalem reinen Tisch zu machen, wobei es in erster Linie darum ging, nach der
Trennung vom Bistum das Verhältnis der evangelischen Deutschen
zu den Behörden in der Heimat neu zu regeln. Die Fäden der Zustän-
digkeiten waren ziemlich verwirrt, weil einerseits die Gemeinde recht-
lich dem Bischof unterstand, andererseits aber der König von Preußen
die Pfarrstelle unterhielt, der preußische Minister der geistlichen, Un-
terrichts- und Medizinalangelegenheiten die Schule und andere Institutionen betreute, die Landeskirche der Älteren Provinzen Preußens
als kirchliche Dachorganisation auftrat, der Oberkirchenrat in Berlin
die Zentralbehörde der Auslandsgemeinde darstellte und der Jerusalemsverein den Geistlichen für die Aufsicht über die Missionsarbeit
beanspruchte.

Während der Bindung an die Anglikaner war auf ein Gemeinde-
statut bewußt verzichtet worden, um — wie im Jahresbericht von 1863/
64 — alle Möglichkeiten offenzulassen: »Seiner Majestät Sendung
eines preußischen Geistlichen hierher... hatte die Konstituierung
einer selbständigen deutschen Gemeinde in Jerusalem zur Folge unter
dem Schutz des evangelischen Bischofs hierselbst, dieses jedoch völlig
unbeschadet der direkten Abhängigkeit vom Ministerium des Kultus
in Berlin.« 1880 dagegen hieß es unzweideutig: »Die deutsche evangelische Gemeinde ist seit ihrer Gründung Anfang 1852 Glied der
preußischen Landeskirche.«

Wilhelm II. sah in der Gemeinde bereits die kirchliche Zusammenfassung sämtlicher evangelischer Deutschen und Sprachverwandten.
Deshalb mußte die Jerusalem-Stiftung den Akzent auf die evangelisch-
kirchliche Aufgabe legen, die Missionsarbeit aber dem Jerusalemsverein
und den anderen Anstaltsträgern überlassen. Die Evangelischen arabi-

scher Zunge bildeten am besten eine eigene Gemeinschaft. Denn nicht auf eine Missionsgemeinde, sondern auf eine Deutsche Kirche in Palästina kam es dem Kaiser und König an.

Wie sein »Hochseliger Herr Großvater«, betonte Wilhelm II. im März 1890 bei einem Festmahl im Berliner Hotel Kaiserhof, wollte er jedes ihm von Gott anvertraute Pfund — »wie schon in der Bibel steht« — nach Kräften mehren. »Diejenigen, welche mir dabei behilflich sein wollen, sind mir von Herzen willkommen, wer sie auch seien; diejenigen jedoch, welche sich mir bei dieser Arbeit entgegenstellen, zerschmettere ich.«

In derselben Tischrede ging der forsche Hohenzoller auch auf seine jüngsten Reisen ein, die ihm Gelegenheit boten, »fremde Länder und Staatseinrichtungen kennenzulernen und mit den Herrschern benachbarter Reiche freundschaftliche Beziehungen zu pflegen«. Beiläufig erwähnte er, daß »diese Reisen ja vielfach Mißdeutungen ausgesetzt waren«, doch wichtiger nahm er die Erkenntnis: »Wer jemals einsam auf hoher See auf der Schiffsbrücke stehend, nur Gottes Sternenhimmel über sich, Einkehr in sich selbst gehalten hat, der wird den Wert einer solchen Fahrt nicht verkennen.«

Nur wenige Monate nach seinem Regierungsantritt besuchte Wilhelm zunächst Wien, die alte Kaiserstadt, und dann das junge Königreich Italien. Für die Chronik der deutschen Gemeinde in Rom wurde er dadurch »der erste deutsche Kaiser evangelischen Bekenntnisses, den die Ewige Stadt in ihren Mauern sah«. Abfällig schrieb denn auch Herbert Graf von Bismarck, den der väterliche Reichskanzler zum Staatssekretär des Auswärtigen Amts gemacht hatte, über den offiziellen Besuch bei Leo XIII. im Vatikan: »Der Papst hat uns sehr gelangweilt; ein heuchlerischer Fastenredner, der Kaiser ist sehr desappoiniert über ihn.« Nur zwei Jahre zuvor hatten die Professoren Beyschlag und Benrath im Haus des deutschen Botschaftsgeistlichen in Rom den Evangelischen Bund ins Leben gerufen, dessen wichtigster Programmpunkt die selbstbewußte Vertretung der protestantischen Belange gegenüber der katholischen Kirche war. Es war auch kein Zufall, daß bald eine neue Bewegung in Deutschland den Bau eines evangelischen Gotteshauses in Rom wieder zu einer Prestigefrage des deutschen Protestantismus machte.

Wilhelms stärkere Interessen gingen jedoch in eine andere Richtung: Das Ziel der bis dahin erlebnisreichsten Seereise war Konstantinopel, das er im Hinblick auf ganz konkrete Orient-Pläne ansteuerte. Vorher

Nazareth um 1851

meldeten allerdings die Russen unerwartet deutlich ihre Bedenken
an, als Zar Alexander III. im Oktober 1889 nach Berlin kam.

Der Empfang durch das Volk sei eisig kühl gewesen, schrieb der
außenpolitische Geheimrat Friedrich von Holstein an einen Kollegen,
um so liebenswürdiger hätten aber der Kaiser und der Kanzler den
Gast behandelt. »Der Zar äußerte sich gegen den Reichskanzler be-
unruhigt über die Reise unseres Kaisers nach Konstantinopel. Daß in
der russischen Presse das Unterbleiben dieser Reise als der natürliche
Erfolg des Berliner Besuchs hingestellt wurde, wirst Du gelesen haben.
Dieser Erfolg wird nun allerdings nicht eintreten ... Es heißt jetzt,
der Zar sei ›beruhigt‹ abgereist. Die Beruhigung wird wohl ungefähr so
lange vorhalten, bis unser Allergnädigster in Stambul sitzt.«

Was die Engländer betraf, notierte Friedrich von Holstein nicht weniger skeptisch: »Der Prinz von Wales hat sich geradezu kriechend
gegen den Zaren (den er in Dänemark kurz vor dessen Fahrt nach
Berlin traf) benommen und die Prinzessin von Wales sich in verbittert-
ster Weise über Deutschland geäußert. Die beiden sind Anhänger der
russisch-französisch-englischen Allianz.« Kein Wunder, daß sich die

Berliner Protokollbeamten bemühten, die Reise nach Konstantinopel als Abstecher von einer verwandtschaftlichen Verpflichtung des Kaiserpaars zu deklarieren.

Demnach fuhr Wilhelm, begleitet von seiner Gemahlin Auguste Viktoria, in erster Linie nach Griechenland, wo er an der Vermählung seiner jüngsten Schwester Sophie mit dem griechischen Kronprinzen Konstantin teilnahm. Außerdem arrangierte er Begegnungen mit dem hohenzollerischen König Karl I. von Rumänien, der sein Heer nach preußischem Vorbild organisierte und seit 1883 im Bündnis mit dem Deutschen Reich und Österreich-Ungarn stand. Bernhard von Bülow, seit 1888 Gesandter in Bukarest, faßte seine Eindrücke nach den kaiserlich-königlichen Gesprächen in dem bemerkenswerten Satz zusammen: »Das größte Hindernis für ein Zusammengehen der Rumänen mit Rußland bleibt glücklicherweise ihre Angst und Abneigung vor dem despotischen, keine fremden Eigentümlichkeiten schonenden russischen Regierungssystem.«

Vom 2. bis zum 6. November 1889 waren der Kaiser und die Kaiserin Gäste des Sultans Abd ul-Hamid II. am Goldenen Horn. Begeistert äußerte sich Wilhelm über die Sehenswürdigkeiten der einst byzantinischen und jetzt osmanischen Hauptstadt, über Kaiser Justinians Hagia Sophia, die Moscheen der Sultane, den Herrscher-Serail und andere Paläste, die Ruinen der Stadtmauern, der Wasserleitungen und der Karawansereien. Über seine politischen Gespräche mit Abd ul-Hamid ließ er jedoch erstaunlich wenig verlauten. Erst die nächsten Jahre sollten offenbaren, worum es dem deutschen Kaiser in Istanbul gegangen war.

Wie unmittelbar vor der Gründung des englisch-preußischen Bistums Jerusalem war auch kurz vor dessen Auflösung wieder eine preußische Offiziersmission in den Dienst des Sultans getreten. Chef des Beraterstabs, der Abd ul-Hamids Armee reorganisieren und modernisieren sollte, war der erst 40 Jahre alte General Freiherr von der Goltz, Frontoffizier und Generalstäbler in den Kriegen von 1866 und 1870, Autor der Bücher »Von Roßbach bis Jena« und »Das Volk in Waffen«. Er leistete so gründliche Arbeit, daß es der Sultan geradezu als Pflicht empfand, dem kaiserlichen Gast seine Dankbarkeit zu erweisen.

Wo hätte dies eindrucksvoller geschehen können als im Heiligen Land? Der Hohen Pforte konnte es nicht entgangen sein, daß die Hohenzollern in den vergangenen Jahren durch eine Reihe hochrangiger Besucher ihre Interessen an Jerusalem und Bethlehem unterstrichen.

Noch in den letzten Lebensjahren Kaiser Wilhelms I. entsandte der Berliner Hof drei Angehörige der Dynastie nach Palästina: 1882 den Prinzen Heinrich, der unmittelbar nach seinem Vater Kronprinz Friedrich Wilhelm die Liste der Hohenzollern-Wallfahrer fortsetzte; 1883 den Prinzen Friedrich Karl, der ein Neffe des Kaisers Wilhelm I. war; schließlich 1886 den Erbprinzen Wilhelm aus der fürstlichen Linie der Hohenzollern. Sie alle befaßten sich mit der Verselbständigung der deutschen Gemeinschaften, die in erster Linie auf den Bau eigener Gotteshäuser drängten.

Schon in den siebziger Jahren hatte der Missionar Müller dem Jerusalemsverein von der beachtlichen Spendenbereitschaft berichtet, der seine Frau in Deutschland und der Schweiz begegnete, sobald sie den Bauplan für eine evangelische Kirche in Bethlehem entrollte: »Nach allem, was wir bis jetzt erfahren haben, sollten die Mittel nach und nach herbeigeschafft werden können, wenn unser verehrtes Komitee gleichfalls schon für den Bau derselben wäre. Die Kirche, unter Missionar Klein für seine arabische Gemeinde in Jerusalem erbaut, soll mit der Ringmauer 4000 Pfund Sterling gekostet haben und hat Raum für 400 bis 500 Personen, die in Nazareth, unter Herrn Zeller in sechs Jahren erbaut, wird dasselbe mit dem kleinen Glockenturm kosten.«

Mehr Gehör fand bei den Vorstandsmitgliedern und Förderern des Jerusalemsvereins Ludwig Schneller, der als erster Pastor im Bethlehemer Pfarrhaus eigenständige Gottesdienste feierte. Nachdem er die Missionsarbeit auch auf die islamische Hochburg Hebron ausgedehnt und in Beitschala am zweiten Weihnachtsfeiertag 1886 eine Kapelle eingeweiht hatte, eröffnete er einen pausenlosen Werbefeldzug für den Kirchenbau in Jesu Geburtsort. Als er 1889 auf eine Pfarrstelle in Köln versetzt wurde, war jedoch nur die Kasse gefüllt, aber die Baugenehmigung der osmanischen Behörden trotz aller Anstrengungen nicht erlangt.

Schnellers Beziehungen zum Berliner Hof und die Reise des Kaiserpaars nach Konstantinopel erwirkten die Lösung. Wie der Jerusalemer Pastor Schlicht aufzeichnete, »gelang es dem huldvollen Eintreten Ihrer Majestät der Kaiserin, vom Sultan den Ferman zu erreichen«, dem kein Provinzbeamter zu widersprechen wagte. Als der osmanische Gastgeber zum Abschied freundlich fragte, ob er der Kaiserin einen Wunsch erfüllen könnte, lautete die Bitte, »die Schwierigkeiten bei dem Bau der Kirche in Bethlehem zu beseitigen und die Bauerlaubnis für den Turm zu geben«.

Bethlehem. Die Geburtskirche um 1851

Das war die eigentliche Geburtsstunde der evangelischen Weihnachtskirche, der ersten neugebauten deutschen Kirche im Heiligen Land. Sie wurde nach den Plänen des Berliner Geheimen Baurats Orth in romanischer Kreuzform mit einer Kuppel über der Vierung errichtet und kostete 143 000 Mark. Den größten Spendenbeitrag von 40 000 Mark sammelte der nach Klopstocks Ode »Wingolf« benannte Bund farbentragender Studentenverbindungen und Philisterschaften, in dem Wilhelm seit seiner Studienzeit in Bonn viele Verehrer hatte. Der Kaiser stiftete das Abendmahlsgerät, die Kaiserin die Altarbibel, als das Gotteshaus am 6. November 1893, wenige Tage nach der Grundsteinlegung für einen noch größeren Kirchenbau in Jerusalem, eingeweiht wurde.

Nach dem kaiserlichen Besuch beim Sultan übernahmen die evangelischen Palästina-Deutschen im Wettlauf mit anderen Nationen die Spitze, bis der glanzvollste Hohenzollern-Auftritt im Heiligen Land alle ihre Mühen belohnte und Pastor Schlicht begeistert ausrufen konnte: »Jerusalem ist wirklich geworden ein Einigungspunkt der evangelischen Christenheit in brüderlicher Gemeinschaft und in der Arbeit der Liebe.« Nun lag es am Kaiser, die Ernte einzufahren und — wie versprochen — »mit dem Pfunde so zu wirtschaften, daß ich noch manches andere hoffentlich werde dazulegen können«.

Kaiser im Heiligen Land

>»Die Geschichte wird von einer Kraft gelenkt,
>die der eine Vorsehung,
>der andere Zufall nennt.«
>
>Georg Wilhelm Friedrich Hegel

Zum kranken Mann am Bosporus

Anno Domini 1898 — das ist ein typisches wilhelminisches Jahr, so ganz nach dem Geschmack des Kaisers. Politische, militärische und gesellschaftliche Ereignisse halten ihn ständig in Atem, wie es sich für den Mythos vom überbeanspruchten Herrscher ziemt. Lebhaft beklagt er die »ungeheure Arbeitslast« und die »niederdrückende Verantwortlichkeit«. Der Berliner Witz legt ihm jedoch den Ausspruch in den Mund: »Ich habe keine Zeit zum Regieren.«

Ein Jahrzehnt nach der Thronbesteigung bewegt sich Wilhelm II. selbstbewußt in der weltpolitischen Arena. Die Verabschiedung des ersten Flottengesetzes durch den Reichstag verleiht ihm ein Gefühl der Stärke, das ihn geradezu reizt, die Briten gegen die Russen und die Russen gegen die Franzosen auszuspielen. Nur trifft eben auf 1898 in besonderem Maße zu, was einmal den Hofmarschall Graf von Zedlitz und Trützschler zu dem Stoßseufzer veranlaßte: »Neun Monate Reisen, nur die Wintermonate zu Hause! Wo aber bleibt auch da bei fortgesetzter Geselligkeit Zeit für ruhige Sammlung und ernste Arbeit?«

Im Sommer geht der Kaiser auf die über alles geliebte Nordlandfahrt, die ihm stets aufs neue erfüllt, was er schon als Gymnasiast erträumt hat. In reiner Männergesellschaft darf er an Bord in allem der erste sein — als Seemann, Pfarrer, Turner und Unterhalter. Hauptthemen der abendlichen Gespräche sind in diesem Juli der gesetzlich gesicherte Bau von 17 deutschen Schlachtschiffen, die britischen Erfolge in der Kolonialpolitik und vor allem — die geplante Kaiserreise in das Heilige Land.

Mit einem Revirement hat Wilhelm schon im Vorjahr seinen »Neuen Kurs« ein weiteres Stück vorangebracht. Der bisherige Staatssekretär des Auswärtigen Amts, Freiherr Marschall von Bieberstein, ist

nun Botschafter in Konstantinopel. Seine Stelle hat der geschmeidige
Bernhard von Bülow übernommen, der zuletzt Botschafter in Rom
war. Als neuer Staatssekretär des Reichsmarineamtes hat der Flotten-
propagandist Admiral Tirpitz den bescheideneren Admiral von Hollmann abgelöst, der sich allzusehr der lauen Linie des schon 78 Jahre
alten Reichskanzlers und Caprivi-Nachfolgers Fürst zu Hohenlohe-
Schillingsfürst anpaßte.

Auf der Rückreise aus dem Norden erreicht den Monarchen noch
auf hoher See die Nachricht, daß Otto von Bismarck am 30. Juli in
Friedrichsruh bei Hamburg gestorben ist. Kaiserin Auguste Viktoria
erwartet ihren Gemahl bereits in Kiel, um mit ihm zu der Bahre des
»grollenden Alten vom Sachsenwald« zu eilen. Zwei Tage danach
sehen die Berliner das Herrscherpaar auf dem Kurfürstendamm und in
der neuen Kaiser-Wilhelm-Gedächtniskirche, die erst seit 1895 fertiggestellt ist.

Dann zieht sich Wilhelm mit Dona — wie er seine Gemahlin nennt
— in die Abgeschiedenheit des Schlosses Wilhelmshöhe bei Kassel zu-
rück, um Vorbereitungen für die große Fahrt nach Jerusalem zu treffen.
Mit besonderer Sorgfalt widmet er sich den eigenhändigen Entwürfen
der Tropenuniformen und den detaillierten Vorschlägen des Londoner
Reiseunternehmens Thomas Cook & Son, dem der Oberhof- und
Hausmarschall August Graf zu Eulenburg die Gesamtorganisation des
Palästinaaufenthaltes übertragen hat.

Tagelang beschäftigt sich der Kaiser auch mit dem Entwurf einer
Weiheurkunde, die er als persönliches Manifest, als preußisch-deut-
sches Glaubensbekenntnis und als Vermächtnis des Hohenzollernge-
schlechtes der Mitwelt übergeben will. Der außergewöhnliche Anlaß
bietet ihm die willkommene Gelegenheit, seine Gedanken in die Form
eines feierlichen Gebetes zu gießen, das mit den Sätzen beginnt:

»Im Namen Gottes des Vaters und des Sohnes und des Heiligen
Geistes. Amen! In Jerusalem, der Stadt Gottes, da, wo unser Herr und
Heiland, Jesus Christus, durch Sein bitteres Leiden und Sterben und
Seine sieghafte Auferstehung das Werk der Erlösung vollbracht hat,
auch der Kirche der Reformation eine bleibende Stätte zu bereiten,
war schon lange das Streben Meiner in Gott ruhenden Vorfahren, auf
daß auch Deutschlands evangelische Kirche da nicht fehle, wo die
Christen aller Bekenntnisse für die Gnadentat der Erlösung Dank
opfern.«

Wilhelm II. ist — wie der Hofchronist und Johanniter-Rechtsritter

Freiherr von Mirbach betont – zutiefst davon überzeugt, daß sein Entschluß, die Einweihung der Erlöserkirche selbst zu vollziehen, eine Reise zur Folge haben wird, »wie sie herrlicher zu Ehren des deutschen Volkes und der christlichen Religion noch niemals ausgeführt wurde«.

In der mit Kapitalbuchstaben geschriebenen Urkunde erfahren nur die Pronomina »Sein« – für Jesus Christus – und »Mein« – für den Kaiser – eine zusätzliche Großschreibung. Wichtiger erscheint jedoch das zweimal eingesetzte Wörtchen »auch«, das in verklausulierter Feierlichkeit die Absicht verdeutlicht, auf geheiligtem Boden die Gewichte des deutschen Dualismus, des europäischen Wettbewerbs und der weltpolitischen Geltung neu zu verteilen. »Auch« in Verbindung mit »der Kirche der Reformation« und mit »Deutschlands evangelischer Kirche« ergibt die Übereinstimmung mit dem Leitsatz, den Bernhard von Bülow vor einem Jahr im Reichstag aufgestellt hat: »Wir wollen niemand in den Schatten stellen, aber wir verlangen a u c h unseren Platz an der Sonne.«

Unmittelbar vor dem Aufbruch in den Orient erledigt Wilhelm II. noch ein umfangreiches »Arbeitspensum«: Herbstparade in Berlin, Kaisermanöver in Hannover und Westfalen, Gardekorpsmanöver in der Uckermark, Trauerfeier für die ermordete österreichische Kaiserin Elisabeth in Wien, Jagdausflüge nach Hubertusstock und der Rominter Heide, Eröffnung des Stettiner Hafens, Besuche in Marienburg und Danzig. Aber nicht genug damit: Als das Kaiserpaar – nach letzten gemeinsamen Reisevorbereitungen im Marmorpalais zu Potsdam – am 9. Oktober vor der Gruft des Palästinafahrers Kaiser Friedrich III. das Abendmahl feiert, wird ihm der Tod eines hohenzollerischen Familienmitglieds gemeldet, worauf es in aller Eile auch noch nach Schlesien fahren muß, um im Schloß Kamenz der Gemahlin des Braunschweig-Regenten Albrecht von Preußen die letzte Ehre zu erweisen.

Erst jetzt beginnt die Palästinareise, erst jetzt können sich im kaiserlichen Hofzug die Damen und Herren des großen Gefolges »wie zu Hause« fühlen. »Jeder hat«, so notiert der Chronist zufrieden, »seinen Salon oder sein Stübchen, wo er arbeitet, liest, Besucher empfängt und schläft.«

Auf streng bewachten Bahnstrecken rollen die Luxuswagen über Wien, wo wegen der Hoftrauer der übliche Begrüßungsaufenthalt ausfallen muß, nach der Lagunenstadt Venedig, auf deren Bahnhof König Umberto I. von Italien die Gäste aus Berlin empfängt. Königliche Gondeln tragen auf dem Canal Grande eine fröhliche Gesellschaft zum

Königspalast am Markusplatz. Doch nach dem Frühstück drängt der Kaiser zum Abschied — gegenüber dem Dogenpalast liegt bereits die schneeweiße »Hohenzollern« vor Anker.

Die italienischen Majestäten winken von der Uferpromenade der auslaufenden Kaiserjacht nach, der auf hoher See der Kanonendonner der deutschen Begleiteinheiten, des neuen Panzerschiffes »Hertha« und des Avisos »Hela«, entgegendröhnt. Unter blauem Himmel dampft der Konvoi die adriatische Küste entlang nach Süden, passiert die Hafenstädte Bari und Trani, deren romanischen Kirchen aus der Hohenstaufenzeit der Kaiser vor Jahren Ausstattungsmotive für die Kaiser-Wilhelm-Gedächtniskirche entnommen hat, und stoppt zum erstenmal vor Brindisi. Während die »Hela« im Hafen Depeschen abholt, wartet die »Hohenzollern« auf die langsamere »Hertha«, in deren Maschinenräumen wegen der ungewohnten Temperaturen bereits einige Heizer erkrankt sind.

Auf seiner eigenen Jacht führt der Kaiser das Kommando. Jeden Morgen befiehlt er vor dem Frühstück sämtliche Männer, auch die älteren, zu Freiübungen auf das Deck, wo sich dann ein Schauspiel bietet, wie es der Diplomat von Kiderlen-Waechter nach einer Nordlandreise treffend beschrieben hat: »Ein ulkiger Anblick, wenn all die alten Kracher von Militärs gemeinsam die Kniebeuge machen müssen mit verzerrten Gesichtern! Der Kaiser lacht manchmal laut auf und hilft mit Rippenstößen nach. Die alten Knaben tun dann so, als ob diese Auszeichnung ihnen eine besondere Freude machen würde, ballen aber die Faust in der Tasche und schimpfen nachher unter sich über den Kaiser wie alte Weiber. Feige, verlogene Gesellen!«

Tagsüber wird an Bord eifrig vorgetragen, konferiert und regiert. Manche versuchen durch ausgeprägte Pflichtauffassung zu rechtfertigen, daß sie ihr Allergnädigster Herr auf die weite Reise mitgenommen hat. Es ist eine Hauptstadt en miniature, die da im Mittelmeer kreuzt:

das Hauptquartier unter dem Generaladjutanten von Plessen mit zwei Generälen à la suite, zwei Flügeladjutanten, zwei Zügen der Leibgendarmerie und zwei Lazarettgehilfen;

das Militärkabinett unter dem Generaladjutanten von Hahnke mit einem Geheimen Hofrat, einem Rechnungsrat und einem Geheimen Kanzleidiener;

das Geheime Zivilkabinett unter dem Geheimen Kabinettsrat Dr. von Lucanus mit zwei Geheimen Hofräten und einem Geheimen Kanzleidiener;

das Marinekabinett unter dem Admiral à la suite und Johanniter-Ehrenritter Freiherr von Senden-Bibran mit einem Geheimen Expedierenden Sekretär;

das Auswärtige Amt unter dem Staatssekretär und Johanniter-Rechtsritter von Bülow mit einem Wirklichen Legationsrat, zwei Hofräten und zwei Geheimen Kanzleidienern.

Dazu kommen im Gefolge der Kaiserin die Oberhofmeisterin Gräfin von Brockdorff und der Oberhofmeister Freiherr von Mirbach mit dem Vizeoberzeremonienmeister, einer Palastdame, einer Hofdame, einer Kammerfrau, einem Geheimen Schatullsekretär und einem Schatulldiener. Zum persönlichen Gefolge des Kaisers zählen der Oberhofmarschall Graf zu Eulenburg und der Hausmarschall Freiherr von Lyncker mit zwei Leibärzten, einem Leibstallmeister, zwei Hofstaatssekretären, einem Oberhofmarschallamtssekretär, einem Kanzleidiener, einem Hofdekorateur, zwei Sattelmeistern und sechs Reitknechten. Den Leibdienst Ihrer Majestäten versehen nicht weniger als 13 weitere Bedienstete wie Kammerdiener, Büchsenspanner, Leibjäger, Garderobier, Hoffriseur, Garderobefrauen und Lakaien.

Die größte Mühe hat in diesem Aufgebot der Staatssekretär von Bülow, weil der Kaiser auch fern von Berlin »weltpolitisch« auf dem laufenden bleiben will. In besondere Bedrängnis gerät der Chef des Auswärtigen Amtes, als er nach einem Depeschenerhalt vor der griechischen Insel Kephalonia die Mitteilung liest, in Alexandrien sei eine kaiserfeindliche Anarchistenbande vor der Einschiffung nach Palästina festgenommen worden. Schon in Potsdam hat der Monarch bei der Erwähnung einiger Warn- und Drohbriefe, in denen von geplanten Mordanschlägen auf biblischem Boden die Rede war, recht ärgerlich und ungnädig reagiert. Obwohl er über alles informiert sein möchte, bleibt er von unangenehmen Neuigkeiten doch am liebsten verschont. Der Staatssekretär wendet daher seinen ganzen aalglatten Opportunismus auf, um einen Gefühlsausbruch seines Herrn zu vermeiden.

Trotzdem ist die Stimmung an Bord gedrückt, als sich das Gefolge am 16. Oktober zum Sonntagsgottesdienst versammelt. Wilhelm tritt selbst vor die Gemeinde und liest die liturgischen Texte. Der Oberhofprediger Dryander zitiert den 91. Psalm und spricht über den Schutz des allmächtigen Gottes unter allen Gefahren: »Denn er hat seinen Engeln befohlen über dir, daß sie dich behüten auf allen deinen Wegen, daß sie dich auf Händen tragen und du deinen Fuß nicht stoßest an einen Stein.«

Nach fünftägiger Reise läuft die »Hohenzollern« unter dem Kommando des Johanniter-Ehrenritters Freiherr von Bodenhausen in die Dardanellen ein. Dem Konvoi schließt sich nun auch Seiner Majestät Schiff »Loreley« an, das schon Ende September vorausgefahren ist, um den Oberstallmeister und Johanniter-Rechtsritter Graf von Wedel mit einem General à la suite und neun Angehörigen des Marstalls samt sechs Reitpferden des Kaisers nach Konstantinopel und Jaffa zu bringen. Der Voraustrupp hat inzwischen befehlsgemäß die Tiere an den Orient gewöhnt und mit ihnen – in strenger Anlehnung an die Route des Kronprinzen Friedrich Wilhelm – alle Straßen in und um Jerusalem, Bethlehem, Jericho, Cäsarea, Haifa, Nazareth, Tiberias, Damaskus, Baalbek und Beirut abgeritten. Der Sultan hat dazu den aus Damaskus stammenden Flügeladjutanten Oberst Sadiq Bey abgeordnet, der seit einem längeren Dienstaufenthalt in Berlin ausgezeichnet Deutsch spricht.

Noch in den Dardanellen heißt Botschafter Marschall von Bieberstein das Kaiserpaar willkommen, ehe es sich am 18. Oktober durch ein an den Ufern gebildetes Spalier von Soldaten und Neugierigen dem Marmorpalast Dolma-Bagdsche vor Konstantinopel nähert. An diesem ersten Reiseziel begrüßt Sultan Abd ul-Hamid II. den Deutschen Kaiser und König von Preußen als seinen alten Bekannten, der zur Uniform der I. Leibhusaren den Türkensäbel trägt, den er 1889 als Gastgeschenk erhalten hat.

An den ersten Gesprächen der beiden Monarchen beteiligen sich auf osmanischer Seite so sachkundige Berater wie Außenminister Ahmed Tewfiq Pascha, der schon als Botschafter in Berlin für möglichst enge Beziehungen zum Deutschen Reich eingetreten ist, und der langjährige Kriegsminister General Osman Nuri Pascha, der seit dem russischen Angriff von 1877 als »Löwe von Plewna« verehrt wird. Die amtliche deutsche Reisechronik weiß allerdings nur zu berichten, daß der Sultan mit seiner klein und zart gebauten, gebückten Gestalt und seinem feinen, von schwarzem Vollbart umrahmten Gesicht beeindruckt habe, daß von beiden Herrschern die »übliche Zigarette« geraucht worden sei, auch daß man im Palast Bilder des Generalfeldmarschalls von Moltke – des einstigen Militärberaters der Osmanen – und im nahegelegenen Hafen türkische Torpedoboote aus einer Werft der ostpreußischen Stadt Elbing gesehen habe.

Die politischen Themen der Gipfelbesprechungen verschweigt der offizielle Bericht. Man will den konkurrierenden Großmächten keinen

Anlaß geben, das Einvernehmen zwischen Berlin und Istanbul zu miß-
deuten. Zu oft ist dies seit der kaiserlichen Orientreise von 1889 und
erst recht seit der Berliner Orientkonferenz von 1878 geschehen. Was
hat sich auch rund um das Osmanische Reich nicht alles ereignet und
verändert?

In Rußland wurde Alexander II. ermordet und 1894 nach dem Tode
Alexanders III. der Zar Nikolaus II. auf den Thron erhoben, in Bulgarien der Battenberger Alexander gestürzt und Prinz Ferdinand von
Sachsen-Coburg-Koháry gegen russischen Widerstand zum neuen Fürsten gewählt. Das Reich des Sultans schrumpfte zusammen: Die Griechen besetzten 1881 Thessalien und Südepirus, die Franzosen im selben Jahr Tunis und die Briten 1882 Ägypten; Rumänien und Serbien
wurden Königreiche, Kreta erhielt die Verwaltungsautonomie. Das
Deutsche Reich ging Bündnisse mit Österreich—Ungarn, Italien und
Rumänien ein, unterstützte die Mittelmeer-Entente Österreich—Un-
garns, Großbritanniens und Italiens, die als Orient-Dreibund den osmanischen Besitzstand gegenüber einem Angriff Rußlands garantierte,
und intervenierte wiederum im »Ostasien-Dreibund« gemeinsam mit
Rußland und Frankreich, aber ohne Großbritannien, gegen Japans
Expansion. Zur Ausbildung deutscher Diplomaten wurde 1887 auf
Anregung Bismarcks das Seminar für orientalische Sprachen in Berlin
gegründet.

Großbritannien überließ dem Deutschen Reich 1890 im Tausch gegen Sansibar die Insel Helgoland und ärgerte sich 1896 über Kaiser
Wilhelms »Krüger-Depesche«, ein Glückwunschtelegramm an den süd-
afrikanischen Buren-Präsidenten nach der Abwehr britischer Angriffe
aus der Kapkolonie. Frankreich war wegen der britischen Erfolge am
Nil verstimmt und begann mit einer Militärkonvention die Annähe-
rung an Rußland, das seinerseits wegen der Spannungen auf dem Balkan immer wieder Österreich—Ungarn grollte.

Gerade 1898 kommt es dem Verhältnis zwischen London und Berlin zugute, daß die französisch-britischen Beziehungen einen Tiefpunkt
erreichen. Im Juni dankt sogar die Mutter des Kaisers ihrem »Dearest
Willy« für »giving me your Auffassung of the situation« und erwähnt
in bezug auf England Gerüchte, die ihr zeigten, »that something was
in der Luft«. In seltener Eintracht vereinbaren Deutschland und Großbritannien die Aufteilung der portugiesischen Kolonien in Afrika für
den Fall, daß sie das Mutterland wegen wirtschaftlicher Schwierigkeiten verkaufen muß. Die Briten nehmen es auch hin, daß das Deutsche

Reich an der Küste der chinesischen Provinz Schantung das Pachtge-
biet Kiautschau mit dem Hafen Tsingtau als Flottenstützpunkt in
Ostasien übernimmt. Gleichzeitig treten die Deutschen allerdings mit
Großbritannien, Frankreich und Rußland in einen verschärften Wettbewerb um Konzessionen für Bergwerke und Eisenbahnen in China,
mit dessen Zerfall ernstlich gerechnet wird.

Was denken die Osmanen darüber, daß Kaiser Wilhelm auch in ihrem Reich an Hafenanlagen, Eisenbahnen und Bodenschätzen interessiert ist? Können sie ihn noch für einen uneigennützigen Freund halten? Nach außen hin haben sie jedenfalls nichts dagegen, daß der Gast
sich von der großen deutschen Kolonie und ihrem Handwerker-Gesang-
verein als wahrer Herrscher feiern läßt, daß er eine Sonderfahrt der
unter deutscher Verwaltung stehenden Anatolischen Eisenbahn sichtlich genießt und daß er sich persönlich in die Verhandlungen einschal-
tet, die um die Hafenerweiterung in Haidar-Pascha, dem Ausgangspunkt der Bahnlinie, geführt werden.

Mit gespannter Aufmerksamkeit beobachten die ausländischen Diplomaten jeden Schritt des Kaisers. Im August schon schrieb die »graue
Eminenz« des Berliner Außenamts, Friedrich von Holstein, an den
Londoner Botschafter Graf von Hatzfeldt-Wildenburg, der einmal Missionschef in Konstantinopel war: »Daß wir bei unserer jetzigen kolonialen Ausbreitungspolitik gelegentlich an scharfe Ecken kommen, ist
nicht zu vermeiden. Ein Zurückweichen würde das Signal werden für
eine gegen uns zu richtende Demütigungskampagne.« Und kurz vor
der Orientreise mahnte er seinen Chef von Bülow, »daß Sie während
Ihrer nächsten Abwesenheit, welche überdies einen ganz abnormen
Charakter haben wird, Ihre Vertretung jemanden übertragen, der weder ein Anfänger noch eine Null ist«. Handelte es sich dabei auch um
eine Intrige gegen den als Vertreter vorgesehenen Unterstaatssekretär
und Kolonialexperten Freiherr von Richthofen, so gab der Geheimrat
doch zu bedenken, »daß jetzt die Kolonialabteilung die größte Aufmerksamkeit erheischt«.

Was zunächst nicht über das Amt an der Wilhelmstraße hinausge-
drungen ist, hat der Kaiser — auch im Hinblick auf den Orient — längst
publik gemacht. Im Juni 1897 sieht er in Köln aus Anlaß der Enthüllung eines Denkmals für Wilhelm I. im »Meergott mit dem Dreizack
in der Hand ein Zeichen dafür, daß seitdem unser großer Kaiser unser
Reich von neuem zusammengeschmiedet, wir auch andere Aufgaben
auf der Welt haben: Deutsche aller Orten, für die wir zu sorgen, deut-

sche Ehre, die wir auch im Auslande aufrechtzuerhalten haben, . . .
unserer vaterländischen Arbeit und der Industrie die produzierenden
Stände, die Absatzgebiete zu sichern und zu erhalten, die wir brauchen«.

Im Dezember 1897 erklärt er in Kiel beim Abschiedsmahl für Prinz
Heinrich, der 1890 im Auftrag des Kaisers Jerusalem besucht hat und
jetzt an Bord der »Deutschland« nach Ostasien entsandt wird: »Die
deutschen Brüder kirchlichen Berufs, die hinausgezogen sind zu stillem
Wirken und die sich nicht gescheut haben, ihr Leben einzusetzen, um
unsere Religion auf fremdem Boden, bei fremdem Volke heimisch zu
machen, haben sich unter meinen Schutz gestellt. . . Mögen unsere
Landsleute draußen die feste Überzeugung haben, seien sie Priester
oder seien sie Kaufleute oder welchem Gewerbe sie obliegen, daß der
Schutz des Deutschen Reiches, bedingt durch die Kaiserlichen Schiffe,
ihnen nachhaltig gewährt werden wird.«

Demgegenüber fühlt sich Freiherr von Mirbach in seinem Reisebericht zu der Klarstellung veranlaßt: »Ein Teil der ausländischen Presse
griff seit Monaten mit Gehässigkeit, Spott und Unwahrheit die Kaiserreise an, um ihre Ausführung zu erschweren oder gar zu verhindern.
Auch einheimische Tagesblätter, in der Gewohnheit abfällig zu urtei-
len, besprachen vieles in unfreundlicher Weise und in Unkenntnis der
Verhältnisse. Das bekannte unlautere und heimtückische Treiben eines
Teiles der englischen Presse leistete in Erfindung und Verhetzung Un-
glaubliches. Man versuchte sogar, in der allerdings vergeblichen Absicht, den Sultan mißtrauisch zu machen, dem Kaiser mittelalterliche
Eroberungsgelüste anzudichten.«

Mit aller Deutlichkeit wendet sich der Chronist auch an die katholische Adresse: »In Frankreich stellte man eine Zeitlang von gewissen
Seiten die Reise des Kaisers dar als den Versuch eines Eingriffs in alte
französische Vorrechte bezüglich des Protektorats über alle Katholiken
und alle katholischen Anstalten im Orient. Eine solche Schutzherrschaft hat Frankreich wiederholt für sich in Anspruch genommen, ohne
sich aber dafür auf einen Rechtsgrund berufen zu können. Dieser Anspruch ist von deutscher Seite niemals anerkannt worden.«

Kardinal Langénieux, der Erzbischof von Reims, habe, so heißt es
weiter, im Juli 1898 eigens einen »Nationalausschuß für die Erhaltung
und Verteidigung des französischen Protektorats« gegründet und eine
Bestätigung durch die Kurie gesucht. Eine allgemein wohlwollend ge-
haltene Antwort des Papstes Leo XIII. sei jedoch nach deutschen Vor-

stellungen bei der Kurie dahingehend erläutert worden, »daß dem Briefe des Papstes nicht die Absicht zu Grunde gelegen habe oder habe zu Grunde liegen können, an den bestehenden Rechten anderer Nationen etwas zu ändern, und daß darin das französische Schutzrecht nur insoweit anerkannt worden sei, als die Rechte anderer Staaten nicht entgegenständen. Damit ist der französischen Auslegung der Boden entzogen. Der Standpunkt der Reichsregierung hat in Deutschland allgemein, insbesondere auch bei den deutschen Katholiken, volle und lebhafte Zustimmung gefunden.«

Noch etwas anderes hält der Oberhofmeister für berichtenswert, um zu illustrieren, wie sehr man mit offenen Karten spielt: In Konstantinopel stehen zwischen den Menschen, die alle Wege des Kaisers säumen, die »Berliner Geheimpolizisten mit ihren braven urpreußischen Wachtmeister- und Sergeantengesichtern, im Berliner Zivilanzug mit dunklem Filzhut, im Knopfloch das Eiserne Kreuz — alles eher als der Ausdruck der Heimlichkeit«.

Der Abschied von den befreundeten Osmanen und die Abreise am 22. Oktober fallen mit dem 40. Geburtstag der Kaiserin zusammen, zu dem die Gastgeber Blumen über Blumen schenken. »Auch die ›Hohenzollern‹ hatte der Sultan mit Blumen reich schmücken lassen, und auf die vier deutschen Kriegsschiffe waren für Offiziere und Mannschaften Körbe mit Champagner und Wein, Fässer mit Bier, Hunderte von lebenden Hühnern, Tausende von Eiern, Fleisch, Gemüse, Brot in solchen Mengen geschickt worden, daß für über eine Woche ausreichende Lebensmittel vorhanden waren.«

Der Sultan hat noch an weitere Aufmerksamkeiten gedacht: Zum Ehrendienst in Palästina ist sein berühmtes Schimmel-Regiment Ertogrul abkommandiert, und der zwanzigköpfigen Sonderleibwache des Kaisers teilt er eigens zwei ortskundige Palästinenser aus Nazareth zu.

Wilhelm II. aber gewährt im selben Jahr, in dem das Ehepaar Curie die radioaktiven Elemente Radium und Polonium entdeckt und Karl Ferdinand Braun die Kathodenstrahlröhre für das spätere Fernsehen konstruiert, der Deutschen Realschule in Konstantinopel zur Erinnerung an seinen Besuch eine besondere Auszeichnung: die »Berechtigung zur Ausstellung von Befähigungszeugnissen für den einjährigfreiwilligen Militärdienst«.

Mehr als eine mobile Division

In den letzten Tagen der Schiffsreise von Konstantinopel nach Haifa lebt sich der Kaiser in die selbstgewählte Rolle des friedlichen Kreuzritters ein. Wenn sich abends auf der »Hohenzollern« das Gefolge im Salon versammelt, liest er aus Büchern über die Orientfahrten des Mittelalters vor. »Es wurde als besonders schmerzlich empfunden«, gibt Freiherr von Mirbach die kaiserlichen Kommentare wieder, »daß die Kraft des religiösen Dranges, welche die Kreuzzüge in erster Linie hervorgerufen hat, nicht nachhaltig genug war, um die wüste Habgier, Raub- und Mordlust der Wallfahrer niederzuhalten, ja daß namentlich die bei der Eroberung Jerusalems verübten Greueltaten und die verderbliche Zwietracht der Franken untereinander das Ansehen des Christentums bei den syrischen Völkern schwer schädigten und schließlich zu einem erschütternden Mißerfolge führten. Die gewaltige, ritterliche Gestalt des großen Sultans Saladin zog den Kaiser in hohem Maße an.«

Als Wilhelm am 25. Oktober in die Bucht von Haifa einfährt, gibt er sich mit dem ganzen Gefolge jener erwartungsfrohen Stimmung hin, wie sie Kinder vor der Bescherung am Heiligen Abend erfaßt. Erstmals liegt vor einem protestantischen Kaiser die Küste Palästinas, das Ufer der Sehnsucht und der Verheißung, der geweihte Boden der Geburt, der Kreuzigung, der Auferstehung und der Himmelfahrt des Jesus von Nazareth.

Zunächst richten sich die Blicke aller, die an Deck versammelt sind, auf das alte Akka, das 1104 von den christlichen Kreuzrittern unter Balduin und 1187 von den Mohammedanern unter dem Aijubiden-Sultan Saladin (korrekt: Salah ed-Din) erobert wurde. In der Nähe dieser befestigten Hafenstadt gründeten während der erneuten Belagerung von 1189 bis 1191 kaufmännische Kreuzfahrer aus Lübeck und Bremen vermutlich auf einem an Land gesetzten Schiff jenes Verwundetenspital, aus dem sich der Deutsche Orden entwickelte, dessen späteren Eroberungen östlich der Weichsel das Königreich Preußen seinen stolzen Namen, die schwarz-weiße Fahne und das Kreuz im Wappen verdankt.

Der Oberhofmeister hält Wilhelms Gedanken fest, als er die Landung beschreibt: »Heute liegen in dem heißumstrittenen Golf von Akkon-Haifa die eisengepanzerten Kriegsschiffe eines deutschen Kaisers aus dem erlauchten Geschlechte der Hohenzollern. Ein anderes

Zeitalter ist heraufgestiegen, die Mißerfolge der Kreuzzüge haben es selbst heraufführen helfen ... So ist es nun ein deutscher evangelischer Kaiser, welcher nicht mit dem Schwerte in der Hand den Strand Palästinas betritt, auch nicht als Pilger nur die Stätten zu schauen trachtet, da der Fuß des Heilandes gewandelt ist, sondern welcher in der allen Christen heiligen Stadt ein dem Erlöser der Welt zu Ehren errichtetes Gotteshaus weihen und so dazu mitwirken will, daß dem Heimatlande des Christentums die Güter und Segnungen wiedergebracht werden, welche die germanischen Völker ihm verdanken.«

Voller Stolz hebt der Chronist hervor, daß vor Wilhelm II. nur ein einziger deutscher Kaiser die Heilige Stadt erreichte, daß nur einer von drei zum Heiligen Land aufgebrochenen deutschen Herrschern Jerusalem sah, nämlich Friedrich II., der — nachdem Konrad III. und Friedrich Barbarossa gescheitert waren — nach klugen Verhandlungen mit dem ägyptischen Sultan Al-Kamil am 18. März 1229 die Grabeskirche betrat und dabei die Krone von Jerusalem trug, die er sich durch seine Ehe mit Isabella, der Tochter des Johann von Brienne und der Maria von Montferrat, erworben hatte. In einem Manifest vom gleichen Tage verlieh der Staufer sich selbst eine engelgleiche Stellung zwischen Gott und den Menschen; weit und breit auf dem Erdenrund sollten nun des rechten Glaubens Verehrer verkünden, daß Gott dem Herrscher »ein Horn im Hause Davids«, ein vorgeschobenes Festungswerk im Heiligen Land, errichtet hatte.

Der Kaiser ist fast ausgelassen fröhlich, als er von Bord geht. Zum erstenmal bewährt sich im Hafen der Landungs-Steindamm, den der Sultan für den hohen Gast hat befestigen lassen. Am Ufer drängen sich jubelnde Menschen, darunter die rund 500 Deutschen, die in Haifa als Landwirte und Handwerker eine mustergültige Kolonie geschaffen haben. Für eine feierliche Begrüßung bleibt allerdings keine Zeit. Wilhelm und Auguste Viktoria wollen heute noch den Karmel ersteigen, auf dem jüdische, christliche und drusische Gläubige den Propheten Elias verehren und wo die Karmeliter ihr burgartiges Kloster Stella Maris unterhalten. Aus 150 Meter Höhe schaut man hinunter auf Haifa und sieht »vorn am Fuße des Berges die deutsche Ansiedelung an geraden, mit Bäumen bepflanzten Straßen und die wohlbestellten Gärten und Felder der betriebsamen Württemberger«. Einen gepflegten Eindruck macht auch das neue Luftkurhaus, das sich die Deutschen am Bergabhang gebaut haben.

Wilhelm denkt daran, daß 75 Jahre nach Napoleons mißglückter

Orientexpedition auf dem Berge Karmel eine eigenartige Feier abgehalten wurde. Damals schmückte der Großherzog von Mecklenburg ein Pyramidendenkmal vor der Kirchentüre des Klosters, in dem vor Akkon verwundete und an der Pest erkrankte Franzosen gestorben oder von fanatischen Einheimischen umgebracht worden waren, mit der Inschrift: »Zur Erinnerung an die tapferen französischen Soldaten, gefallen in der Schlacht von St. Jean d'Acre 1799«. Ein deutscher Fürst konnte das geschlagene Heer des Korsen ehren, weil Frankreich nach dem Krieg von 1870/71 nicht mehr als ernst zu nehmender Konkurrent anzusehen war. Genau hundert Jahre nach Napoleon hat nun Wilhelm II. den Boden des Orients betreten.

Befriedigt kehrt der Kaiser zum Hafen zurück, um die erste Nacht im Heiligen Land noch auf der »Hohenzollern« zu verbringen. Da erlebt er bei Einbruch der Dunkelheit eine unerwartete Kundgebung: Der im Hafen liegende Dampfer »Bohemia« des Österreichischen Lloyd veranstaltet ihm zu Ehren ein großes Feuerwerk, das die ganze Bevölkerung von Haifa in Volksfeststimmung versetzt. Das Schiff zählt zu einer Flotte, die 450 Festgäste nach Palästina gebracht hat, wo sie Zeugen des kaiserlichen Einzuges werden wollen.

Die vornehmste Gesellschaft bevölkert den englischen Dampfer »Midnightsun«, den der Präsident des preußischen Oberkirchenrats für 171 offizielle Festteilnehmer — darunter 84 Adelige und 35 Ritter des Johanniterordens — gechartert hat. Den im Auftrag des Kaisers verschickten Einladungen sind außer den Vorständen der im Heiligen Land vertretenen Stiftungen, Vereine und Gesellschaften sämtliche deutschen evangelischen Kirchenregierungen von Mecklenburg-Schwerin bis Elsaß-Lothringen gefolgt, dazu hohe Vertreter protestantischer Kirchengemeinschaften in den Niederlanden, Schweden, Norwegen, der Schweiz, Italien, Ungarn und den Vereinigten Staaten von Amerika.

Das Zahlenverhältnis der geladenen Gäste läßt keinen Zweifel daran aufkommen, daß in Jerusalem vor allem ein preußisches Fest begangen werden soll. Während alle »auswärtigen« Landeskirchen sich mit je einem Repräsentanten begnügen, haben die älteren preußischen Provinzen nicht weniger als 17 und die neuen weitere 6 Präsidenten, Generalsuperintendenten und Superintendenten entsandt, die mit ihrer Titulatur die protokollarische Liste beherrschen — bis am Schluß ein offizieller Außenseiter, der einzige eingeladene Vertreter der Presse, erscheint: Redakteur Schneider, Berlin, Wolffsches Telegraphen-Bureau.

Unter den 279 nichtoffiziellen Teilnehmern auf vier weiteren Schiffen befinden sich 45 Adelige und 17 Johanniter mit so bekannten Namen wie Blücher, Münchhausen, Bodelschwingh, Bredow und Salza. Bei den Berufsbezeichnungen der bürgerlichen Passagiere überwiegen Gutsbesitzer, Fabrikanten, Offiziere, Pastoren, Regierungsbeamte, Ärzte, Rechtsanwälte, Bankiers, Brauereibesitzer und Rentiers. Der einzige gewählte Volksvertreter unter ihnen ist ein Landtagsabgeordneter aus Annaberg im Erzgebirge. Nach den Worten des Superintendenten Tillich dürfen alle gewiß sein, daß sie, angeführt vom »Schiff der Kirche«, an der »Evangelischen Kreuzfahrt des 19. Jahrhunderts« teilnehmen.

Am Morgen des 26. Oktober füllt die deutsche Gemeinde den großen Garten des Konsulats in Haifa. Lehrer Lange, der Vorsteher der Tempelkolonie, dankt dem »Allerdurchlauchtigsten, Großmächtigsten, Allergnädigsten Kaiser und Herrn in tiefster Ehrfurcht und Ergebenheit« für den Schutz der Deutschen im Heiligen Land, besonders für die Unterstützung der deutschen Schulen. Pater Biever, der Direktor der katholischen Niederlassung, knüpft an seinen Dank für den »majestätischen und wirksamen Schutz« die Hoffnung, »daß es uns auch fürderhin gegönnt sein möge, unter den mächtigen Schwingen des deutschen Aares in Palästina zu wirken, um deutscher Sitte und deutschem Fleiß immer weiteren Eingang zu verschaffen«. Daraufhin ergreift Wilhelm »gern die Gelegenheit, ein für allemal auszusprechen, daß die katholischen Untertanen, wo und wann sie desselben bedürfen sollten, Meines kaiserlichen Schutzes stets sicher sein werden«.

Nach kurzen Besuchen im Hospiz und im Schwesternhaus der deutschen Borromäerinnen, in der evangelischen Schule, in der evangelischen Kapelle und im Kindergarten der Gemeinde besteigen Wilhelm und Auguste Viktoria den Pferdewagen eines »schlichten, treuherzigen, landeskundigen Württembergers mit Namen Sus, der glückselig war, sein Kaiserpaar selbst in das Gelobte Land hineinfahren zu dürfen«.

Jetzt muß sich die Organisation des Londoner Reisebüros bewähren, das sich vom Gelingen der weltweit beachteten Palästinafahrt eine unbezahlbare Werbewirkung verspricht. Deshalb bewegt sich von der Mittelmeerküste nach Jerusalem ein Zug, der nach Ansicht des Oberhofmeisters »auf dem Marsch mehr Raum einnahm als eine mobile Division«. Cook hat nicht weniger als 1300 Pferde und Maultiere, etwa 100 Personenwagen, 12 große Gepäckwagen und 230 Zelte, der Sultan zusätzlich 95 Pferde und 30 Wagen aufgeboten, ohne den Troß des Ertogrul-Regiments und der Sonderleibwachen. An Personal beschäftigt das Reisebüro 100 Kutscher, 600 Treiber, 10 Reiseleiter, 12 Dolmetscher, 6 Hauptköche, 6 Nebenköche und 60 Kellner, die in Jerusalem noch 25 Mann Verstärkung erhalten sollen.

Obwohl in der Ebene Saron, der blutgetränkten Heerstraße seit Jahrtausenden, die gesamte Reisestrecke vor der Ankunft des Kaisers neu gebaut oder ausgebessert wurde, begleitet eine dichte Staubwolke die lange Kolonne. Alle atmen erleichtert auf, als an der Festungsruine von Atlit Trompetensignale zum erstenmal »Halt« befehlen. Wilhelm zeigt großes Interesse an den Grundrissen der Ordensburg, die den Tempelrittern nach dem Verlust Jerusalems als Hauptsitz diente. Während er sich berichten läßt, daß das imposante Ruinengelände vor kurzem von dem Pariser Bankier Rothschild gekauft wurde, fotografiert die Kaiserin Araber »in bunten zerlumpten Anzügen, alle barfuß«, wobei die einheimischen Leibwächter den verschüchterten Leuten immer wieder das Weglaufen verbieten.

Vorbei an Tantura, dem Dor der Bibel und Küstenstützpunkt der Kreuzfahrer, geht es weiter nach Cäsarea, das Herodes der Große gründete und nach seinem kaiserlichen Gönner Caesar Augustus benannte. Auch hier, wo der Apostel Paulus zwei Jahre lang in Haft war, ehe er nach Rom reiste, und wo angeblich der heilige Gral gefunden wurde, dessen Legende gleichermaßen Wolfram von Eschenbach und Richard Wagner faszinierte, unterhielten die Kreuzfahrer einen wichtigen Stützpunkt am Mittelmeer.

Der Kaiser drängt jedoch dem Tagesziel entgegen. Nach der Hitze des Nachmittags ist es ein wohltuender Anblick, als in der Nähe des Dorfes Burtsih das erste Nachtlager auftaucht. Cooks Vorauskommando hat 200 Zelte aufgestellt, von denen vier dem Kaiserpaar als Wohnung dienen. Ihre Einrichtung ruft das Entzücken Auguste Viktorias hervor: Die Wände sind mit bunten ägyptischen Decken behängt, die Böden mit türkischen Teppichen ausgelegt; im »Schlafgemach« stehen neben dem englischen Bett, über das sich ein Moskitonetz wölbt, ein Tisch mit Waschgerät und Lichtern, zwei Stühle und ein Gestell für die Kleider.

Die Damen des Gefolges finden das Lagerleben zwischen Infanterieposten und Kavalleriepatrouillen »höchst poetisch«. Freudig stellen sie fest, daß jede Unterkunft »ungefähr so groß wie ein Zelt für die Offiziere einer deutschen Kompanie« ist. Dazwischen ragen drei Salonzelte auf, eines für Raucher, eines als Leseraum und das größte für die Mahlzeiten von jeweils etwa 50 Personen. Eine Schar Cookscher Diener, in schwarzen Anzügen mit Fez und Lackstiefeln, liest den Herrschaften alle Wünsche von den Augen ab. Vor dem Kaiserzelt sind die ganze Nacht über syrische und preußische Leibwachen postiert.

Im Morgengrauen ertönen Kavalleriesignale. Der »Dienstplan« beginnt mit Wecken um 5.30 Uhr, Frühstück um 6 Uhr und Aufbruch um 7 Uhr. Das Ziel ist heute Jaffa, ein weiterer Standplatz der Kreuzritter und ein beliebter Pilgerhafen seit Jahrhunderten. Es dauert lange, bis die Reisekolonne zügig vorankommt. In der Nähe des Dorfes Kakun, in dem noch Nachkommen des islamischen Ordens der Assassinen leben sollen, notiert der Chronist: »Zwei prächtige, besser gekleidete schwarze Knaben im Alter von 14 bis 16 Jahren liefen über eine halbe Stunde neben den Wagen her und ließen durch die Dolmetscher die inständige Bitte aussprechen, in das Land des Kaisers mitgenommen zu werden.« In Deutschland könne man gut verdienen, haben die jungen Araber gehört.

Als der Zug Kilkilije erreicht, wo nach einer Tradition Benjamin, der jüngste Sohn des Stammvaters Jakob, begraben liegen soll, steht die Sonne schon hoch im Zenit. Für eine Rast ist hier das Frühstückslager aufgebaut. Aus nahegelegenen arabischen und tscherkessischen Dörfern, aus Zelten der Beduinen und aus neuen jüdischen Kolonien, die mit finanzieller Hilfe des Barons Rothschild und seines Gesinnungsfreundes Sir Moses Montefiore angelegt wurden, strömen die Menschen herbei, um die Gäste aus Deutschland zu bestaunen.

»Plötzlich zeigte sich auf der Höhe«, berichtet Freiherr von Mirbach über die Weiterreise am Nachmittag, »ein echt deutsch aussehendes Landstädtchen, geschmückt wie die kleinen Provinzialorte beim Kaisermanöver, echt deutsche Einwohner, deutsche Schulkinder, deutsche Ehrenjungfrauen, deutsche Ehrenpforten empfingen die Majestäten unter dem heimatlichen frischen Jubel aus warmen patriotischen Herzen.« Der Zug hat die Tempel-Kolonie Sarona erreicht, wo der deutsche Konsul aus Jaffa dem Kaiser einen Pokal des bekannten Sarona-Weins zum Ehrentrunk reicht.

In der Antwort auf die Begrüßungsansprache seines amtlichen Vertreters betont der Kaiser nachdrücklich, seine Politik gehe darauf aus, mit dem Herrscher des ottomanischen Reiches in Freundschaft zu leben – ein Wort, das in erster Linie auf die lokalen Behörden gemünzt ist, die manchmal die Fortschritte der deutschen Kolonie mit Mißgunst und Mißtrauen betrachten. Die Gemeinde aber stimmt begeistert das Lied »Deutschland, Deutschland über alles« an.

Ein donnerndes Willkommen bereiten dem kaiserlichen Heerzug die deutschen Kriegsschiffe im Hafen von Jaffa, sobald die Artilleriebeobachter auf den Höhen über der alten Stadt die beiden Reiter mit der Kaiser- und der Königsstandarte ausgemacht haben. Damit ist der Ort erreicht, von dem aus der kürzeste Weg nach Jerusalem führt. Dem Kaiserpaar wird berichtet, daß in Jaffa der Apostel Petrus – veranlaßt durch eine Einladung des römischen Hauptmanns Cornelius – die Ausdehnung seiner Missionstätigkeit auf die Heiden begann; doch die Majestäten sind für Besichtigungen zu müde. Zudem erwartet sie in der Stadt mit ihrer großen deutschen Kolonie nicht ein Zeltlager, sondern das »Hôtel du Parc«, das »von wackeren Württembergern gehalten« wird. Den zunächst vorgesehenen Empfang durch die Tempel-Vorsteher von Jaffa, Sarona, Haifa und Jerusalem verschieben die Protokollbeamten auf den nächsten Morgen.

Der Kaiser wirkt wieder frisch und gut gelaunt, als er mit seinem »Heerwurm« die Reise ins Landesinnere antritt. Zwar könnte er mit der Eisenbahn bequemer und schneller nach Jerusalem gelangen, doch er möchte die Strapazen seines Vaters nachvollziehen. Graf Eulenburg könnte darauf verzichten – er ist der einzige im Gefolge, der schon 1869 auf schlechteren Straßen nach Jerusalem hinaufgezogen ist.

Nicht weit von Ramle, der arabischsten Stadt dieser Gegend, steht neben dem weißen »Turm der vierzig Märtyrer« das Frühstücks-Zeltlager, vor dem ein arabischer Knabenchor – in mühselig einstudierter deutscher Sprache – den hohen Gast mit »Heil dir im Siegerkranz« erfreut. Von Rast ist im Kaiserzelt allerdings keine Rede. Staatssekretär von Bülow hat in Ramle »Depeschen ernsten politischen Inhalts« empfangen, nach deren Lektüre Wilhelm sofort eine Verkürzung des Reiseprogramms anordnet.

Das große Zeltlager wird inzwischen auf Maultieren über eine abgekürzte Strecke in das Gebirge Judäa transportiert. Denn die Nacht vom 28. zum 29. Oktober muß auf der Hochfläche von Bab el-Wad, dem »Tor des Tales«, noch in der Wildnis verbracht werden. Danach aber sind alle Anstrengungen der vergangenen Tage vergessen: Noch heute wird Wilhelm II. in Jerusalem einziehen.

Schon beim Aufbruch besteigen der Kaiser und die Kaiserin – über den Schultern weite, weiße Sonnenmäntel – zwei Schimmel, die man für die letzte Strecke geschont hat. Nur beiläufig hört der Monarch den Namen eines Dorfes, das die Kreuzritter fälschlich für Emmaus hielten und mit einer Johanniter-Kirche neben einer Pilgerherberge bedachten.

Er interessiert sich erst dafür, als er erfährt, daß das alte Gotteshaus — durch Vermittlung der Pariser Regierung — seit dem Krimkrieg der Obhut französischer Patres anvertraut ist.

Hinter Qalonieh, dem vermutlich arabisierten Colonia, wo der römische Feldherr Titus Veteranen seiner Nahostkriege angesiedelt haben soll, fällt der Blick auf die lieblichen Orte Sankt Johann im Gebirge und Ain Karim (»Freigebige Quelle«). Seit dem 6. Jahrhundert verehrt man hier die »Stadt im Bergland Judas«, wo Maria ihre Base Elisabeth besuchte, die bald danach Johannes den Täufer gebar. Die Franziskaner haben 1895 bei Ausgrabungen eine dreischiffige byzantinische Johannes-Kirche entdeckt, die daran erinnert, daß Elisabeths Mann, der verstummte Zacharias, bei der Beschneidung seines Sohnes plötzlich den Lobgesang »Benedictus« anstimmte.

Der Kaiser nimmt sich nicht die Zeit, die Besitzungen der Franziskaner und die Siedlung russischer Nonnen zu besuchen, erst recht nicht den Konvent der Sionsschwestern über der Gruft ihres Ordensgründers Alphons Maria Ratisbonne. Schon in Rom hat ihm die Erzählung jener merkwürdigen Bekehrung mißfallen, die auf ein Wunder in der Kirche Andrea delle Fratte zurückgeführt wird: Dort soll 1842 dem leichtlebigen Juden Ratisbonne die Mutter Gottes erschienen sein, worauf er

Jerusalem, Das Aussätzigenasyl »Jesus-Hülfe der Evang. Brüderunität«

katholischer Priester wurde und bis zu seinem Tode als Judenmissionar in Jerusalem tätig war.

Unter der erbarmungslosen Mittagssonne halten die Kavalleristen an der Spitze des kaiserlichen Zuges endlich ihre Pferde an. Als sich der Staub über der Wagenschlange verzogen hat, wissen es alle: Sie haben den Stadtrand von Jerusalem erreicht. Zwar sind die bekanntesten Gebäude der Heiligen Stadt noch nicht zu sehen, doch schon das Gefühl, in ihrer unmittelbaren Nähe angelangt zu sein, erfüllt die deutschen Reisenden mit Dankbarkeit.

Freiherr von Mirbach beschreibt den ersten Eindruck: »Die Menschen grüßen mit den Händen winkend und sich verneigend – die Mohammedaner ehrerbietig zur Erde blickend, die Juden sich tief und unruhig auf- und abbeugend mit einschmeichelndem, stechendem Blick; an einzelnen Stellen erklingen deutsche ›Hochs‹ und ›Hurras‹ ... Ein türkisches Bataillon ist in Parade aufgestellt, seine starke Musikkapelle zerhackt in ohrenzerreißenden Tönen die herrliche Weise ›Tochter Zion, freue dich‹.«

Der Weg führt an der fahnengeschmückten Residenz des deutschen Konsuls vorbei zum Kaiserswerther Hospital, vor dem Schwester Charlotte Pilz den Kaiser, wie einst schon dessen Vater, willkommen heißt. Ein Stück weiter drängt sich ein alter arabischer Scheich durch die Spaliere, ergreift die Hand des Kaisers, küßt sie und drückt sie an seine Stirn. Er hat vor 29 Jahren den Kronprinzen Friedrich Wilhelm durch das Heilige Land begleitet.

Auf einem Grundstück der Jerusalem-Stiftung, das als Bauplatz des evangelischen Pfarr- und Schulhauses gedacht ist, steht das kaiserliche Lager für den Aufenthalt in Jerusalem. Der Sultan hat es durch zwei goldglänzende Prunkzelte erweitern lassen. Wilhelm zieht es aber vor, in einer zur Wahl gestellten Baracke zu wohnen. Eine Kette von Petroleumlampen dient als Straßenbeleuchtung, Schilder weisen auf eine eigene Post- und Telegraphenanstalt hin, ein Brunnen liefert frisches Wasser, für das pro Tag 600 Mark zu zahlen sind.

Rings um die fürstliche Zeltstadt haben die osmanischen Behörden das alte orientalische Wort »Daß ihm der Weg bereitet werde« getreulich erfüllt. Gab es im Frühjahr 1898 in Palästina nur Fahrwege von Jerusalem nach Hebron, Jericho und Jaffa, so führen nun auch feste Straßen zum Ölberg, nach Nazareth und nach Tiberias. Als Straßen- und Brückenbauer des Sultans hat der deutsche Professor Land neben dem Jaffator sogar einen Teil der Jerusalemer Stadtmauer abreißen und den Festungsgraben der Herodesburg auffüllen lassen, um dem Kaiserpaar einen Fahrweg in die Altstadt zu öffnen.

»Auf die Stimmung der Bevölkerung Jerusalems«, heißt es in der amtlichen Chronik, »waren die europäischen Pressekämpfe mit ihren Verdächtigungen, ihrem Neid und ihrer Eifersucht, ihren oft widersinnigen politischen und religiösen Kombinationen über die beabsichtigte Kaiserreise nicht ohne Einfluß geblieben. Dies zeigte sich im Anfange namentlich bei den Griechen und Armeniern.« Diese Christen stehen in schärfstem Gegensatz zu der Regierung in Konstantinopel, die den nach Freiheit strebenden Minderheiten im türkischen Kleinasien das Leben nicht eben leicht macht.

»Bei den römischen Katholiken war die Stimmung eine geteilte. Die im Ansehen und Einfluß stehenden französischen Orden, wie die Dominikaner, die Weißen Väter und die Augustiner von der Himmelfahrt Mariä, wünschten wegen der erst kürzlich von Deutschland nicht anerkannten französischen Protektorats-Bestrebungen über alle Katholiken den Kaiserbesuch natürlich nicht.«

»Demgegenüber machte sich die versöhnliche und milde Gesinnung des Lateinischen Patriarchen, des Monsignore Piavi, eines Italieners, geltend sowie die freundliche Stellung des Franziskaner-Ordens, dessen Vorsteher als Custode de terra santa der türkischen Regierung gegenüber als geistliches Oberhaupt der römischen Katholiken dasteht. Der Orden, in welchem auch zahlreiche Deutsche sind, fühlte sich schon seit langer Zeit trotz des französischen Protektorats, namentlich in Streitigkeiten mit den Griechen um einzelne heilige Plätze, nicht ausreichend unterstützt.«

»Freudig sahen die deutsch-katholischen Orden, die Lazaristen und die Borromäerinnen, welche sich bereits immer unter deutschen Reichsschutz gestellt hatten, der Ankunft des Kaiserpaares entgegen, wenn sie auch nichts davon ahnten, daß ihnen, die noch keinen heiligen Ort besaßen und deshalb in den Augen der anderen Katholiken und der Griechen eine untergeordnete Stellung einnahmen, in wenigen Tagen eine so große Ehrung, Freude und Stärkung bereitet werden sollte« – mit einem Grundstück auf dem Berg Sion.

»Die evangelischen Deutschen, und mit ihnen die nach dem Schutz des Reiches sehnlich verlangenden Templer, waren natürlich voll begeisterter Hoffnung, die mohammedanischen Einwohner voll fröhlicher Neugier und erwartungsvollem Staunen. Auch die Juden rüsteten sich mit großem Eifer und erhielten von ihren Freunden und Förderern

Ehrenpforte der Juden in Jerusalem

bedeutende Zuwendungen, um dem Kaiserpaar einen würdigen Empfang zu bereiten.«

Das erweist sich am Nachmittag des 29. Oktober, als Wilhelm durch fünf Ehrenpforten in die Heilige Stadt einzieht. Der Davidstern steht neben dem Kreuz und dem Halbmond, deutsche und türkische Fahnen flattern an der zwei Kilometer langen Straße vom Zeltlager zum Jaffator. Patriarchen und Bischöfe wetteifern mit Beiträgen zu den strengen Sicherheitsmaßnahmen, für die der Sultan ihre Mithilfe angeordnet hat. Niemand stört sich daran, daß es in den Kaufläden bereits an manchen Waren fehlt, weil seit Tagen auf der Eisenbahnlinie Jaffa — Jerusalem der Güterverkehr wegen des Fremdenandrangs ruht.

Die lokalen Behörden dirigiert der Gouverneur von Damaskus, der mit seinem Kopf für die Sicherheit des deutschen Kaisers haftet.

Wasserträger sprengen aus Ziegenhautschläuchen die Kalkstraßen, damit nicht Staubwolken entstehen, in denen ein Unbefugter an den Gast herankommen könnte. In Hauseingängen und auf Dächern, in Nischen der Stadtmauer und in allen Gärten versehen Wacheinheiten 24-Stunden-Dienst.

Ein leichter Windzug bewegt die heiße klare Luft, als der Kaiser am Jaffator von seinem Pferd »Kurfürst« steigt. In Parade aufgestellte Infanterie präsentiert die Gewehre. Die Deutschen Jerusalems und viele Festpilger jubeln von einer Tribüne, die 600 Menschen faßt. Ihr Hurra und der Gesang der preußischen Nationalhymne kommen »so brausend aus voller Seele«, daß der Chronist begeistert notiert: »Man fühlt sich in der Heimat.« In die mit Blumen und Zweigen bestreute enge Davidstraße folgt er jedoch dem Kaiser »nicht ohne einiges Herzklopfen und mit dem sorgenvollen Gefühle, daß hier eine verbrecherische Hand mit Erfolg ein Teufelswerk ausführen könnte«.

Vor der Grabeskirche lauscht Wilhelm den Ansprachen des Lateinischen, des Griechischen und des Armenischen Patriarchen, die als Hausherren des Heiligtums ihre Grüße entbieten. Dem Gast fällt es nicht schwer, in französischer Sprache zu antworten, weil an diesem Ort keine deutschen Besitzrechte zu wahren sind. Bei dem anschließenden Rundgang durch das Labyrinth von Kapellen und Altären zeigt er sich nicht sonderlich interessiert, weil ihm die Tagebucheinträge seines Vaters deutlich in Erinnerung sind.

Mit höfischem Einfühlungsvermögen schreibt Freiherr von Mirbach nach dem kaiserlichen Besuch der alten Bauten über dem Golgathafelsen und dem Heiligen Grab: »Zu viel unruhige Eindrücke, zu viel störende, traurige Erinnerungen stürmten auf Herz und Sinn ein... Dumpfe, modrige Luft erfüllte die Räume, und der Qualm der Kerzen machte den Aufenthalt in ihnen mit jedem Augenblicke unerträglicher. Der Gesamteindruck konnte daher weder erhebend noch ergreifend sein.« Ein Glück, daß nicht weit von der Grabeskirche die Kronprinz-Friedrich-Wilhelm-Straße zum Muristan führt! Hier betritt man deutschen Boden und ein evangelisches Heiligtum — hier fühlt sich, wie einst sein Vater, auch Kaiser Wilhelm wieder wohl.

Euerer Majestät Befehl der Weihe

Der Königliche Staatsminister der geistlichen, Unterrichts- und Medizinalangelegenheiten, DDr. Bosse, findet am Eingang der Erlöserkirche die rechten Worte: »Euere Kaiserliche und Königliche Majestät bitte ich alleruntertänigst um Erlaubnis, als Allerhöchstdero Kultusminister unseren erhabenen Kaiser und König und unsere Allerdurchlauchtigste Kaiserin und Königin in tiefster Ehrfurcht und mit stolzer Freude an dieser weihevollen Stätte im Heiligen Lande und in Jerusalem, der Heiligen Stadt, begrüßen zu dürfen – auf Allerhöchstihrem eigenen Grund und Boden.« Dann fährt er mit einem Blick auf die neue Kirche fort: »Dort steht sie und erharrt der weiteren Befehle Euerer Majestät, um in diesen Tagen als evangelische Erlöserkirche dem gottesdienstlichen Gebrauche erschlossen und geweiht zu werden ...«

In seiner Dankansprache prägt Wilhelm den Satz, der noch oft in der Auslandspresse zitiert wird: »Mit bloßen Reden ist im Orient nichts getan. Worte helfen hier nicht, sondern Taten!« Dann läßt er sich zur alten Kapelle des Muristan begleiten, wo er plötzlich den Wunsch äußert, entgegen dem offiziellen Programm schon heute die Erlöserkirche zu besichtigen. Die mit dem Festschmuck beschäftigten Gemeindemitglieder sind einen Augenblick verlegen, denn sie möchten dem Monarchen das neue Gotteshaus nicht vor dem Abschluß ihrer Arbeiten zeigen. Sie werden jedoch reichlich entschädigt: Wilhelm ist voll des Lobes über das gelungene Werk.

In Hochstimmung verleiht er noch am selben Tag im Zeltlager dem Gefolge das von ihm gestiftete Jerusalem-Kreuz. Es hat die Form des Ordens vom Heiligen Grabe, den der Lateinische Patriarch von Jerusalem, einem Auftrag des Papstes Pius IX. von 1847 entsprechend, mit Ritterschlag verleiht. Damit wird das mittelalterliche Wappen des Königreichs Jerusalem auch von einem evangelischen Herrscher als Auszeichnung verwendet. Auf das rote Emailkreuz sind goldene Schilde aufgesetzt – vorn die Kaiserkrone und die Abkürzung I. R. W. II. (Imperator Rex Wilhelm II.), auf der Rückseite das Datum XXXI. X. MDCCCIIC (31. 10. 1898). Das Band ist »zum Gedächtnis an das für die Welt vergossene Blut des Heilandes« purpurrot gefärbt.

Das ganze Gefolge ist auf den Beinen, als das Kaiserpaar am nächsten Morgen zu einem Ausflug nach Bethlehem aufbricht, um »wie einst die Weisen aus dem Morgenlande dort zu beten, wo die Krippe des Heilandes gestanden hat«. Der erste Besuch gilt aber nicht der justi-

nianischen Geburtkirche, in deren Besitz sich mehrere christliche Konfessionen — ohne die Protestanten — teilen, sondern der deutsch-evangelischen Weihnachtskirche, um deren Bau sich besonders Pastor
Schneller verdient gemacht hat, der nun aus Köln angereist ist, um
ein Buch über den kaiserlichen Triumphzug zu schreiben.

An diesem 30. Oktober wird zunächst auf einem Weinberg bei Bethlehem das Waisenhaus eröffnet, das der Jerusalemsverein für vorerst
50 armenische Kinder gebaut hat. 160 000 Mark betragen die Kosten —
deshalb wendet sich der Vereinsvorsitzende Graf von Zieten-Schwerin
»mit markigen Worten« an die Gönnerin Auguste Viktoria, ehe
evangelische Araberfrauen aus Beitschala in ihrer Muttersprache zu
singen beginnen:

> »Die große Kaiserin ist zu uns gekommen!
> Selig sind unsere Augen, die sie erschaut haben!
> Sie hat einen großen Sack voll Geld mitgebracht.
> Die große Kaiserin hat viele Söhne. Gott erhalte sie ihr!
> Gott verleihe ihr langes Leben und schenke ihr Nachkommen
> wie Sand am Meer!«

Nach dem Sonntagsgottesdienst in der Weihnachtskirche richtet
Wilhelm von der Dachterrasse der Kirche aus eine Ansprache an die
fast vollzählig erschienenen deutsch-evangelischen Geistlichen der Gebiete Syrien, Kleinasien, Mesopotamien und Ägypten. Die Zustände
im Heiligen Land und namentlich in Jerusalem, betont er unter An-
spielungen auf die Grabeskirche, mahnen dringend, »die zahlreichen
kleinen Unterschiede in unserer Konfession« zurückzudrängen und
als eine einige, festgeschlossene evangelische Kirche aufzutreten. An
Deutschland, dessen Name im osmanischen Reich in hohem Ansehen
stehe, trete jetzt die heilige Pflicht heran, den Mohammedanern zu
zeigen, was wahrhaft christliche Religion und christliche Liebe sei. So
umstritten nachher in der Presse der Wortlaut der kaiserlichen Rede
sein mag, der dienstfertige Pastor Schneller kann behaupten: »Ich
habe sie aber unbemerkt in Kurzschrift festgehalten.«

Oberhofmeister von Mirbach glaubt in Bethlehem schon den Unterschied zwischen islamischen und christlichen Arabern zu erkennen:
»War es die ehrerbietige Haltung und der stille Gehorsam, die Würde
und Zurückhaltung, welche man seither an allen Mohammedanern
bewundert hatte — welch treuherzige Offenheit, welche Tiefe und

Freundlichkeit des Gemüts, welch kindliches Vertrauen zeigte sich hier bei ihren christlichen Brüdern und Schwestern! Was könnte aus einem Volke mit solchen Eigenschaften noch werden, wenn auch der mohammedanische Teil sein Herz dem lauteren Evangelium erschließen würde!«

In diesem Sinne übernimmt Auguste Viktoria vor der Weihnachtskirche feierlich das Protektorat über den Jerusalemsverein. Laut Superintendent Tillich war es in diesem Augenblick »dem deutschen Herzen zu Mute, als wäre es hier, in der von Kindheit an bei so mancher deutschen Weihnachtsfeier aus der Ferne gegrüßten Stadt des Stalles und der Krippe, zu Hause«.

Jerusalem, Das Syrische Waisenhaus

Die Bethlehemer Geburtskirche betritt Wilhelm eigentlich nur noch, um den byzantinischen Kirchenraum gesehen zu haben, in dem am Weihnachtsfest 1100 der Kreuzfahrer Balduin, der Bruder Gottfrieds von Bouillon, vom Lateinischen Patriarchen zum ersten abendländischen König von Jerusalem gekrönt wurde. In gleicher Weise wirft er auf dem Rückweg zum kaiserlichen Zeltlager lediglich einen flüchtigen Blick auf das Grabmal Rachels, der Lieblingsfrau des Israel-Stammvaters Jakob, die nach der Geburt des Benjamin »am Weg nach Ephrata, das ist Bethlehem«, begraben wurde. Am österreichischen Malteser-Hospiz Tantur fällt dem Kaiser die »kasernenartige« Bauweise auf, am alten orthodoxen Kloster Mar Elia reitet er fast achtlos vorüber. Getreu den Überlieferungen des Kronprinzen Friedrich Wilhelm ist für den Abend noch ein Gottesdienst auf dem Ölberg geplant. Diesmal zieht jedoch nicht eine kleine Gruppe zu stiller Andacht auf den Berg. Ein großes Gefolge strebt dem russischen Kloster zu, dessen Ruhe die Marinekapelle der »Hohenzollern« mit dem Choral »O Haupt voll Blut und Wunden« unterbricht. Nach Gebeten und »religiösen Gesprächen« kehrt der Kaiser mit der Überzeugung in die Stadt zurück, die bisher friedlichsten und erhebendsten Stunden im Heiligen Land verbracht zu haben.

Pastor Schneller schreibt später eine rührende Geschichte von den wachen Gedanken, die Wilhelm bewegten, als ihm vom Ölberg aus die Strecken gezeigt wurden, die Jesus einst mit seinen Jüngern zurücklegte: »Deutlich war der Weg nach Emmaus über Berg und Tal zu sehen. Im Norden dämmerte die Gegend des Sees Genezareth, von wo Jesus so oft nach Jerusalem gekommen ist, teils über die Berge von Samaria und Ephraim, die vor unseren Augen lagen, teils über die im fernen Osten in wunderschöner Beleuchtung schimmernden Berge von Peräa, durchs Jordantal und die mit ihren zahllosen Bergen und Schluchten zu unseren Füßen liegende Wüste. Nachdenklich besah sich der Kaiser alles und sagte:

›Unser Herr Jesus muß doch ein kolossal leistungsfähiger Fußgänger gewesen sein. Überhaupt muß er auch physisch eine starke Natur gehabt haben. Sonst hätte er nicht auf dem See Genezareth mitten im wildesten Sturm so gut schlafen können.‹ «

Am frühen Morgen des 31. Oktober gleicht Jerusalem einem Ameisenhaufen. Durch die engen Gassen der ummauerten Altstadt und über die breiteren Straßen der neuen Bezirke hasten ungezählte Einheimische und Fremde. Zwischen die verschiedenen Gewänder der Araber, Türken, Juden, Armenier, Griechen, Berber und Sudanesen mischen sich Talare, Ordenstrachten und Galauniformen. Die Menschenströme bewegen sich in verschiedene Richtungen, doch werden alle von demselben Wunsch getrieben: die beiden angekündigten Festzüge zur Erlöserkirche als Teilnehmer oder Zuschauer mitzuerleben.

Die Ausgangspunkte und die Wegstrecken werden schon seit der Nacht von dichten Reihen osmanischer Soldaten und Polizisten gesichert, die sich zum erstenmal gegen die Zuschauermassen stemmen müssen, als das Musikkorps und eine Ehrenkompanie der »Hohenzollern« in Paradeuniform zu den Klängen des »Pariser Einzugsmarsches« in Richtung Erlöserkirche anrücken. Bald danach setzt sich am Jaffator der Zug der Festpilger in Bewegung, der sich vor dem deutschen »Lloyd-Hotel« aufgestellt hat. Die Spitze bilden Angehörige des Johanniterordens, die Rechtsritter in der roten Tracht, dem langen schwarzseidenen Mantel mit weißem achtzackigem Kreuz und dem schwarzen Hut mit schwarz-weißen Straußenfedern; ihnen folgen die Repräsentanten der außerdeutschen Kirchengemeinschaften und der deutschen Kirchenregierungen. Das Kuratorium der Jerusalem-Stiftung führen die Söhne der drei anwesenden Gründungsmitglieder an: der Jura-Student Barkhausen, der Kaufmann Colsmann und der Landrat von Schwerin.

Kaum haben die offiziellen Pilger die Erlöserkirche erreicht, da kündigen Kanonenschüsse von der Zitadelle den Festzug des Kaiserpaares an. »Das Staunen, der Dank, die Freude«, so beschreibt Pastor Schlicht das Publikum, »lagen auf jedem Gesicht; in den Jubel mischte sich das Geläute der Glocken — ohne Unterschied, zu welcher von den vielen, hienieden oft hadernden Kirchen sie gehörten.«

Am Jaffator steigt die Kaiserin aus dem Galawagen des Sultans, der Kaiser von seinem Lieblingsrappen »Herzog«, umjubelt von den Deutschen Jerusalems, die sich wieder auf der Tribüne drängen. Langsam gehen die Majestäten durch die von Läden gesäumte Davidstraße bis zu der Abzweigung, die in die Kronprinz-Friedrich-Wilhelm-Straße mündet. An der Grenze der deutschen Besitzung, vor den Trümmern des ehemaligen Johanniter-Hospitals, wendet sich der Ordenskanzler und langjährige Reichstagspräsident Dr. von Levetzow an Wilhelm und Auguste Viktoria:

»Allerhöchstdieselben erinnern sich ... gnädigst, daß wir an der Geburtsstätte weilen des Ordens, der vor fast 800 Jahren zur Verteidigung des Christentums und zur Pflege von Kranken und Siechen genau an dieser Stelle aufgerichtet wurde, des Ordens, den Euerer Majestät Vorfahren am Regimente in der Mark und an der preußischen Krone seit der Zeit des Markgrafen Waldemar in der Heimat treu gepflegt haben, den König Friedrich Wilhelm IV. seiner Bestimmung wiedergegeben hat, den Euere Majestät, ihm beitretend, in besonderen huldvollen Schutz nahmen und der die Wege zu wandeln bestrebt ist, auf welchen unsere erlauchte Kaiserin und Königin vorangeht.«

Der Kaiser dankt und schreitet anschließend die Front der türkischen

Einzug des deutschen Kaiserpaars durch den dritten Triumphbogen am
Jaffator.

und deutschen Ehrenformationen ab, deren Musikkapellen vor der Erlöserkirche Präsentiermärsche spielen. Zum Sprecher der Kirchenvertreter, des Architekten und des Baumeisters macht sich Graf von Zieten-Schwerin, indem er dem Kaiser in strammer Haltung meldet: »Die Erlöserkirche steht fertig da und harrt Euerer Majestät Befehl der Weihe.« Wilhelm nimmt von dem Berliner Oberbaurat Adler die Kirchenschlüssel entgegen und gibt sie mit den Worten »Jesus Christus gestern und heute und derselbe auch in Ewigkeit« an den Präsidenten des Oberkirchenrats, Barkhausen, weiter. Dieser wiederum dankt im Namen aller deutschen evangelischen Kirchen dem »Allerdurchlauchtigsten, Großmächtigsten Kaiser und König ... für die reiche Gnade, in der Allerhöchstdieselben die Erbauung dieses Gotteshauses zu befehlen geruhet haben« und endet mit der Bitte: »Geruhen Euere Majestät die Öffnung der Erlöserkirche huldreichst zu befehlen!«

Ein Wink des Kaisers — und »Exzellenz Barkhausen ersucht den die Einweihung vollziehenden Generalsuperintendenten und Oberhofprediger D. Dryander, die Kirchtür durch den Geistlichen der deutschen evangelischen Gemeinde in Jerusalem, Propst Hoppe, öffnen zu lassen«. Angesichts dieser strengen Beachtung der hierarchischen Ordnung kann man verstehen, daß der Chronist die Schilderung der Zeremonie mit dem Satz schließt: »Die glühende Phantasie und die Demut des niederen mohammedanischen Volkes bewunderte in den Majestäten immer mehr gottgesegnete höhere Wesen.«

Für die Evangelische Jerusalem-Stiftung, die Wilhelm II. vor neun Jahren »mit sämtlichen zur Verfügung der Krone stehenden Mitteln« ausgestattet hat, ist es der denkwürdigste Tag. Die erste Aufgabe des Kuratoriums, der Bau einer Kirche in der Heiligen Stadt, ist zu Ende geführt. Voller Rührung gedenkt Präsident Barkhausen des 31. Oktober 1893, an dem er »im Auftrag meines Allergnädigsten Kaisers und Königs auf dem Hohenzollernthron, des Schutz- und Schirmherrn der evangelischen Kirche«, in der Mittelapsis eines zerfallenen Gotteshauses den Grundstein der Erlöserkirche gelegt hat.

Jetzt dienen alte Teile der Johanniter-Hauptkirche »Sancta Maria Latina Major« — so die Bogenskulpturen des Nordportals mit den in flachen Reliefs dargestellten zwölf Monaten — wieder der Ehre Gottes. Der neue Altarraum ruht auf der sogenannten zweiten Stadtmauer Jerusalems, deren Reste bei den Ausschachtungsarbeiten ans Licht traten und anzeigten, weshalb geschrieben steht, daß Jesus zur Kreuzigung auf Golgatha »hinausgeführt« wurde.

Den 45 Meter hohen Kirchturm hat Wilhelm II. persönlich entworfen – nach einem romanischen Vorbild in Tivoli nordöstlich von Rom. Die Glocken wurden (eine Oktave höher als das Geläut der Berliner Kaiser-Wilhelm-Gedächtniskirche) im thüringischen Apolda gegossen, der Altar, das Taufbecken und die Kanzel aus Bethlehemer Kalkstein gehauen.

Die Orgel und die Bronzearbeiten stammen aus Berlin, die Holzarbeiten aus Wittenberg, die farbigen Fenster aus Charlottenburg und das Kreuz auf der Vierungskuppel aus Leipzig. Die Kanzelbibel stiftete der Kaiser, die Altarbibel die Kaiserin, das Heilige Gefäß der Generalfeldmarschall von Wrangel, den Taufstein der Großherzog von Mecklenburg-Schwerin und den Altar der Evangelisch-Kirchliche Hilfsverein und Kirchenbauverein Berlin. Alles in allem wurden, wie es die im Grundstein verschlossene Urkunde des »Allerhöchsten Bauherrn« festhält, »durch die opferwillige Handreichung der evangelischen Gemeinden Deutschlands die Mittel zum Bau gewonnen«.

Durch das Westtor, dessen Archivolten-Felder die geneigten Schilde der Hohenzollern und der Johanniter zieren, strömen die Gäste in die Kirche. In den drei Schiffen stehen Menschen verschiedener Konfessionen Kopf an Kopf. »Fürwahr«, so begeistert sich der Chronist, »das war ein Bild, so farbenprächtig, so glänzend und eindrucksvoll, wie es wohl noch niemals, seit es eine evangelische Kirche gibt, in einem Gotteshause sich dargeboten hat.«

Die Musikkapelle der Kaiserjacht begleitet mit fast fünfzig Hörnern den Matrosenchor, der den Gottesdienst mit »Tochter Zion, freue dich« eröffnet. Fast zurückhaltend klingt dagegen der Gemeindegesang »Allein Gott in der Höh' sei Ehr'«. Dann schreitet der Oberhofprediger zum Altar und hebt zur Weiherede an: »Aus allen Gauen unseres deutschen Vaterlandes, ja weit darüber hinaus – Vertreter der evangelischen Welt, in unserer Mitte das erlauchteste Paar der evangelischen Christenheit –, sind wir hier zusammengekommen, ein Kreuzesheer im Sinne unseres sanftmütigen Königs ohne Waffen«, um zu versprechen, daß »mit dem heutigen Tage die evangelische Kirche mit neuer Energie eintritt in den friedlichen Wettstreit der Konfessionen um das Heilige Land«.

Die Predigt des ersten Gemeindegottesdienstes hält Paul Hoppe, der aus Anlaß des Weihefestes zum Propst ernannt worden ist, über den von Wilhelm in die Kanzelbibel geschriebenen Text »Es ist ein Gott und ein Mittler zwischen Gott und den Menschen...« Wie auf An-

ordnung des Monarchen das gemeinsam gesungene Luther-Lied »Ein'
feste Burg ist unser Gott« von Orgel, Bläserchor und Kesselpauken
begleitet wird, so ertönen vor der Schlußliturgie noch einmal Posaunen
und Orgel zu »Lob, Ehr' und Preis sei Gott«.

Der feierliche Gottesdienst ist zu Ende, die Besucher wollen sich
zum Gehen wenden. Da sorgt der Kaiser noch für die Überraschung des
Tages, die dem Freiherrn von Mirbach fast den Atem raubt: »Es geschah etwas ganz Unerwartetes. Seine Majestät der Kaiser schritt die
Stufen zum Altare hinan, kniete nieder zum Gebet, wandte dann der
Gemeinde sein Antlitz zu, trat vor ein Lesepult und verlas langsam
und feierlich mit tiefem Ernste jenes mächtige, herrliche Bekenntnis,
welches nicht nur durch seine edle, gedankenvolle Sprache, nicht nur
durch seinen milden, wahrhaft evangelischen Inhalt, sondern vor allem durch sein unverbrüchliches Festhalten am reformatorischen Glauben sich auszeichnet:

›Gott hat in Gnaden Uns verliehen, daß Wir in dieser allen Christen
heiligen Stadt, an einer durch ritterliche Liebesarbeit geweihten Stätte
das dem Erlöser der Welt zu Ehren errichtete Gotteshaus haben weihen
können. Was Meine in Gott ruhenden Vorfahren seit mehr als einem
halben Jahrhundert ersehnt und als Förderer und Beschützer der hier
im evangelischen Sinne gegründeten Liebeswerke erstrebt haben, das
hat durch die Erbauung und Einweihung der Erlöserkirche Erfüllung
gefunden ...

Von Jerusalem ist der Welt das Licht aufgegangen, das selige Licht,
in dessen Glanze unser deutsches Volk groß und herrlich geworden ist.
Was die germanischen Völker geworden sind, das sind sie geworden
unter dem Panier des Kreuzes auf Golgatha, des Wahrzeichens der
selbstaufopfernden Nächstenliebe. Wie vor fast zwei Jahrtausenden,
so soll auch heute von hier der Ruf in alle Welt erschallen, der unser
aller sehnsuchtsvolles Hoffen in sich birgt: Friede auf Erden. Nicht
Glanz, nicht Macht, nicht Ruhm, nicht Ehre, nicht irdisches Gut ist es,
was wir hier suchen; wir lechzen, flehen und ringen allein nach dem
Einen, dem höchsten Gute, dem Heil unserer Seelen!

Gott verleihe, daß von hier aus reiche Segensströme zurückfließen
in die gesamte Christenheit, daß auf dem Throne wie in der Hütte, in
der Heimat wie in der Fremde Gottvertrauen, Nächstenliebe, Geduld
im Leiden und tüchtige Arbeit des deutschen Volkes edelster Schmuck
bleibe, daß der Geist des Friedens die evangelische Kirche immer mehr
und mehr durchdringe und heilige ...‹ «

Jerusalem, Die evangelische Erlöserkirche

Am Schluß, ergänzt der Oberhofmeister, »beugte sich der Kaiser wieder vor dem Altar und schritt langsam die Stufen hinab. Die Gewalt des Eindrucks dieser Ansprache ist unbeschreiblich. Viele reichten sich ohne Worte die Hand, weil sie nicht ausdrücken konnten, was durch ihre Seele ging. In manchem Auge sah man Tränen tiefer Bewegung und innigen Dankes schimmern, daß sie Zeugen dieses ergreifenden Vorganges, dieser geschichtlichen Tat sein durften.«

Auch Pastor Schneller war von diesem »herrlichen, unvergeßlichen Anblick« überwältigt: »Droben stand die ritterliche Erscheinung des Kaisers, die Brust vom goldenen Küraß umpanzert, eine leuchtende Siegfriedsgestalt... Das war der Höhepunkt der Kaisertage in Jerusalem. In manchem wetterharten Angesicht sah man eine Träne glänzen. Und der Reichstags-Präsident von Levetzow, der neben mir stand, reichte mir mit feuchtem Auge die Hand mit den Worten: ›Wir können Gott auf den Knien danken, daß wir einen solchen Kaiser haben‹.«

Die Protokollbeamten haben alle Mühe, den Weg zu der alten Kapelle neben der Erlöserkirche freizuhalten, wohin sich das Kaiserpaar zur Vorstellung der höchstrangigen Festpilger begibt. Die Bischöfe aus Wisby und aus Christiania übermitteln die Grüße des Königs Oskar II.

von Schweden und Norwegen, der in einem Schreiben den Segen er-
bittet »über Euere Kaiserliche Majestät als hohen Vertreter und Voll-
führer einer wahrhaft christlichen Weltanschauung und über Ihre
Majestät die Kaiserin als das hohe Ideal aller evangelischen Mütter
und Hausfrauen«. Der Hofkaplan und Präsident der Allgemeinen Synode der Niederländisch-Reformierten Kirche übergibt dem Kaiser ein
Schreiben seiner Königin Wilhelmina.

Pastor Dr. Menzel aus Richmond in Virginia erklärt in einer Ansprache, daß die Deutsche Evangelische Synode von Nordamerika, die er zu
vertreten die Ehre habe, nicht nur den deutschen Namen bewahrt habe,
sondern sich auch als die einzige legitime Tochter der Evangelischen
Landeskirche Preußens in Nordamerika fühle. In wenig mehr als fünfzig Jahren seien aus einer kleinen Ansiedlung jenseits des Mississippi
17 Distrikte mit rund 900 Pastoren und 1100 Gemeinden hervorge-
gangen. Wilhelm II. bittet deshalb, den Deutschen in Amerika seinen
und seiner Gemahlin kaiserlichen Dank und Gruß zu entbieten und
ihnen zu sagen, sie sollten auch in Zukunft, ein jeder treu in seinem
Berufe und in seiner Stellung, deutsches Wesen pflegen und bewahren.

Eine besondere Freude bereitet dem Kaiser ein Beauftragter des
Leipziger Gustav-Adolf-Vereins, der für ein neues Pfarrhaus in Jerusalem 35 000 Mark gesammelt hat. Dann tritt der Präsident des Protestantischen Oberkonsistoriums in Bayern vor, um im Namen aller deutschen Kirchenregierungen zu erklären: »Aus der zündenden Kraft des
evangelischen Bewußtseins ist in den hier anwesenden Vertretern der
deutschen evangelischen Kirchen bei ihrer Fahrt zum Heiligen Lande
der einstimmige Wunsch entstanden, ... der Pflege evangelisch-christ-
licher Altertumswissenschaft ein Heim in dieser Stadt zu gründen. Wir
dürfen Euere Majestät jetzt schon alleruntertänigst bitten, diesem Werke im Falle seiner Durchführung Allerhöchstihre huldvolle und wohl-
wollende Teilnahme allergnädigst zuwenden zu wollen.«

Das Schweizer Kreuz, umrahmt von Edelweiß und Alpenrose, ziert
die Pergament-Adresse der Schweizer Evangelisch-Reformierten Landeskirchen. Sie hebt hervor, daß »der erste evangelische Bischof von Jerusalem ein Sohn unserer Berge« war, und fährt fort: »Wir freuen uns
darum, daß in künftigen Zeiten auch in Jerusalem inmitten des Ge-
wirres von Völkern, Bekenntnissen und Sprachen das Wort von unseres
Erlösers Huld in Luthers Sprache klar und kraftvoll verkündigt werde
und deutsches evangelisches Wesen dort einen sichtbaren starken Mittelpunkt erhalten soll.«

Der Vorsitzende der Jerusalem-Stiftung hat die Ehre, die kaiserliche Urkunde über die Weihe der Erlöserkirche verlesen zu dürfen, die Wilhelm und Auguste Viktoria anschließend unter dem Beifall der Kirchenführer unterzeichnen. Jeder offizielle Festpilger empfängt aus der Hand des Monarchen eine mit der Kaiserkrone geschmückte Kapsel, die eine Erinnerungs-Bronzeplatte enthält. Sie zeigt auf der einen Seite Wilhelm II. in Garde-du-Corps-Uniform mit Adlerhelm und auf der anderen das neue Gotteshaus über einem aus Trümmern gewachsenen Ölbaumzweig.

Aus Erz gegossen ist auch eine große, von Wilhelm gestiftete Gedächtnistafel, die an der Mitteljochswand im südlichen Seitenschiff der Erlöserkirche angebracht wird. In knapper Zusammenfassung schildert sie die Geschichte des Gotteshauses, das »auf Befehl des Deutschen Kaisers und Königs von Preußen, Wilhelm II., ... in den Jahren 1893 bis 1898 erbaut und am 31. Tage des Oktober 1898 in Allerhöchstdesselben und der deutschen Kaiserin und Königin von Preußen, Auguste Viktoria, Gegenwart ihrer heiligen Bestimmung übergeben« worden ist — getreu dem »Ps. 26 V. 8: Herr, ich habe lieb die Stätte deines Hauses und den Ort, da deine Ehre wohnt.«

Für Meine katholischen Untertanen

Am Nachmittag des 31. Oktober genießt die Bevölkerung Jerusalems erneut das Schauspiel eines kaiserlichen Festzuges. Wieder reitet Wilhelm II. auf der Triumphstraße vom Zeltlager zum Jaffator. Doch diesmal wendet er sich nicht dem gewohnten preußisch-protestantischen Pilgerweg, sondern dem Sionstor und dem höchsten Punkt der neuen Stadt zu. Dort erwarten ihn der Lateinische Patriarch, die deutschen Franziskaner der Kustodie und die Vertreter des Deutschen Vereins vom Heiligen Lande zu der ersten hohenzollerischen Feierstunde in Jerusalem, die der »anderen«, der katholischen Reichshälfte gewidmet ist.

Die Ehrenwache auf dem Sion stellt Seiner Majestät Schiff »Hertha« unter dem Kommando des Johanniter-Ehrenritters von Usedom. Zwei Matrosen flankieren den Flaggenmast vor einem schattenspendenden Festzelt. Der Kaiser sucht aber nicht Schutz vor der grellen Sonne, sondern schreitet gleich nach der Ankunft die Front der Marineformation ab und erläutert dann den versammelten Einheimischen und

Fremden die Bedeutung seines Kommens: »Seine Majestät der jetzt regierende Sultan hat sich bewogen gefunden, Mir dieses Terrain zu überlassen, auf daß für die deutschen Katholiken zu deren Nutz und Frommen Gebäude darauf entstehen können. Indem Ich mit tiefem Dank an Seine Majestät den Sultan das Terrain übernehme, hoffe Ich, daß diese Gabe ... zu einem Segen für Meine katholischen Untertanen, speziell auch für die Bestrebungen im Heiligen Lande werden möge.«

Dann befiehlt Wilhelm der angetretenen Kompanie mit schneidender Stimme »Präsentiert das Gewehr!« und läßt zu den Klängen der preußischen Hymne auf dem Platz der »Dormitio Beatae Mariae Virginis« die königliche Standarte hissen.

Patriarch Piavi dankt im Namen des Heiligen Vaters für die »sublime idée de Votre Majesté«, ehe Hospiz-Direktor Pater Schmidt die kaiserliche Großtat würdigt: »Euerer Majestät innigst dankend füge ich zugleich ein Versprechen hinzu, mit welchem ich sicher bin, dem Herzen Euerer Majestät entgegenzukommen. Wir stehen auf dem heiligen Berge Sion, von welchem geschrieben steht ›non commovebitur‹. Ebenso fest und stark soll stehen die Treue der katholischen Untertanen Euerer Majestät.« Der Sprecher äußert auch seinen persönlichen Dank dafür, daß »Euere Majestät sich herbeigelassen, meine Brust mit einem Allerhöchsten Ehrenzeichen zu schmücken. Unter dieser Dekoration schlägt ein gut deutsches, gut preußisches Herz; diese Auszeichnung wird dazu dienen, die Bande der Liebe und Anhänglichkeit an Kaiser, Reich und Kirche noch zu festigen.«

Demonstrativ richtet Wilhelm vor allen Gästen noch ein besonderes Wort an seine Soldaten: »Es ist eine ganz besondere Auszeichnung für euch, daß ihr der heutigen Feier an dieser Stelle beiwohnen könnt. Ich hoffe, ihr werdet euch dieser würdig erweisen, und wenn ihr nach Hause kommt, werdet ihr euren Verwandten und Freunden erzählen können, daß ihr Gelegenheit erhalten und benutzt habt, die Stätten zu sehen, wo unser Heiland lebte und für uns litt.«

Salutierend verspricht der »Hertha«-Kommandant »immer größeren Eifer der Truppe in der Erfüllung ihrer Pflichten« und endet mit einem »dreifach kräftigen Hurra auf Seine Majestät den Kaiser«. Während das Marinedetachement mit klingendem Spiel abrückt, besichtigt der Monarch sein Grundstück und die benachbarten Orte der Überlieferung, zu denen das auch von den Muselmanen verehrte Kenotaphium Davids gehört.

Nur unter großen Schwierigkeiten, hebt der Bericht des Oberhofmeisters hervor, sei die Umgebung eines islamischen Heiligtums in deutschen Besitz gelangt. Der Sultan habe das Gelände erworben, um es Wilhelm II. für fast 100 000 Mark, zuzüglich der hohen Übertragungs- und Umschreibungskosten, abzutreten. »Der Kaiser ist als Eigentümer des Platzes eingetragen und hat die Nutznießung dem deutsch-katholischen Vereine überlassen.« So können die Katholiken die für den Grunderwerb gesammelten Gelder schon für die geplante Kirche verwenden, die dort gebaut werden soll, wo sich einmal die »Hagia Sion«, die »Mutter aller Kirchen«, erhob und wo vom 14. bis zum 16. Jahrhundert der Guardian des Sionsklosters und Pater Kustos des Heiligen Landes seinen Sitz hatte.

»Ich bin glücklich«, schreibt Wilhelm in einem längeren Telegramm an Papst Leo XIII., »zur Kenntnis Euerer Heiligkeit bringen zu können, daß Ich ... in Jerusalem das ›Dormition de la Sainte Vierge‹ genannte Grundstück habe erwerben können ... Es hat Meinem Herzen wohlgetan, bei diesem Anlaß zu bekunden, wie teuer Mir die religiösen Interessen der Katholiken sind, welche die göttliche Vorsehung Mir anvertraut hat.« Kurz danach antwortet der Heilige Vater: »Wir sind sehr gerührt durch das gütige Telegramm ... Indem Wir Unsere lebhafte Genugtuung bezeugen, sind Wir gewiß, daß die Katholiken Euerer Majestät sehr dankbar sein werden, und gern verbinden Wir Unsere aufrichtigsten Danksagungen mit denen der anderen.«

Auf dem Rückweg zum Jaffator wird der Kaiser vom Armenisch-Orthodoxen Patriarchen zu einem Besuch der dreischiffigen Jakobuskirche eingeladen und zu einer Erfrischung in die Residenz gebeten. Im Empfangssaal hat ein Bild des preußischen Kronprinzen in Dragoneruniform — ein Geschenk aus dem Jahre 1869 — einen Ehrenplatz. Vor dem Bildnis der Kaiserin Elisabeth von Österreich rollen dem alten Kirchenfürsten, wie der Chronist beobachtet, »dicke Tränen in den langen weißen Bart«.

Die evangelischen Deutschen haben sich währenddessen im Weinberg des Syrischen Waisenhauses zusammengefunden, um auf Einladung der Jerusalem-Stiftung ein Gemeindefest bei Kaffee, Kuchen und Wein zu begehen. Der frühere Jerusalemer und jetzige Berliner Pastor Weser stellt voller Begeisterung fest: »Jene alteingesessenen Familien der Schicks, der Schnellers, der Vesters, Bayers und anderer mit Kind und Kindeskindern bildeten einen großen Kreis; und wenn man dessen Älteste anschaute, den über achtzigjährigen Baurat Schick und die bald achtzigjährige Frau Direktor Schneller und dazu die blühende Schar ihrer Kinder und Enkel, so folgte daraus, daß das Klima Jerusalems doch recht gesund sein muß.«

Am Abend des ereignisreichen Reformationstages spielt die Musikkapelle der »Hohenzollern« vor einem dankbaren Publikum. Für Freiherr von Mirbach ist es »ein gemütliches, deutsches Hoffest in einem von türkischen Truppen bewachten Lager vor den Toren Jerusalems. Dabei stiegen die Raketen des vom Sultan gespendeten Feuerwerks strahlend zum nächtlichen Himmel auf«.

Weniger fröhlich beginnt der 1. November. Auf Anordnung des Kaisers muß das ursprüngliche Programm für die nächsten Tage auf die Besichtigung Jerusalems und seiner näheren Umgebung reduziert werden — nach außen hin »wegen der andauernd tropischen Hitze und des auf den Wegen liegenden fast fußhohen Staubes«, in Wirklichkeit aber, weil »zu allgemeiner Betrübnis die Nachrichten auf dem Gebiete der äußeren Politik« nicht günstig sind. Wilhelm läßt sich laufend über die Geschehnisse in verschiedenen Erdteilen informieren.

Spanien, das einen unglücklichen Krieg gegen die aufsteigende Weltmacht der Vereinigten Staaten von Amerika führt, muß nach der Vernichtung seiner Seestreitkräfte im Karibischen und im Malaiischen Meer seine Besitzungen Puerto Rico, Kuba und Philippinen zugunsten der USA räumen. General Kitchener, der britische Oberbefehlshaber der ägyptischen Armee, in der auch ein junger Offizier namens Winston Churchill dient, bekämpft am oberen Nil französische Besitzansprüche im Sudan, bis er Anfang November die Expeditionstruppen des Majors Marchand in Faschoda zur Flaggeneinholung und zum Abzug zwingen kann. Zwischen Paris und London herrscht Hochspannung.

Schweren Herzens verzichtet Wilhelm auf Besuche der Oase Jericho, des Toten Meers und besonders des Klosters Mar Saba am Weg nach Hebron, das wegen seiner Beziehungen zu Karl dem Großen schon in den fränkischen Reichsannalen erwähnt wird und jetzt dem Protektorat des russischen Zaren untersteht. Auch weitere Ziele werden gestrichen. Wie Pastor Schneller zitiert, hätte der Kaiser »ja gerne Nazareth und den See Genezareth gesehen, aber die Pflicht gehe vor, da müßten persönliche Wünsche zurückstehen«. Denn: »Auf dem Tabor gibt es keinen Telegraphen.« Wilhelms Kommentar zu Frankreichs Niederlage im Sudan spricht auch dem Pastor aus dem Herzen: »Ich habe ja selbst nichts gegen die Franzosen, im Gegenteil, ich habe für manches bei ihnen Sympathie. Aber Frankreich ist nun einmal eine niedergehende Nation.«

Endlich entschließt sich das Kaiserpaar, noch zu einigen Sehenswürdigkeiten außerhalb der Altstadt zu reiten — zum sogenannten englischen Golgatha in der Nähe der Jeremias-Grotte, dann in Richtung Kedrontal zur Kirche des Mariengrabs und schließlich zur Magdalenenkirche im russischen Garten Gethsemani, die Zar Alexander III. der Schutzpatronin seiner aus Hessen stammenden Mutter Maria geweiht hat. Von einem Abstecher zum lateinischen Gethsemani berichtet Freiherr von Mirbach: »Ein Franziskanermönch führte die Majestäten durch eine kleine niedrige Pforte in den Garten hinein und pflückte ihnen Blumen und Ölzweige, freudig und tief bewegt, seinem Kriegsherrn ins Antlitz zu schauen; denn er war ein alter Paderborner Husar, hatte den Feldzug 1870 mitgemacht und trug mit Stolz die Kriegsdenkmünze. Unter seiner Mönchskutte schlug ein braves preußisches Soldatenherz.«

Auf dem Ölberg interessiert sich Wilhelm für die Bethphage-Kirche auf dem Platz, wo Jesus am Palmsonntag das Eselsfüllen bestieg, und für die Himmelfahrtskapelle, die seit dem Ende der Kreuzzüge eine Moschee ist. »Besonders wurde die Aufmerksamkeit des Kaisers durch die Höhenzüge im Norden gefesselt«, hebt der Oberhofmeister hervor, »von wo aus die Belagerungen stattgefunden hatten.« Zu Pastor Schneller gewandt befaßt sich Wilhelm auch mit dem Gewahrsam des Heidenapostels in der Burg Antonia: »Ich habe mich beim Lesen gefreut, daß die Römer diesem Paulus, dem wahren Imperator der Zukunft, ungewollt einer seiner Bedeutung entsprechende Eskorte mitgaben, als sie ihn bei Nacht und Nebel nach Cäsarea fortführten, fast ein halbes Regiment, 470 Mann Infanterie und Kavallerie.«

Nach einem Zwischenaufenthalt im Lager, »wo der Kaiser mit dem Staatsminister von Bülow über zwei Stunden arbeitet«, gilt ein längerer Besuch dem Syrischen Waisenhaus, dessen 300 Bewohner das Herrscherpaar mit einem dreifachen Hoch willkommen heißen. »Die Kaiserin machte zahlreiche Einkäufe von den Erzeugnissen des Hauses, den Töpfer-, Olivenholz-, Perlmutterwaren, in Olivenholz gebundenen Bibeln und dergleichen, um sie, wie sie wiederholt sagte, als liebe Andenken und wertvolle Weihnachtsgaben nach der Heimat mitzunehmen.« Noch ein Ausblick vom höchsten Gebäude, dann verlassen »die Majestäten das Haus unter dem Jubel und Gesange der Kinder, unter den Klängen der von dem alten Heldenkaiser gestifteten Glocken«.

Am 2. November besichtigt Wilhelm die islamischen Heiligtümer auf dem alten Tempelplatz der Juden, »der erst seit dem Krimkriege

Nichtmohammedanern wieder zugänglich gemacht ist«. Auf Befehl des Sultans führen ihn der Mufti von Jerusalem, der Scheich des Haram und der Wali von Syrien im achteckigen Felsendom auch in die sonst gesperrte Höhle unter der Kuppe des Berges Moria. Dort möchte Wilhelm den Ersten Imam der Moschee davon überzeugen, daß an einem der bedeutungsvollsten Orte der Welt Ausgrabungen vorgenommen werden sollten. Doch »der alte Herr antwortete als strenger Muslim, dem jedes Verständnis für Altertumsforschungen fehlt, ausweichend, daß es besser sei, Blicke und Gedanken nach oben als in die Tiefe zu richten«.

Vor dem Brunnen für die rituellen Waschungen der Muslimin drückt sich der Kaiser lyrisch über die Wasserversorgung Jerusalems aus: »Gottes Brünnlein hatten Wassers die Fülle.« Die El-Aqsa-Moschee, die mit ihrem Namen den von Mekka und Medina »entferntesten« Gebetsplatz kennzeichnet, »erfreute die Majestäten besonders, weil sie den christlichen Anschauungen mehr entspricht als die Omar-Moschee«. Am Goldenen Tor – »Der Zutritt ist Christen sonst nicht gestattet« – erinnert sich Wilhelm, daß die »porta aurea« zugemauert ist, weil nach der Sage »einst an einem Freitage hier ein christlicher Eroberer einziehen und Jerusalem den Mohammedanern wieder entreißen werde«.

An der Feste Antonia vorbei geht das Kaiserpaar zur der französischen Anna-Kirche in der Nähe des Teiches Bethesda, die etwa gleichzeitig mit der Johanniter-Kirche »Maria Latina Major« gebaut wurde, dann auf der Via dolorosa, über die sich der Ecce-homo-Bogen wölbt, zur Geißelungs-Kapelle der Franziskaner und zur Lithostrotos-Krypta unter dem Kloster der französischen Sionsschwestern.

Zwischen Besuchen bei den Patriarchen der Lateiner und der Griechen sowie Audienzen für den französischen Konsul und eine Delegation der Stadt Jerusalem, die zur Erinnerung ein Perlmutter-Modell des Felsendoms überreicht, empfängt der Monarch im Lager auch eine eigens aus Europa angereiste Abordnung. Ihr Sprecher ist der 38 Jahre alte Dr. Theodor Herzl aus Wien, der schon in Konstantinopel um ein Gespräch nachgesucht und als Geschenk ein Album mit Ansichten der israelitischen Kolonien in Palästina mitgebracht hat. Wie der protestantische Kaiser besucht er zum erstenmal das Heilige Land.

»Der wird mich verstehen, denn er ist erzogen, große Dinge zu verstehen«, sagt Theodor Herzl über den Hohenzollern. Intensiv beschäftigt sich der aus Budapest stammende Jurist mit der Ideologie des poli-

Das Heilige Grab in der Grabeskirche

Kaiserliches Zeltlager zwischen Haifa und Cäsarea

Das Kaiserpaar auf dem Weg von Jaffa nach Jerusalem

Das Kaiserpaar im Vorhof des Syrischen Waisenhauses

Jerusalem, Jaffator und Davidsturm

M NAMEN GOTTES DES
VATERS VND DES SOHNES
VND DES HEILIGEN GEISTES.
AMEN !

IN IERVSALEM, DER STADT GOTTES,
DA, WO VNSER HERR VND HEILAND
IESVS CHRISTVS DVRCH SEIN BITTERES
LEIDEN VND STERBEN VND SEINE SIEG=
HAFTE AVFERSTEHVNG, DAS WERK DER
ERLOESVNG VOLLBRACHT HAT, AVCH DER
KIRCHE DER REFORMATION EINE BLEI=
BENDE STÆTTE ZV BEREITEN, WAR SCHON
LANGE DAS STREBEN MEINER IN GOTT
RVHENDEN VORFAHREN, AVF DASS AVCH
DEVTSCHLANDS EVANGELISCHE KIRCHE DA
NICHT FEHLE, WO DIE CHRISTEN ALLER BE=
KENNTNISSE FVER DIE GNADENTHAT DER
ERLOESVNG DANK OPFERN.

NACHDEM SCHON DES KOENIGS FRIEDRICH WILHELM IV.
MAIESTÆT NACH DER HEILIGEN STADT DIE AVGEN GERICH=
TET VND IN IHR DEM EVANGELISCHEN GLAVBEN RAVM ZV
SCHAFFEN

JERUSALEM, DEN EIN VND
DREISSIGSTEN OCTOBER
DES IAHRES EINTAVSEND ACHT
HVNDERT ACHT VND NEVNZIG
NACH CHRISTI GEBVRT.

Aus der Urkunde zur Einweihung
der evangelischen Erlöserkirche in
Jerusalem durch Wilhelm II. am
31. 10. 1898
Unterschriften Kaiser Wilhelms II.
und der Kaiserin mit dem Siegel
auf der Urkunde zur Einweihung
der Erlöserkirche

Das Kaiserpaar auf der Rückkehr von der Einweihung der Erlöserkirche

Kaiser Wilhelm II. vor der Erinnerungstafel in Baalbek

Prinz Eitel Friedrich
von Preußen

Heinrich August Meißner
– Meißner Pascha, der
Erbauer der Bagdad- und
Hedschasbahn

tischen Zionismus, seit er in Paris als Korrespondent der Wiener »Neuen Freien Presse« die Schmach des französisch-jüdischen Hauptmanns Dreyfus mit durchlitten hat. Wie seine Landsleute Victor Adler, Gustav Mahler, Sigmund Freud oder Arthur Schnitzler bewundert er den Aufstieg des Königreichs Preußen und sieht darin sogar ein Vorbild für seine Vision eines künftigen Judenstaats, denn auch sein Volk soll »kriegsstark, arbeitsfroh und tugendhaft« werden, soll Ideen, Fahnen und Lieder hervorbringen, dann werden die Waffen und die Macht schon folgen.

Das Judentum müsse sich aufmachen zur »Erkämpfung eines freien nationalen Bodens«, hat schon 1862 der Publizist Moses Hess aus Bonn, der Kollege von Karl Marx bei der Kölner »Rheinischen Zeitung« und Verfasser der Schrift »Rom und Jerusalem«, postuliert. Jetzt will Dr. Herzl – vom badischen Großherzog Friedrich I. ermuntert – auf dem Boden Palästinas an den deutschen Kaiser herantreten, um ihn für die zionistische Idee zu erwärmen, weil er inständig hofft, ein mächtiger Protektor werde die Schaffung einer jüdischen Heimstätte im Land der Bibel erleichtern. Das wäre der Anfang des erträumten Judenstaats! »Wenn ihr wollt«, verspricht der Zionistenführer seinem Leserpublikum, »ist es kein Märchen.«

So leidenschaftlich pflegt Theodor Herzl seine Pläne zu vertreten, daß sich Staatssekretär von Bülow veranlaßt sieht, das Vortragsmanuskript des Petitors vor der Audienz zu zensieren. Dem Chronisten Freiherr von Mirbach wiederum erscheint der Zionismus noch so neu und unverständlich, daß er es nicht wagt, diese moderne Bewegung des jüdischen Volkes – nur ein Jahr nach ihrem ersten Kongreß in Basel – von sich aus darzustellen. Lieber beruft er sich auf zwei Publikationen, die 1896 und 1897 erschienen sind: Theodor Herzls »Der Judenstaat – Versuch einer modernen Lösung der Judenfrage« sowie »Zionistenkongreß und Zionismus – eine Gefahr?« von Dr. Heinrich Sachse. Daraus zitiert er, um mitzuteilen, worum es während der Vorsprache beim Kaiser im wesentlichen gegangen ist:

»Das Ziel dieser national-jüdischen Bewegung ist auf dem Zionistenkongreß zu Basel in folgenden Sätzen ausgesprochen worden: Der Zionismus erstrebt für das jüdische Volk die Schaffung einer öffentlichrechtlich gesicherten Heimstätte in Palästina. Zur Erreichung dieses Zweckes nimmt der Kongreß folgende Mittel in Aussicht: 1. die zweckdienliche Förderung der Besiedelung Palästinas durch jüdische Ackerbauer, Handwerker und Gewerbetreibende; 2. die Gliederung und

Zusammenfassung der gesamten Judenschaft durch geeignete örtliche und allgemeine Veranstaltungen nach Maßgabe der Landesgesetze; 3. die Stärkung und Förderung des jüdischen Selbstgefühls und Volksbewußtseins und 4. vorbereitende Schritte zur Erlangung der Regierungszustimmung, welche nötig ist, um das Ziel des Zionismus zu erreichen. Die Zionisten sehen die Zerstörung Jerusalems, welche Juda mit blutigen Tränen beweinte, als alleinige Ursache allen Leides und als den Geburtstag der Judenfrage an und wünschen mit heißem Sehnen jenen Tag herbei, wo eine höhere Macht dem Elende ein Ende mache und Jerusalem von neuem auf dem Gipfel der Berge als erhabene Hauptstadt eines glücklichen Volkes emporrage.«

»Während das Baseler Programm«, fährt der Oberhofmeister fort, »das gemeinsame Band und Ziel der Zionisten aller Länder ist, betrachtet die national-jüdische Vereinigung für Deutschland es als ihre hauptsächlichste Aufgabe, auf die Erreichung dieses Zieles hinzuwirken durch die Förderung der jüdischen Kolonien in Syrien und Palästina, die Pflege jüdischen Wissens und jüdischer Sitte, die Hebung und Festigung des jüdischen Nationalbewußtseins, die Verbesserung der sozialen und kulturellen Lage der Juden, die Kenntnisse der großen Vergangenheit des jüdischen Volkes und die Pflege des Hebräischen als einer lebenden Sprache.«

»Die Förderung landwirtschaftlicher Kolonien wird vornehmlich durch den ›Esra‹, Verein zur Unterstützung ackerbautreibender Juden in Palästina und Syrien, der seinen Sitz in Berlin hat, betrieben. Der Zionismus will die Besiedelung Palästinas auch mit jüdischen Handwerkern und Gewerbetreibenden, ›die sich in ihren Ländern nicht assimilieren können oder wollen‹, ausführen. Noch vor 17 Jahren bildeten die Juden kaum mehr als 5 oder 6 Prozent der Gesamtbevölkerung Palästinas, während jetzt unter den etwa 400 000 Einwohnern des Heiligen Landes 73 000, das heißt rund 18 Prozent Juden geschätzt werden. Als die größte jüdische Neuansiedelung wird der stadtartige Flecken Newe Schalom bei Jaffa bezeichnet.«

Die Reaktion des Kaisers »auf die Ansprache des Herrn Herzl« beansprucht im Mirbach-Bericht nur einen Satz. Demnach »erwiderte Seine Majestät, daß alle diejenigen Bestrebungen auf sein wohlwollendes Interesse zählen könnten, welche auf eine Hebung der Landwirtschaft in Palästina zur Förderung der Wohlfahrt des türkischen Reiches unter voller Beachtung der Landeshoheit des Sultans abzielten«. So kurz und bündig diese Stellungnahme klingen mag, sie entspricht durchaus der Linie, an die sich die amtlichen Vertretungen des Reiches im Orient seit langem gehalten haben, nicht zum Nachteil der jüdischen Einwanderer, wie der Kölner Rechtsanwalt Bodenheimer, ein Mitglied der zionistischen Delegation, in einer Artikelserie für Herzls Wiener Zeitung »Die Welt« einräumt.

Als Wilhelm II. nach den Audienzen im Lager die Kaiserswerther Anstalt »Talitha kumi« aufsucht, begrüßen ihn die arabischen Mädchen, »welche alle schwarz-weiß-rote Schleifchen tragen«, mit deutschen Weisen. Im fahnengeschmückten deutsch-katholischen Hospiz unterhält sich der Monarch mit den Borromäerinnen, »von denen einige in den Feldzügen 1866 und 1870 in preußischen Lazaretten tätig waren«. Im Johanniter-Hospiz trifft er die »wackeren, ergrauten Hauseltern Bayer, welche schon den Kronprinzen beherbergt« haben. Sie alle stehen, wie er schließlich dem Pater Schmidt erklärt, unter »demselben schwarz-weißen Schilde, den ich ausgereckt habe«, und unter »der gepanzerten Macht meiner Schiffe, deren Flagge auch schützend über Ihnen weht«.

Am letzten Tag des Jerusalem-Aufenthalts hat ein heftiger Wind bei teilweise bezogenem Himmel Abkühlung gebracht. Nach einem Besuch beim anglikanischen Bischof und einer kurzen Besichtigung der Königsgräber in der Nähe der britischen Georgs-Kathedrale reitet Wilhelm »zur Erledigung wichtiger Geschäfte« nach dem Lager zurück. »Der Depeschenverkehr« — so die Chronik — »war in diesen Tagen ungemein lebhaft. Täglich hatte der Kaiser zwei- bis dreistündige Besprechungen mit dem Staatsminister von Bülow, den Kabinettschefs von Hahnke und von Lucanus. Vielfach mußten die dienstlichen Unterhaltungen auch noch bei den Ausflügen fortgesetzt werden« — wenn nicht gar aus Zeitmangel der Oberhofprediger, der Oberhofmeister und ein Beamter der Kaiserin einfach den Auftrag erhalten, Programmpunkte wie Bethanien stellvertretend zu erledigen.

Während eines Abschiedsgottesdienstes in der Erlöserkirche geht »mit Donner und Blitz« der erste und einzige Regen während der ganzen Palästinareise nieder. Der Oberhofprediger streift noch einmal die Eindrücke der vergangenen Tage. Daraufhin kann »kein Lied freudiger aus dem Herzen kommen und zu Herzen gehen als ›Jerusalem, du hochgebaute Stadt‹«. Im Namen der Kaiserin erfüllt der Oberhofmeister noch eine traurige Pflicht: Er muß dem obersten osmanischen Schulbeamten kondolieren, dessen siebenjähriges Töchterchen an den Folgen schwerer Verbrennungen gestorben ist. Die Kleider des Kindes, das kurz zuvor Auguste Viktoria beim Empfang der Stadtbehörden einen Blumenstrauß überreichen durfte, entzündeten sich an der Illumination zu Ehren der Gäste.

Im Lager herrscht am Abend allgemeine Aufregung wegen vorhergesagter Stürme und Wolkenbrüche. »Die Koffer wurden daher gepackt, und alles wurde zur Flucht in die Arche Noah, die große Speisebaracke, bereitgehalten... Aber es folgte eine erquickende, kühle Nacht...«

Nur durch deutsche Kolonisten

»Das ist zweifellos — soll das Heilige Land wieder ein Land werden, wo Milch und Honig fließt, so kann das nur durch deutsche Kolonisten geschehen.« Mit diesem Eindruck kehren Graf von Zieten-Schwerin und zwei Begleiter von den Ausflügen zurück, die sie für Wilhelm und Auguste Viktoria in das Jordantal, zum Toten Meer und an den See Genezareth unternommen haben. In den Gebirgen Juda und Moab scheint sich der Auftrag an die Deutschen am deutlichsten bestätigt zu haben: »Die starren Felsenmassen, die öden Schluchten reden mit Ernst von den Gerichten Gottes über das Volk, das sein Heil verwarf.«

»Das Deutschtum«, vermerkt die evangelische Gemeindechronik, »spürte sofort, auch wirtschaftlich, die guten Folgen des Kaiserbesuchs; der ungeheure Eindruck, den die Kaiserreise auf die Landesbewohner gemacht hat, war nicht zu verwischen... Das Gefühl, die Augen der Welt auf sich gerichtet zu sehen, kräftigte das Bewußtsein, daß eine Gemeinde in Jerusalem der Stadt gleiche, die auf dem Berge liegt und nicht verborgen bleiben kann.«

Deutlich drückt Freiherr von Mirbach aus, welchem großen Ziel der Brückenschlag von nun an dienen solle: »Was das Abendland von dem Orient erhalten hat, die weltüberwindende Liebe, das soll deutscher Geist jetzt dankbar dorthin wieder zurückerstatten und soll und will damit als Hauptsache seines Wirkens versuchen, in das Dunkel der orientalischen Völker Licht zu bringen.« Die orientalischen Völker — das sind laut Reisebericht irrgläubige Mohammedaner, abgewichene Ostchristen und verstockte Juden, deretwegen man das lateinische »Ex oriente lux« kurzerhand in ein »Ex occidente lux« verwandelt; das Licht kommt nicht mehr aus dem Osten, sondern aus dem Westen und dem Norden!

Die Protestanten haben allen Grund zur Freude, wenn sie auf das
Werden und Wachsen ihrer Gemeinschaft zurückblicken. »Unabhän-
gig voneinander, aber verbunden durch Sprache, Glauben, Gottesdienst
und Arbeit« bilden sie, wie es Pastor Schlicht umreißt, eine dem Staat
Preußen und seinem König dankbar verbundene deutsche Kolonie. Mit
Eifer unterhalten und erweitern sie die evangelischen Besitzungen:

das Hospiz des Johanniterordens inmitten der Altstadt;

die Anstalten der Kaiserswerther Diakonissen mit dem 1894 eingeweihten Hospital und der vergrößerten Erziehungsanstalt für 117 Kinder, die »Talitha kumi« — nach dem Bibelwort »Mädchen, ich sage dir,
steh auf!« — genannt wird;

das Syrische Waisenhaus mit mehr als 200 Zöglingen, das nach der
Erweiterung der Schule, der Werkstätten, des Lehrerseminars, des Blin-
denheims und der Ackerbaukolonie Bir Salem von Theodor Schneller,
dem ältesten Sohn des Gründers, geleitet und vom Evangelischen Verein für das Syrische Waisenhaus in Köln unter dem Vorsitz Ludwig
Schnellers verwaltet wird;

das 1886 fertiggestellte neue Aussätzigenasyl »Jesushilfe« westlich
der Tempelkolonie am Rand der Rephaim-Ebene, in das der deutsche
Zweig der Brüdergemeine mit Unterstützung der Unitätsdirektion in
Berthelsdorf mehr als 60 Kranke aufnehmen kann;

das Kinderhospital »Marienstift«, das den Namen der Stifterin, der
Großherzogin Marie von Mecklenburg-Schwerin, trägt und im Jahre
1898 mehr als 400 Kinder mit 148 Müttern versorgt;

das in eine Propstei verwandelte Pfarramt, das seit 1884 bereits durch
den fünften preußischen Hilfsprediger verstärkt wird;

die Erlöserkirche auf dem Muristan-Grundstück, das bis 1893 persönliches Eigentum des Königs von Preußen war und jetzt der Jerusalem-Stiftung zur »dauernden superfiziarischen Benutzung« übertragen
ist;

das 1892 gekaufte große Baugelände für ein Pfarrhaus und ein neues
Schulgebäude außerhalb der Altstadt;

schließlich die von der Zentralgemeinde kirchlich versorgten Mis-
sionsstationen des Jerusalemsvereins in Bethlehem, Beitschala und Hebron sowie die deutsch-evangelischen Gemeinden in Haifa und Jaffa-
Sarona, wo seit einigen Jahren zusätzliche Geistliche und Lehrer tätig
sind.

Beträchtliche Verstärkung hat die evangelische Kirche aus der Tempelgesellschaft erhalten, seit es zu einem unversöhnlichen Streit zwi-

schen den Vorstehern Hardegg in Haifa und Hoffmann in Jaffa kam. Kurz zuvor waren noch die Kolonien in Sarona (1871) und bei Jerusalem (1873) gegründet worden, wonach eine Enttäuschung der anderen folgte. In Sarona, wo sich vor allem Bauern und Weingärtner aus Haifa niederließen, blieb in den ersten Jahren kein neugeborenes Kind am Leben; eine hartnäckige Traubenkrankheit brachte die Kolonisten mehr als ein Jahrzehnt lang um die Früchte ihrer Arbeit. In Jaffa, wo die Gewerbetreibenden — wie in Jerusalem — die Mehrheit bildeten, machten die osmanischen Behörden unaufhörlich Schwierigkeiten wegen des Grundeigentums.

Weil theologische Auseinandersetzungen hinzukamen, trennte sich Hardegg 1874 von der Gesellschaft und bildete mit mehreren Freunden einen eigenen Tempelverein. Vier Jahre später veröffentlichte der eigenwillige Hoffmann neue »Sendschreiben über den Tempel«, in denen er kategorisch forderte, die Taufe und das Abendmahl als Hindernisse auf dem Weg zum Gottesreich abzuschaffen, das Dogma von der Dreieinigkeit und der Gottheit Christi als vernunftwidrig zu verwerfen und die kirchliche Lehre über die Versöhnung der Menschen mit Gott abzulehnen. Je mehr dadurch der innere Zusammenhang mit den gläubigen Evangelischen zerrissen wurde, um so eher waren rund 230 Tempelmitglieder in Haifa und Jaffa zur Rückkehr in die evangelische Kirche bereit.

Die vier alten Kolonien und die 1892 gegründeten Niederlassungen Neuhardhof und Walhalla unterstehen weiterhin der Zentralleitung des Tempels in Jerusalem, wo der Sohn des Pioniers Christoph Hoffmann dem Tempelrat und dem Volkswirtschaftsrat vorsitzt. Jede Kolonie hat ihre eigene Volksschule. In Jaffa und Haifa gibt es außerdem eigene Krankenhäuser, in Jerusalem das Lyzeum als höhere Schule. Der Grundbesitz entspricht einem Wert von fast 8 Millionen Mark. Respektable Einnahmen bringt der Export von Weinen, die am Abhang des Karmel, in der Ebene von Sarona und im Gebirge Judäa wachsen, sowie der Verkauf von Olivenöl und Olivenseife aus der eigenen Fabrik in Haifa.

Der Kaiser addiert jedoch zu den Erwerbungen der Protestanten und Templer auch die Besitzungen der ihm neuerdings besonders verpflichteten Katholiken. Wohl gibt es keine vergleichbare deutschkatholische Gemeinde oder Kolonie, doch der Deutsche Verein vom Heiligen Lande, der am 30. Juli 1895 unter dem Präsidium des Kölner Erzbischofs gegründet wurde, setzt tatkräftig fort, was zwei in ihm aufgegangene Vereinigungen in der Terra sancta begonnen haben. Von Köln aus wirkte bereits der Verein vom Heiligen Grabe, der in seiner Zeitschrift »Das Heilige Land« den Schutz der Sanktuarien und die Unterstützung der Mission propagierte, als 1884 die 32. Generalversammlung der Katholiken Deutschlands in Münster der Gründung des Palästina-Vereins zustimmte. Dieser »deutsche Kolonisator Palästinas« sollte — unterstützt durch sein Organ »Palästina-Blatt« — die Katholiken »an der Wiederaufrichtung des Heiligen Landes« beteiligen, »Ackerbaukolonien, womöglich um die Sanktuarien herum«, ins Leben rufen und alles das erstreben, »was notwendig ist, das katholisch-deutsche Element in Palästina einzuführen, zu fördern und zu kräftigen«.

Der Verein vom Heiligen Lande hat von seinem Kölner Vorläufer die gut eingeführte Zeitschrift und vom Palästina-Verein mehrere Anwesen in Jerusalem, Haifa, Emmaus und Tabgha übernommen, die zum Teil schon in den siebziger Jahren von dem schlesischen Franziskanerpater Schneider erworben und im Laufe der Zeit mit deutschen Schwestern vom Orden des Karl Borromäus besetzt wurden. »Es kam dem Palästina-Verein ebenso wie seinerzeit dem Tempel sehr zustatten, daß bereits infolge der Errichtung eines evangelischen Bistums deutsche Konsulate in Palästina bestanden«, betont die Chronik der Kaiserreise. So stehen auch katholische Einrichtungen unter deutschem Schutz, »trotz aller Verwahrungen, die schon bei ihrer Entstehung französischerseits erhoben wurden«:

in Jerusalem das Hospiz unweit des Mamilla-Teichs mit einer Kapelle und einer Schule für 60 arabische Mädchen;

in Emmaus-Kubebe ein dreieinhalb Hektar großes Gartengrundstück mit Wirtschaftsgebäuden, die von Lazaristenpatres und Borromäerinnen verwaltet werden;

in Tabgha am See Genezareth, nicht weit von Kapharnaum, ein Grundbesitz von 42 Hektar mit einer Pfarrstation, einem Hospiz und Wirtschaftsgebäuden;

in Moghar bei Tabgha eine Schule für arabische Jungen;

in Haifa zwei Hektar Gartenbesitz mit einem Hospiz und einer Spielschule für 80 Kinder in der Nachbarschaft der deutschen Kolonie, betreut von einem Priester und sechs Borromäerinnen, die sich auch auf die Krankenpflege verstehen;

in Gaza schließlich eine Missionsstation.

Zu den deutschen Errungenschaften kommt nicht zuletzt ein ansehnlicher Beitrag der Juden. Konsul von Tischendorf berichtet dem Kaiser von den harten Verhandlungen, die er mit dem Gouverneur von Jerusalem wegen der Einwanderung, dem Grunderwerb und der Ansiedlung »seitens Reichsangehöriger oder Schutzgenossen jüdischen Glaubens« zu führen hat. Weil der Erwerb von Immobilien den Juden nicht gestattet ist, vertritt das Konsulat ihre Kaufanträge »im Namen deutscher Staatsangehöriger«. Um die Interessen des Reichs zu unterstreichen, wurde dem Deutsch-Israelitischen Hospital, das über zwei stationierte Ärzte, 58 Krankenbetten und eine angeschlossene Augenklinik verfügt, ein fünfköpfiges Kuratorium vorgesetzt. Das vom Auswärtigen Amt geförderte Allgemeine Jüdische Krankenhaus »Scha'are Zedek« mit seinem Direktor Dr. Mosche Wallach steht seit dem Baubeginn im Jahre 1896 »unter Schutz der deutschen Behörde und Aufsicht des Konsulats«.

Die Vertreter Rußlands und Frankreichs, klagt der deutsche Missionschef, sind nur an Besitzerweiterungen der Orthodoxen und der Katholiken interessiert, weshalb sie sich bemühen, »durch Beseitigung des jüdischen Elements als eines kapitalkräftigen Käufers einen lästigen Konkurrenten loszuwerden«. Demgegenüber stellt das deutsche Konsulat seit langem auch nicht-deutschen Bewerbern, besonders jüdischen Einwanderern aus Rußland, Schutzscheine aus. Schon kurz nach der Reichsgründung betreute es außer 210 deutschen Staatsbürgern verschiedener Konfession nicht weniger als 987 Schutzgenossen, davon 470 in Jerusalem, 280 in Haifa und 237 in Jaffa. Im Sommer 1875 waren es sogar 1554 Schutzbefohlene, von denen 535 in Jerusalem, 403 in Jaffa und 338 in Haifa lebten.

Konsul von Tischendorfs Vorgänger, vor allem Freiherr von Münchhausen, führten einen jahrelangen Kampf um eine Schulreform nach deutschem Muster, damit man die jüdische Jugend »zu frommen Israeliten, aber rechtlichen und tüchtigen Staatsbürgern erziehe«, die »des Schutzes eines großen und wahrhaften Kulturstaates würdig« seien. Mit einem konsularischen Empfehlungsschreiben wurde Ephraim Cohn, der spätere Direktor der von Wiener Israeliten unterhaltenen Lämelschule, zur Lehrerausbildung nach Altona und Hannover geschickt. Der Berliner Verein für die Erziehung jüdischer Waisen in Palästina schätzte das Protektorat des Konsulats so sehr, daß er beantragte, seiner 1880 eröffneten Jerusalemer Anstalt den Namen »Kaiser-Wilhelm-Haus« geben zu dürfen. Das Komitee der Juden Deutschlands kaufte 1882 das alte preußische Konsulatsgebäude zwischen Tempelplatz und Grabeskirche, um es als Krankenhaus auszubauen, was allerdings an den Einsprüchen der Nachbarn und der lokalen Behörden scheiterte.

Konsularischen Schutz beanspruchen die Juden auch für ihre Mitarbeiter im Deutschen Verein zur Erforschung Palästinas, der im Leipziger Baedeker-Verlag eine eigene Zeitschrift herausgibt, für die »deutsche Kolonie in Jahud« (hebräisch »Petach Tikwa«) und für den Geldverkehr der jüdischen Organisationen, den seit 1897 vornehmlich die Palästina-Bank als Zweig der Orient-Bank abwickelt. Der Rückhalt, den das Deutsche Reich den aus Europa stammenden und vielfach jiddisch sprechenden Aschkenasim bietet, kommt auch der übrigen jüdischen Bevölkerung zugute.

Mißgünstig trifft ein französischer Bericht die Feststellung, der deutsche Einfluß blühe und wachse großenteils auf Kosten Frankreichs, die deutsche Sprache sei dank der Juden in Jerusalem sehr verbreitet, die landwirtschaftlichen Siedlungen und religiösen Einrichtungen hätten Deutschland erhebliche Vorteile gegenüber seinen Konkurrenten verschafft. Das bestätigt auch die erste jüdische Gesellschaftsreise nach dem Heiligen Land, die der Berliner Privatgelehrte Dr. Heinrich Loewe so organisiert hat, daß sie die Wege des Deutschen Kaisers kreuzt. Sie zeitigt, wie Jehuda Louis Weinberg überliefert, »den Erfolg, daß eine Reihe von angesehenen deutschen Juden unvergeßliche Eindrücke zurückbrachte und viele Kreise dem alt-neuen Lande gewann«.

Vom Berliner Judentum gehen in dieser Zeit manche Anregungen aus. Dr. Loewe, der Mitgründer des deutsch-jüdischen Studentenvereins »Jung-Israel«, leitet auf Ersuchen Dr. Herzls die zionistische Werbung in Deutschland und zeitweilig auch die Redaktion der »Jüdischen Rundschau«. Im Jahr der Kaiserreise betreibt er gegen den Widerstand orthodoxer und liberaler Persönlichkeiten das Zustandekommen des Jüdischen Turnvereins Bar Kochba in Berlin, von dessen ersten Turnabenden der Teilnehmer Kikoler erzählt, daß eine Gruppe von 30 bis 35 jüdischen Männern in Viererreihen mit markigen Tritten und dem Gesang des Liedes »Von frohem Jugendmute hebt stolz sich unsere Brust« den Rundmarsch übte und »nach dem geheiligten Ritus der Deutschen Turnerschaft« zum Riegenturnen an den Geräten aufmarschierte — »preußisch-zackig vom Scheitel bis zur Sohle«, wie der Turnwart Julius Cohn charakterisiert wird.

Der Orientalist Dr. Loewe weiß am besten um den Wert der körperlichen Ertüchtigung: Schon zweimal hat er sich längere Zeit in Palästina aufgehalten, nicht nur, um ein jüdisches Gymnasium zu planen, hebräische Schulbücher auszuarbeiten und als Delegierter der palästinensischen Juden zum Ersten Zionistenkongreß nach Basel zu reisen, sondern auch um jüdischen Schulkindern in Jaffa Turnunterricht nach deutschem Vorbild zu geben!

Wie die jüdische Reisegesellschaft empfinden es auch die evangelischen Festpilger als Wohltat, daß das Deutschtum in Palästina allgegenwärtig ist. In Jerusalem wohnen sie in den deutschen Hotels »Europäischer Hof«, »Lloyd« und »Metropole«, tauschen ihr Geld bei der Palästina-Bank, kaufen Reisegeschenke im Andenkengeschäft Vester und kehren vor der Abreise in der Gastwirtschaft Lendhold ein. In Jericho nimmt sie der freundliche württembergische Wirt des Hotels Gilgal auf. In Haifa speisen sie im deutschen Gasthaus »Karmel« und im Hospiz der deutschen Borromäerinnen, in Nazareth im Gasthof Heselschwerdt und in Tiberias in der neuen Wirtschaft des Stuttgarters Großmann.

In Jaffa legt der Stuttgarter Stadtdekan von Braun als »Pate der Gemeinde« den Grundstein eines evangelischen Bet-, Pfarr- und Schulhauses, für dessen Bau der Württembergische Hauptverein der Gustav-Adolf-Stiftung eine Festgabe gesammelt hat. In dem stattlichen Luftkurhaus am Karmel erzählt der Vizekonsul Keller, »wie die Deutschen sich hier oben ihr Recht gegen die Unduldsamkeit der benachbarten französischen Karmeliter-Mönche haben erkämpfen müssen und wie Gott ihr Vertrauen belohnt hat«. Denn auf der Höhe über Haifa stehen auch das deutsche Hotel Proß und das Anwesen der Frau von Bannwarth, die wesentlich zum Bau des Kurhauses beigetragen hat. »Die Abhänge des Gebirges sind nun im Besitze der Deutschen und zum Teil aufgeforstet, zum Teil mit Weingärten bedeckt.«

Im Gemeindesaal der Tempelkolonie von Haifa verbrüdern sich die evangelischen Festpilger mit den abtrünnigen Hoffmannianern. »Hier brachte Kultusminister D. Bosse ein begeistert aufgenommenes Hoch auf den Deutschen Kaiser aus; hier trug Oberkonsistorialrat D. von Braun einen poetischen Gruß an Haifa vor, wonach eine urkräftige Männerstimme rief: ›Hie gut Württemberg allewege‹; hier gedachten die wackeren Schwaben ihres Königs im fernen Heimatlande und sangen mit besonderer Wärme ihre Nationalhymne ›Preisend mit viel schönen Reden‹ in die laue Nacht hinein.«

In Haifa mahnt aber auch der Berliner Generalsuperintendent Faber in einer Abschiedspredigt die evangelischen Glaubensbrüder, bei aller interkonfessionellen Freundschaft im Interesse des Deutschtums den religiösen Sinn der Kaiserreise nicht außer acht zu lassen: »Ich meinerseits habe nirgends so wie im Heiligen Lande das Hochgefühl gehabt, ein evangelischer Christ zu sein, und bin angesichts der Verzerrungen und des Mißbrauchs, der Götzendienerei, welche mit den heiligen Stätten getrieben wird, so dankbar froh darüber, daß wir allein durch Gnade selig werden im Glauben, daß alle Türen, mögen sie noch so schön mit Heiligenbildern geziert sein, Falltüren sind außer Christo . . .«

Getrennt, wie sie gekommen sind, reisen deutsche Protestanten, Katholiken und Juden in die Heimat zurück. Evangelische Kirchenführer berufen sich wieder darauf, daß nur die Reformation die Erneuerung der deutschen Nation ermöglicht habe, daß Luther aufgestanden sei, »um die mit giftigen Miasmen erfüllte Atmosphäre deutscher Geschichte zu reinigen«, daß Deutschland vorgetreten sei, um »in deutsch zäher und gründlicher Weise« den Kampf gegen Rom zu eröffnen, »seine nachdrücklichen Schwertschläge« — so der Kulturhistoriker Scherr — »mit dem satirischen Gelächter heidnisch-klassischer Lebenslust begleitend«. Die neuen Züge ins Heilige Land dürfen den protestantischen Anspruch nicht wieder in »das Gewölke kirchlicher Verfinsterung« geraten lassen!

Dementsprechend faßt Kammerherr Graf von Mülinen in einer Aufzeichnung für den Kaiser das Urteil über die Untertanen des Sultans und ihre Glaubensrichtungen zusammen: »Leider kann man unter den Anhängern dieser verschiedenen Religionen nicht den orientalischen Christen die Palme der Superiorität zuerkennen. Wenn schon der Verlust der früheren byzantinischen Provinzen an den Islam als eine Strafe für die Verderbtheit ihrer damaligen Bewohner angesehen wird, so haben deren Nachkommen in der darauf folgenden langen Zeit der Unterwürfigkeit unter die Mohammedaner sich nicht gebessert.« Der »widerwärtige Streit« der lateinischen und orthodoxen Christen, »der seinerzeit den Anlaß zum Krimkriege gab, währt latent noch fort«.

Eher wird es für verständlich gehalten, daß die orientalische Welt, »deren religiöses Bedürfnis weder im Götzendienst Arabiens noch in der spitzfindigen Theologie der damaligen christlichen Kirche des Ostens Befriedigung fand«, die Lehre von der Erhabenheit Allahs begeistert aufnahm. »Die Moscheen mit ihren einfach schönen Linien, ohne anderen Schmuck als die Anbringung kalligraphisch vollendeter tiefsinniger Koransprüche, stehen gerade für uns Protestanten im wohltuendsten Gegensatz zu den mit kostbaren Zieraten überladenen orientalisch-christlichen Kirchen.«

Unüberhörbar klingt in den freundlichen Worten für den Islam der Ärger über die alteingesessenen Jerusalemer Christen und ihren Vorsprung gegenüber den zuletzt gekommenen Evangelischen mit. Griechen, Russen und Araber des byzantinischen Ritus pochen getrennt auf Sonderrechte, um doch die Position desselben orthodoxen Patriarchen zu stärken. Ebenso kämpfen die Lateiner und die mit ihnen unierten orientalischen Riten auf verschiedenen Ebenen um die Machterweiterung der einen römisch-katholischen Kirche. Den getrennten Kirchen der Reformation fällt es dagegen schwer, ihre Anstrengungen auf einen gemeinsamen Nenner zu bringen; englische, deutsche und amerikanische Protestanten lassen sich allzu traditionsgemäß von nationalen Verpflichtungen leiten.

Dem Hohenzollern ist es klar, daß allein auf dem Weg des religiösen Wettbewerbs die Vorherrschaft nicht zu erringen ist. Graf von Mülinen widmet daher den wichtigsten Teil seiner Bilanz der Wirkung des kaiserlichen Besuchs auf »die herrschende Rasse« innerhalb des osmanischen Imperiums:

»Seitdem durch die Gründung des Deutschen Reiches dem türkischen Volke, das sich sonst um die Außenwelt nicht viel kümmerte, die neue deutsche Weltmacht näher vor Augen trat, seitdem durch Handel und industrielle Unternehmungen ihm die deutsche Kapitalkraft, durch die frommen Stiftungen, besonders unsere ausgezeichneten Hospitäler, deutscher Opfersinn und deutsche Frömmigkeit vorgeführt wurden, seitdem deutsche Offiziere mit hingebendem Eifer an der Reorganisation seines Heeres wirken, ist im Orient die Achtung vor dem deutschen Namen in stetem Steigen begriffen ... Durch die erneute Orientreise beider Majestäten, denen aller Herzen entgegenschlugen, ist die Verehrung der Türken für das deutsche Herrscherpaar und die Zuneigung zu seinem Volke in hohem Maße erworben.«

Dreihundert Millionen Mohammedaner

»Es war ein rührendes, herzliches Abschiednehmen des ganzen Volkes«, schreibt Freiherr von Mirbach am 4. November über die letzten Stunden des Kaiserpaars in Jerusalem. »Am Bahnhofe präsentierte eine stärkere Truppenabteilung, welche in kindlicher Unschuld als Präsentiermarsch das Lied ›So leben wir, so leben wir‹ spielte.« Die Fortsetzung des Kasinogesangs von »der allerschönsten Saufkompanie« klingt noch in den Ohren der preußischen Offiziere, als der mit Fähnchen und Girlanden geschmückte Sonderzug die Heilige Stadt verläßt.

An den Orten Bittir, Ramle und Lydda vorbei holpern die seit 1892 eingesetzten Waggons mehrere Stunden lang durch Gebirgstäler hinunter in die Küstenebene nach Jaffa, wo die kaiserlichen Schiffe vor Anker liegen. Fast vier Stunden vergehen, ehe alles Gepäck mit kleinen Booten vom Land auf die »Hohenzollern« und die »Hertha« hinübergeschafft ist. »Welch wohltuendes Gefühl!« atmet der Oberhofmeister auf. »Die Ruhe, die Sauberkeit und kein Staub mehr auf dem schönen Schiffe!« Um so mehr genießt er auf der Fahrt nach Beirut den Blick auf Cäsarea und Haifa.

Pastor Carl Schlicht erinnert an das Frühjahr 1871, in dem die deutschen Kolonisten in Haifa ihre Hauptstraße mit einem Steindamm in das Mittelmeer hinaus verlängerten und ihr Vorsteher Hardegg prophezeite: »Da werden sie noch landen, die Preußen!« Jetzt kann der Geistliche konstatieren, daß deutsche Ansiedler und deutsche Sprache in Palästina am stärksten vertreten sind. »Bei keinem anderen Volke, dessen Angehörige im Heiligen Lande ihre Nationalfeste feiern, hat man so sehr den Eindruck eines allgemeinen Volksfestes wie bei den Deutschen ...«

Während die Küste Palästinas im Dunst verschwindet, sammeln evangelische Theologen die Gedanken für das »Schlußwort« der amtlichen Chronik. Darin betreffen die »wahren Ziele« der Kaiserreise weniger die deutschen Besitzungen als die »Stätten christlicher Anbetung«, weniger den Einfluß des Deutschen Reiches als das Seelenheil der eingeborenen Juden und Muselmanen.

»Was bringt das deutsche Kaiserpaar, was bringen die mit ihm pilgernden Boten des Friedens dem unglücklichen Lande, das einst voll Volkes war und jetzt so wüste liegt, ... dessen Boden getränkt ist mit dem Blute von Millionen? – euch, den Bewohnern der hochgebauten Stadt, deren Voreltern den Heiland der Welt schmähten, verspotteten, geißelten, mit Dornen krönten und ans Kreuz schlugen?« – »Ja, sie bringen euch den Trost, der auch euren Herzen allein den Frieden geben kann: Es ist in keinem andern Heil, ist auch kein anderer Name den Menschen gegeben, darinnen sie sollen selig werden, als in dem Namen Jesus Christus ... Nehmt die Gnadenbotschaft an, die das Abendland von hier empfing und euch wiederbringt!«

»Was bringen die Fremdlinge aus dem Abendlande euch, den Be-
kennern des Islam, die ihr den Herrn Jesum kennet, Ihn als großen
Propheten, als Weltrichter verehrt, aber die Erlösung verwerft, die Er
durch sein unschuldiges Leiden und Sterben auch euch erworben?« –
»Die Boten des Abendlandes wollen... euere Frauen aus entwürdi-
gender Sklaverei befreien, euere Kinder erziehen in der Zucht und
Vermahnung zum Herrn, mit linder Hand euere Kranken pflegen, die
Sterbenden mit Fürbitte in ihr letztes Ruhebette geleiten. Nicht euere
Waschungen, euere fünf Tagesgebete, nicht Fasten und Kasteiungen
können euch vom Fluch der Sünde befreien. Erschließet euere Herzen
dem Glauben an den, der auch für euch die ewige Erlösung erfunden!«

In Beirut, der christlich dominierten Hauptstadt des Sandschaks Libanon, flattern türkische und deutsche Fahnen. »Die Meinung, daß
infolge des starken französischen Einflusses eine gewisse Zurückhaltung
gegenüber dem deutschen Kaiserpaare sich bemerkbar machen könnte,
war gänzlich unbegründet.« Nach dem Sonntagsgottesdienst am 6.
November besuchen Wilhelm und Auguste Viktoria gemeinsam das
30 Jahre alte Johanniter-Hospital. Danach widmet sich die Kaiserin dem
seit 1860 bestehenden Kaiserswerther Erziehungsheim, während ihr
Gemahl eine Kaserne inspiziert – eine »vollständig ungewohnte Berührung mit einem mächtigen Herrscher, der selbst durch und durch
Soldat ist«.

Am nächsten Tag begeben sich die Gäste zu dem »von der franzö-
sisch-ottomanischen Gesellschaft reichgeschmückten Bahnhofsgebäude«, um mit einem Sonderzug, »geleitet von den mit dem Roten-
Adler-Orden und Kronen-Orden geschmückten liebenswürdigen Eisen-
bahndirektoren«, nach Damaskus, der »Perle des Orients«, zu rollen.
Schnelle Kavalleriekommandos sichern die Strecke, alle Tunnels werden schon seit drei Wochen von Militärposten bewacht. Der Kaiser soll
heil nach der syrischen Provinzhauptstadt gelangen, wo er seine Orientreise vor allem politisch abrunden will.

Für Wilhelms zweitägigen Aufenthalt hat der Sultan das große Mili-
tär-Serail teilweise umbauen und neu einrichten lassen. Es ist der
Platz, an dem Prinz Friedrich Karl im März 1883 »den damals 76jähri-
gen ruhmreichen und tapferen, hier in freiwilliger Verbannung der
Wissenschaft und seiner großen Familie lebenden Kabylenfürsten und
Emir Abd el-Kader« traf, wonach »die beiden berühmten Heerführer
innige Freundschaft schlossen«. Jetzt legt Wilhelm II. besonderen Wert
darauf, dem legendenumwobenen Sultan Saladin die Ehre zu erweisen.

»Die Damaszener«, bemerkt die Reisechronik, »gelten als hochmü-
tig und fanatisch. Sie fühlen die Überlegenheit der europäisch-christ-
lichen Kultur, wollen sie aber in ihrer auf Unwissenheit beruhenden
Selbstüberschätzung nicht anerkennen und verschließen sich daher jedem Fortschritt.« Demonstrativ reitet Wilhelm durch die belebtesten
Marktstraßen zu der berühmten Omaijadenmoschee am Ende des
Buchhändlerbasars und schreitet dann in feierlicher Prozession auf das
viereckige Mausoleum zu, dessen Kuppel die holzgeschnitzten und
bemalten Sarkophage Saladins und eines seiner Großwesire überdeckt.

Am Abend des 8. November geschieht dann während eines Festmahls im Munizipalitätsgebäude, was die Regierungen der europäischen Großmächte aufhorchen läßt, obwohl der Kaiser eigentlich nur
wiederholt, was vor ihm ein Damaszener Ulema, der junge Scheich
Ali Effendi Guzberi, in einer überschwenglichen Lobrede auf den
Ehrengast behauptet: Wilhelm genieße die Liebe aller Anhänger des
Islam.

Der sultanische Flügeladjutant Oberst Sadiq Bey übersetzt das blu-
menreiche Arabisch des Scheichs: »Kein Wunder ist's, daß meine Zunge stockt, daß meine Augen geblendet sind, denn ich befinde mich in
Gegenwart der Majestät des Deutschen Kaisers und seiner Allerdurchlauchtigsten Gemahlin. Seiner Majestät politische Weisheit hat das
deutsche Volk auf den Gipfel der Vollkommenheit gebracht, und sein
Ruhm durchdringt die Welt vom Aufgang der Sonne bis zum Niedergang. Wenn heute die Stadt Damaskus voll Stolz und Freude ist über
die Ehre des Besuches der Majestäten während ihrer Reise durch die
ottomanischen Länder, so ist dies ein Zeichen der aufrichtigen Liebe
und Freundschaft, welche zwischen des Deutschen Kaisers und unseres
Herrn, des großmächtigsten Sultans, Majestät besteht.«

»Alle ottomanischen Untertanen Seiner Majestät des Sultans, welche
unserem Herrn mit untertäniger Verehrung anhangen, sind erfüllt von
Begeisterung und Dankbarkeit für diese Freundschaft, und nicht nur
ihre Liebe, sondern auch diejenige sämtlicher dreihundert Millionen
Mohammedaner in allen Teilen der Erde, die zu unserem Herrn, dem
Khalifen, als ihrem Oberhaupt emporblicken, hat sich Seine Majestät
der Deutsche Kaiser erworben . . .«

»Sichtlich bewegt«, notiert Freiherr von Mirbach, dankt Wilhelm in
deutscher Sprache für die Huldigungen überall in dem ganzen Lande,
vor allem für den herrlichen Empfang in der Stadt Damaskus. »Er
wisse sehr wohl, daß er dies vor allem den Befehlen und Anweisungen

des Sultans zu verdanken habe, aber er fühle auch, daß sich bei jeder Gelegenheit hier die Herzen der Mohammedaner und der Deutschen warm und aufrichtig entgegenschlügen. Er sei tief ergriffen von dem sich in den hiesigen Landen ihm darbietenden Schauspiele, aber auch bewegt von dem Gedanken, auf dem Boden zu stehen, wo einst der ritterlichste Herrscher seiner Zeit, der große Sultan Saladin, der Ritter ohne Furcht und Tadel, geweilt habe, der seinen Gegnern oft genug zeigen mußte, worin wahre Ritterlichkeit und echte Gottesfurcht besteht.«

»Er spreche es hier gern aus«, hält die Aufzeichnung der kaiserlichen Antwort fest, »daß dem Sultan und den dreihundert Millionen Mohammedanern, welche — wenn auch zerstreut auf der Erde lebend — in Ehrfurcht zu ihm als ihrem Khalifen emporblicken, der Deutsche Kaiser zu allen Zeiten ein treuer Freund sein werde.«

Dem fügt der Oberhofmeister schwärmerisch hinzu: »Die Türken waren von der herzlichen kaiserlichen Ansprache tief ergriffen. Wohl noch niemals mögen von so hoher Stelle Worte von solcher Bedeutung und Wärme an ihr Ohr gedrungen sein; im Gegenteil, sie sind gewöhnt, von den Großen dieser Welt, namentlich den fremden, viel Hartes zu hören. Manche Träne perlte aus den dunklen Augen auf die gebräunten Wangen. Als der Kaiser am nächsten Tage durch einen Flügeladjutanten am Grabe Saladins Blumen niederlegen ließ, wozu sich eine Ehrenkompanie vor der Grabkapelle aufgestellt hatte, sagten die Mohammedaner, daß ihre Liebe und ihr Dank gegen einen solchen Herrn niemals verlöschen könne.«

Am 10. November verläßt der Sonderzug die gastfreundliche Oasen-Hauptstadt. Noch auf der syrischen Hochebene ist bei einem Halt in Muallaka »wieder großer Empfang, welcher diesmal insofern eine neue Zierde aufwies, als die eingeborenen jungen Damen nach preußischem Muster in großer Zahl als weißgekleidete Ehrenjungfrauen mit deutschen Schärpen erschienen«. Dann nähern sich die Salonwagen, von Kavallerie begleitet, der alten Ruinenstadt Baalbek, wo im Vorhof eines römischen Tempels das kaiserliche Zeltlager für die »letzte Nachtruhe auf syrischer Erde« aufgebaut ist.

Es schmeichelt dem archäologisch interessierten Monarchen, daß der Tag des Abschieds mit der Enthüllung einer vom Sultan gestifteten Marmortafel beginnt. Auf ihr ist in deutscher und türkischer Sprache die Widmung zu lesen: »Sultan Abd ul-Hamid II., Kaiser der Ottomanen, Seinem erlauchten Freunde Wilhelm II., Deutschem Kaiser, König von Preußen, und der Kaiserin Auguste Viktoria zur Erinnerung an die gegenseitige unwandelbare Freundschaft und den Besuch der Kaiserlichen Majestäten in Baalbek am 15. November 1898.« Weil das Datum noch dem ungekürzten Reiseplan entspricht, wird es später auf den 11. November berichtigt.

Auf ausdrücklichen Wunsch des Sultans wählt der Kaiser persönlich den Platz der Gedächtnistafel aus: die Westmauer des gewaltigen Jupitertempels hinter einer guterhaltenen Säulenreihe. Damit verbindet sich der Name des Hohenzollern mit einer Stätte der Antike, die ein Zentrum des phönizischen Baalkultes war, ehe sie nach der Eroberung durch Alexander den Großen Heliopolis genannt und unter römischer Herrschaft zu einer grandiosen Tempelstadt des Orients wurde.

Noch an Ort und Stelle beschließt Wilhelm, der auch an der 1898 begonnenen Ausgrabung Babylons durch den deutschen Architekten Koldewey regen Anteil nimmt, die Entsendung einer deutschen archäologischen Mission nach Baalbek. Von ihrem späteren Leiter Puchstein läßt er sich den Jupitertempel folgendermaßen beschreiben: Seine Anordnung »ähnelt der des Herodestempels zu Jerusalem; die Propyläen entsprechen dem Vorhof der Heiden, der hexagonale Hof dem Vorhof der Juden und der große Hof (135 m lang und 113 m breit) dem Hof der Priester mit dem Brandopferaltar«.

Nur ungern trennt sich Wilhelm von den Ruinen am Fuße des Antilibanon, um nach Beirut weiterzureisen. »Der Kaiser saß«, berichtet Freiherr von Mirbach über die Bahnfahrt, »am Fenster, aber in fast ununterbrochener Arbeit mit dem Staatsminister von Bülow.« Er bedauert jetzt erst recht, daß er wegen der politischen Entwicklungen nicht auch in Ägypten den Spuren seines Vaters folgen kann.

Am selben Abend veranstaltet der Monarch auf der »Hohenzollern« das Abschiedsessen für die osmanischen Gastgeber, dann tritt er am Morgen des 12. November die Rückreise nach Europa an. Während die Kaiserjacht die Mittelmeerinseln Cypern, Rhodos und Kreta passiert, wird an Bord ausgiebig das Weltgeschehen besprochen. Niemand ahnt jedoch, in welche Richtung sich das Schicksalsrad der Großmachtpolitik bereits bewegt. Keiner kann wissen, daß gleichzeitig in der ostsibirischen Verbannung an der Lena aus dem Advokaten Uljanow ein Lenin wird, der systematisch die Revolution plant, nachdem der erste Parteitag der Sozialdemokratischen Arbeiterpartei Rußlands im März 1898 »den Kampf gegen den Kapitalismus bis zum vollen Sieg des Sozialismus« proklamiert hat.

Deutsche Politiker vertrauen auf die Annahme, proletarische Revolutionsversuche könnten nur eine erwünschte Schwächung des Riesen Rußland zur Folge haben. Und was die Kontinentalmacht jenseits des Atlantischen Ozeans betrifft, halten sie sich an den Glauben des Kulturhistorikers Scherr, daß »die Reformation, auf die jungfräuliche Erde Amerikas verpflanzt, dort der germanischen Rasse ein ungeheures Erbteil, einen föderativ-gemeinfreien, einen wahrhaft germanischen Staat gewann«, von dessen Seite dem Führungsanspruch Deutschlands keine Gefahr drohe.

So denkt Wilhelm II. während der Seefahrt weiter darüber nach, wie er die Stellung seines Reichs im Orient ausbauen werde. Der bisherigen Erfolge ist er sich bewußt, als die kaiserlichen Schiffe am 15. November im Hafen von Malta der britischen Mittelmeerflotte und vier Tage später in Messina dem Dampfer »Prinz Heinrich« des Norddeutschen Lloyd begegnen, auf dem Wilhelms Schwägerin Irene zu ihrem in Ostasien eingesetzten Gatten reist. Berlins Dreibund mit Rom und Wien wird gefeiert, als die deutschen Schiffsgeschütze am 20. November vor Messina Salut zum Geburtstag der Königin von Italien schießen und als drei Tage danach der Erzherzog Karl Stephan im österreichischen Hauptkriegshafen Pola die Willkommensgrüße des Kaisers Franz Joseph überbringt.

Wilhelm und Auguste Viktoria gehen in Istrien gern an Land, denn die Adria hat ihnen noch kurz vor dem Ziel einen bösen Streich gespielt. Während die »Hohenzollern« von schweren Wellen geschüttelt wurde, drang »eine mächtige See durch eine im Schlafraum der Majestäten nicht verschlossene Pforte und setzte in einem Augenblicke das ganze Zimmer unter Wasser. Die Majestäten wurden genötigt, es eilig zu verlassen und in einem der Räume des Kaisers für den Rest der Nacht Unterkunft zu suchen. In den Räumen des Generals von Hahnke und des Staatsministers von Bülow schwammen Aktenstücke und Briefe in einem Gemisch von Salzwasser und Tinte.«

Schließlich braucht der kaiserliche Hofzug von Pola bis Potsdam nicht weniger als drei Tage und Nächte, weil das Herrscherpaar in München dem Prinzregenten Luitpold von Bayern, in Stuttgart dem König Wilhelm II. von Württemberg sowie in Baden-Baden »in verwandtschaftlichem Verkehre« dem Großherzog Friedrich I. und seiner Gemahlin Luise, der Tante des Kaisers, ausführlich von der Wallfahrt nach Jerusalem erzählen muß. Erst am 26. November »ist man wieder zu Hause im Kreise der eigenen Familie«.

Ein paar Tage der Ruhe folgen, dann reitet der Kaiser am 1. Dezember mit seinen Adjutanten zur Begrüßung seines Gardekorps und der Berliner Bevölkerung bei naßkaltem Wetter von Schloß Bellevue an der Nordseite des Tiergartens zum Brandenburger Tor. Auf eine Ansprache des Bürgermeisters Kirschner erwidert er froh gelaunt: »Mich freut es, heut' wiederum meine Vaterstadt betreten zu können, nach Rückkehr von meiner Reise, auf welcher wir schöne und mächtige Eindrücke auf dem Gebiete der Religion, der Kunst und Industrie gewonnen haben. Das eine aber kann ich sagen, daß ich überall den deutschen Namen in allen Ländern und allen Städten geschätzt und geachtet gefunden habe wie nie zuvor. Ich hoffe, daß dies so bleiben wird und daß meine Reise dazu beigetragen hat, der deutschen Energie und der deutschen Tatkraft neue Absatzgebiete zu eröffnen.«

Nach dem Wunsch, daß sich seine liebe Vaterstadt weiterhin segensreich entwickeln möge, »ohne durch den Streit der Parteien gestört zu werden«, setzt der Kaiser seinen Ritt durch ein Spalier der Truppen, die zu beiden Seiten der Linden aufgestellt sind, zum Königlichen Schloß fort. Dort bereitet er sich auf die Thronrede vor, mit der am 6. Dezember der Reichstag eröffnet wird. Noch einmal möchte er zum Ausdruck bringen, was er im Orient erlebt und für Deutschland und den christlichen Glauben geleistet hat.

»Mit bewegtem Herzen habe ich mit der Kaiserin und Königin, meiner Gemahlin, an den Stätten geweilt, die durch das Leiden des Erlösers der gesamten Christenheit teuer sind... Daß es mir vergönnt war, die Erlöserkirche zu Jerusalem dem Dienste des Herrn zu übergeben, ist mir ein neuer Antrieb, die mir von Gottes Gnaden verliehene Gewalt auch weiter einzusetzen für die ewigen Grundwahrheiten des Christentums... So gebe ich mich der Hoffnung hin, daß mein Aufenthalt im türkischen Reiche... dem deutschen Namen und den deutschen nationalen Interessen zu bleibendem Vorteil und Segen gereichen möge.«

Die kaiserlichen Reden, zahlreiche Schriften und unzählige Vorträge, schließt Freiherr von Mirbach seinen Bericht, »erweckten fast überall im deutschen Vaterlande das lebhafteste Interesse und legten Zeugnis davon ab, wie mächtig das deutsche Volk von dem Gedanken, in Jerusalem den Sammelpunkt zu deutscher Arbeit im tiefsten Sinne des Evangeliums zu finden, in seinem innersten Kern und Wesen ergriffen war«. Dann rundet ein Gedicht die amtliche Reisebeschreibung vielsagend im Sinne der Kreuzzüge ab:

»Gott will es, daß wir schauen zum Stern von Bethlehem,
Gott will es, daß wir bauen die Stadt Jerusalem.
Gott will es, daß wir scharen des Kreuzes heilig Heer
Und daß wir werbend fahren weit über Land und Meer.
Gott will es, daß wir kämpfen in mancher Geistesschlacht,
Daß im Gebet wir dämpfen der Feinde List und Macht.
Gott will's! Laßt eure Grüße zum Morgenlande gehn,
Bis daß einst eure Füße in Salems Toren stehn!«

An deutschem Wesen

»Einzüge wie dieser, nach einer Reise, deren Arrangement Cook übernommen hat, haben etwas Ridiküles«, spottet Donna Laura Minghetti
über den Empfang, der dem Kaiser nach seinem Kreuzzug per Reisebüro
durch die Spitzen der Berliner Gesellschaft bereitet wird. Wie mancher
der ausländischen Diplomaten und einheimischen Politiker belächelt
sie die Siegerpose und das Eigenlob des Heimkehrers, der sich genüßlich
im Glanz seiner vaterländisch-religiösen Ruhmestaten sonnt.

Der Präsident des Oberkirchenrats und der Jerusalem-Stiftung preist
währenddessen die amtliche Chronik der Palästinareise als »würdiges
Blatt der deutschen Geschichte«. Das minuziös gesammelte Tagebuch-
material erhält unter seinem Vorsitz die redaktionelle Form und den
trockenen Titel: »Das deutsche Kaiserpaar im Heiligen Lande im
Herbst 1898«. Schon auf der ersten Seite betonen die Herausgeber, sie
hätten das reichbebilderte Buch »mit Allerhöchster Ermächtigung Seiner Majestät des Kaisers und Königs bearbeitet nach authentischen
Berichten und Akten« — zu dem erklärten Zweck, ein »rühmliches
Bekenntnis deutscher Glaubenstreue« in seiner »geschichtlichen Bedeutung für das deutsche Reich und die deutsche Kirche« ausführlich
darzustellen. Um so bemerkenswerter ist, was über die »historischen
Eindrücke« des kaiserlichen Gefolges geschrieben wird:

»Und uns, deren Füße mit unserem Kaiserpaare in den Mauern
Jerusalems standen, die wir der hohen Gnade gewürdigt sind, zu dem
Gelöbnis, welches unser Kaiser in weihevoller Stunde in dem heiligen
Tempel der evangelischen Christenheit ablegte, das tausendstimmige
Ja und Amen zu sprechen, lasset uns unserem erhabenen Kaiser, unse-
rer teuren Kaiserin von Grund unseres Herzens danken für das vor
aller Welt abgelegte feierliche evangelische Bekenntnis, lasset uns ih-

nen das Gelübde unwandelbarer Treue und Ergebenheit erneuern . . .« Angesichts der »nationalen Bedeutung« fallen kleine Ungereimtheiten nicht weiter auf. Ist es etwa ein Widerspruch, wenn der Hofbericht für den Jubel und die Begeisterung der orientalischen Bevölkerung immer neue Superlative erfindet, die politische Auswertung der Reiseerlebnisse aber feststellt, daß die »mohammedanische Bevölkerung in dumpfer, mißtrauischer Teilnahmslosigkeit und Entsagung freud- und friedlos, arm und genügsam dahinlebt«?

Unterliegt Freiherr von Mirbach einer Täuschung, wenn er in Jerusalem erkannt haben will, daß die großen Glocken der Grabeskirche »die Töne d, f und a (haben), wie die großen Glocken der Kaiser-Wilhelm-Gedächtniskirche in Berlin, nur nicht so rein und schön«, auch nicht so wie »die vollen Akkorde der vom Kaiser gestifteten d-, f-, a-Glocken der Erlöserkirche«?

Ist es am Reformationsfest 1898 nicht tatsächlich »der Ausdruck des allgemeinen Empfindens, wenn Präsident D. Barkhausen in begeisterter, markiger Rede des Kaisers gedachte, der heute in Erscheinung und Wort so herrlich vor aller Augen gestanden hatte, ein Stolz aller seiner Untertanen, ein Friedensfürst für die Araber und die ganze Welt«? Hat es beim evangelischen Gemeindefest nicht jeder mit eigenen Augen gesehen? »Die deutschen Kinder in ihren hellfarbigen Kleidern spielten und sangen ihre Lieder, aber auch die kleinen Araber zeigten die Beeinflussung durch den gemütvollen deutschen Geist.«

Es ist eben üblich, eine Kaiserreise so und nicht anders zu erleben und zu schildern. Deshalb sind auch keine falschen Beobachtungen oder gar Indiskretionen im Spiel, wenn die autorisierten Chronisten die innersten Gefühle des Kaisers und Königs offenlegen, vor allem »die tiefe Sehnsucht, den heiligen Stätten andachtsvoll zu nahen«. Mit naiver Selbstverständlichkeit lassen sie sogar durchblicken, daß des Kaisers religiöse Empfindungen stets mit der tressenreichen Uniform übereinstimmen, die er gerade trägt, daß sein Unterbewußtsein, auch wenn er von Jesus spricht, die »Regimenter auf dem Schlachtfeld« und die »Zukunft auf dem Wasser« nicht zu kurz kommen läßt. Der Monarch, der die imperiale Pose liebt, darf es sich bei jeder Gelegenheit leisten, ohne langes Überlegen forsche Kernsätze zu prägen.

In einem unverzeihlich bösen Brief, den »Willy« über die 1898 erschienenen »Gedanken und Erinnerungen« Otto von Bismarcks an seine Mutter schreibt, ruft er Gott und den Himmel als Zeugen dafür an, daß er recht getan hat, den verwegenen und verderblichen Reichs-

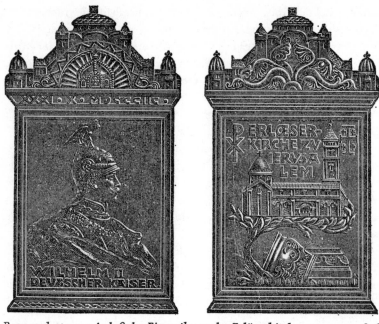

Bronzeplatte aus Anlaß der Einweihung der Erlöserkirche am 31. 10. 1898
(Vorder- und Rückseite)

kanzler niederzuwerfen und in den Sand zu strecken — »zur Rettung
meiner Krone und unseres Hauses«. Dann fährt er in maßloser Über-
steigerung fort: »Die Krone sendet ihre Strahlen durch ›Gottes Gnade‹
in Paläste und Hütten und — verzeih, wenn ich es sage — Europa und
die Welt horcht auf, um zu hören, ›was sagt und was denkt der Deutsche Kaiser?‹ «

Es ist Wilhelms fromme Überzeugung: Nicht zufällig, sondern durch
Gottes Willen ist er auf den Thron gelangt. Gottes Erleuchtung läßt
ihn nichts Falsches aussprechen und nichts Unrechtes tun. Schon 1892
hat er bei einem Festmahl des Brandenburgischen Provinziallandtages
versprochen, »auf dem Wege vorwärtszuschreiten, der mir vom Himmel gewiesen ist«. »Dazu kommt . . . meine felsenfeste Überzeugung,
daß unser Alliierter von Roßbach und Dennewitz mich dabei nicht
im Stich lassen wird. Er hat sich solche unendliche Mühe mit unserer
alten Mark und unserem Hause gegeben, daß wir nicht annehmen
können, daß er dies für nichts getan hat.«

Bei einem Festmahl der Rheinprovinz Koblenz fügt er 1897 die großen Worte hinzu: »Das ist das Königtum von Gottes Gnaden, das

Königtum mit seinen schweren Pflichten, seinen niemals endenden, stets andauernden Mühen und Arbeiten, mit seiner furchtbaren Verantwortung vor dem Schöpfer allein, von der kein Mensch, kein Minister, kein Abgeordnetenhaus, kein Volk den Fürsten entbinden kann.«

Klar erkennt der württembergische Gesandte in Berlin, Freiherr von Varnbüler, daß Wilhelm II. »über das Ziel hinausschießend bei allem, was er tut, um Religion, Monarchie zu erhalten und neu zu befestigen, den Regisseur zu sehr sehen läßt, die Menschen für naiver, dümmer, gehorsamer haltend, als sie es sind«. Über der fürstlichen Familie stehe Gott als unsichtbarer Familienchef, spöttelt später der Großindustrielle und Politiker Rathenau, Gott, der sich solche unendliche Mühe mit der Mark Brandenburg und den Hohenzollern gegeben habe . . .

Das sind sicherlich Nachwirkungen der Reformation: Weil Luther den Gehorsam gegen die gottgesetzte Obrigkeit predigte, kann sich der allgewaltige Landesherr anmaßen, allein vor Gott die Verantwortung für sein eigenes Tun und für das ihm anvertraute Volk zu tragen. Weil es Deutschland »vor anderen Völkern verliehen war, das Christentum von den Entstellungen zu befreien, die es im Laufe der Jahrhunderte erlitten hatte, und es in seiner reinen Gestalt wiederherzustellen, in der es einst aus dem Heiligen Lande hervorging«, hält sich Wilhelm als »deutscher evangelischer Kaiser« für den einzigen Erben der universalen christlichen Herrschergewalt des Mittelalters.

»Für immer und ewig«, schreibt er nach der Verdammung der »niedrigsten Ränke des aufgeregten Wüterichs Bismarck« an seine erstaunte Mutter — die Tochter der britischen Königin und indischen Kaiserin Victoria, »für immer und ewig gibt es nur einen wirklichen Kaiser in der Welt, und das ist der Deutsche Kaiser, ohne Ansehen seiner Person und seiner Eigenschaften, einzig durch das Recht einer tausendjährigen Tradition.«

Mit dieser kühnen Behauptung liefert Wilhelm den Schlüssel zu seinen innersten Regungen auf der Reise nach Jerusalem: Seinem erlauchten Geschlecht ist es aufgegeben, die Nutzanwendungen aus Antike, Mittelalter und Neuzeit zu ziehen. Deshalb ist es ihm mehr als ein rhetorisches Bedürfnis, immer wieder die teure evangelische Kirche und das deutsche Vaterland, das Jerusalem hier unten und die obere Gottesstadt in einem Atemzug zu nennen. In Jerusalem, dem Ort der Rückbesinnung und des Ausblicks, thront der Kaiser in der Hauptstadt des künftigen Gottesreiches. Von hier aus braucht er nur den Stationen der Geschichte von Jerusalem über Rom bis nach Berlin zu folgen, um die überragende Stellung des »einen wirklichen Kaisers« zu bestätigen, der sich nicht damit begnügen kann, Träger des Bundespräsidiums und des militärischen Oberbefehls zu sein, wie es die Reichsverfassung vorsieht.

Ein Jahr nach der Rückkehr aus dem Heiligen Land reist der Hohenzoller zu einem »historischen Gedenktag« nach Hamburg: Das Linienschiff »Kaiser Karl der Große« läuft unter seiner schirmenden Hand vom Stapel. »Es ist ein feierlicher Akt, dem wir soeben beigewohnt«, sagt er in einem Trinkspruch beim Festmahl des Senats, »als wir ein neues Stück schwimmender Wehrkraft des Vaterlandes seinem Element übergeben konnten ... Sein Name erinnert uns an die erste glanzvolle Zeit des alten Reiches und seiner mächtigen Schirmherrn ... Jetzt ist unser Vaterland durch Kaiser Wilhelm den Großen neu geeint und im Begriff, sich nach außen hin herrlich zu entfalten.«

Acht Monate später stiftet der Kaiser als ein »einheitliches Erinnerungszeichen für die gesamte Marine« eine Christusfigur und nimmt selbst an der Enthüllung vor der Garnisonskirche in Kiel teil. Jener Herr Jesus, der auf dem stürmischen See Genezareth so gut schlafen konnte, ist nach Wilhelms Ansicht am besten geeignet, »die ganz eigentümlich schwere Aufgabe, die in der Marine liegt und in den Offizieren und Mannschaften verkörpert ist, richtig darzustellen«.

Längst ist eingetroffen, was Jacob Burckhardt unmittelbar nach der Gründung des Zweiten Deutschen Reiches vorausgesagt hat: Es werde nicht lange dauern, »bis die ganze Weltgeschichte von Adam an siegesdeutsch angestrichen und auf 1870/1 orientiert sein wird«.

Nicht gerade im Paradies, aber doch schon mit der abendländischen Zeitrechnung läßt man die Geschichte der Deutschen beginnen, seitdem ihre Ursprünge dort gesucht werden, wo es auf deutschem Boden zu den ersten Auseinandersetzungen mit Rom kam. Der historiographische Zeitraffer zeichnet ein simples Bild: Die unverbrauchten Germanen besiegten die degenerierten Römer und sicherten der deutschen Nation das Erbe der Antike samt dem Kaisertum. Ein neues Rom in Gestalt des Papsttums stellte zwar den Führungsanspruch der Deutschen jahrhundertelang in Frage, doch der Reformator Martin Luther erzwang die entscheidende Wende und wies den Weg zum Deutschen Reich des späten 19. Jahrhunderts. »Aus den tiefen Augen dieses urwüchsigen deutschen Bauernsohnes blitzte der Heldenmut der alten Germanen«, behauptete Heinrich von Treitschke, der Herold der Reichsgründung unter preußisch-protestantischer Führung.

Wilhelm II. hat von den deutschnationalen Historikern gelernt, daß das Ende der Römerherrschaft eigentlich schon besiegelt war, als im Jahre 9 nach Christus der Cheruskerfürst Hermann im Teutoburger Wald ein römisches Heer vernichtend schlug. Geflissentlich wird das Doppelleben des ersten siegesdeutschen Helden übersehen, der bereits als römischer Stabsoffizier Arminius — wie auch andere seines Geschlechtes — alle Vorzüge eines »Civis Romanus« genossen hatte, ehe er sich zur Verschwörung gegen die Macht am Rhein entschloß.

Seit der Reichsgründung hält man sich mehr an Martin Luther, der wesentlich mitgeholfen hat, Arminius den Namen Hermann und den Nimbus eines nationalen Symbols zu geben. Schon 1875 wird zur Feier der deutschen Einheit das nahezu 57 Meter hohe Hermannsdenkmal auf der Grotenburg bei Detmold errichtet, inmitten der vermeintlichen Walstatt, die Roms Geschichtsschreiber Tacitus den »Saltus Teutoburgiensis« nannte.

Erneut versammeln sich die Monumentalromantiker 1883 um eine 10 Meter hohe Germania, die zur Erinnerung an preußisch-deutsche Siege im Rheingau zwischen Rüdesheim und Aßmannshausen auf den 25 Meter hohen Sockel des Niederwalddenkmals gehoben wird.

Nur zwei Jahre vor Wilhelms Reise nach dem Orient wird in den nordthüringischen Bergen das gewaltige Kyffhäuser-Denkmal eingeweiht, das der junge Monarch als Bindeglied zwischen seinem Großvater und dem alten Heldenkaiser Friedrich Barbarossa versteht. Noch viel mächtiger soll das Völkerschlachtdenkmal im Süden der Stadt Leipzig aufragen, zu dem man 1898 den Grundstein legt. Das 91 Meter hohe Monument feiert die Schlacht von 1813, in der nach Meinung deutscher Patrioten die germanische Nation aus Blut und Eisen neu geboren wurde.

Kein Wunder, daß die preußisch-protestantischen Sieger auch die Erlöserkirche in Jerusalem unter die Nationaldenkmäler einreihen, mit denen sich das Zweite Reich von allem Römischen und Welschen distanziert. Aus ihrem Blickwinkel erhebt sich das Gotteshaus am Anfang und Ende des gewaltigen Bogens, der sich von Wittenberg — über alle europäischen Machtzentren hinweg — bis zu der Heiligen Stadt spannt, um den Ort zu kennzeichnen, an dem sich jener maßgebende göttliche Eingriff in die Menschheitsgeschichte vollzog, den schon die Sibyllinischen Bücher, die vierte Ekloge des Vergil und das Alte Testament angekündigt hatten.

Die Erlöserkirche lenkt die Gedanken »zurück zu den Quellen«,

zum Beginn der Zeitrechnung, an dem mit dem Nazarener Jesus das
Christentum, mit dem Römer Augustus das Kaisertum und mit dem
Cherusker Hermann das Germanentum in die Welt traten. Christentum, Kaisertum und Germanentum sind die drei Grundpfeiler, die
man aus dem »Schutt von 19 Jahrhunderten« freigelegt hat, um auf
ihnen das neue Reich der Deutschen und ein neues Gottesreich auf
Erden zu errichten.

Mit besonderem Interesse hat Wilhelm II. vor seiner Orientreise
zwei Bücher gelesen, die 1896 und 1897 aus Anlaß der Kyffhäuser-
Feier erschienen sind: »Die deutsche Kaiseridee in Prophetie und Sage«
und »Die Sage von der Völkerschlacht der Zukunft am Birkenbaum«.
In beiden wird auf die recht enge Verwandtschaft zwischen einer morgenländischen Überlieferung und dem deutschen Kaisermythos hin-
gewiesen.

Jedes Schulkind lernt inzwischen die Geschichte des Staufers Friedrich Barbarossa, der auf einem Kreuzzug zum Heiligen Land am 11. Juni
1190 weit vor dem Ziel bei Seleukia im Fluß Salef ertrank. Das Fleisch
des toten Recken wurde in der Peterskirche von Antiochia beigesetzt;
das ausgelöste Gebein, das die letzte Ruhe in Jerusalem finden sollte,
ließen die Kreuzritter nach enttäuschenden Niederlagen in der Kathe-
drale von Tyrus zurück. Doch der Volksglaube hat den Kaiser nach
Deutschland heimgebracht und läßt ihn im kalkigen Gestein der Bar-
barossahöhle bei Frankenhausen neuen Ruhmestaten entgegenschla-
fen. Schon seit dem 16. Jahrhundert ist in Vergessenheit geraten, daß
die Sage ursprünglich auf den erfolgreicheren Kreuzfahrer Kaiser Friedrich II. zugeschnitten war.

Auch der letzte oströmische Kaiser Konstantin XI. Paläologos, der
1453 auf den Wällen seiner Hauptstadt Konstantinopel dem Sturm der
Osmanen erlag, ist nach der orientalischen Legende nicht gestorben.
Er liegt seit dem Untergang von Byzanz nur in tiefem Schlaf und wird
eines Tages erwachen, um in Jerusalem ein neues Reich zu gründen.
Dann wird er seinen Schild an eine dürre Birke hängen, die zum Zeichen des Sieges neu ergrünen wird, sein Zepter und seine Krone auf
dem Ölberg niederlegen und seine Herrschaft in Gottes Hände übergeben. Das wird — nach dem Entscheidungskampf mit dem Antichrist
— der Beginn des wahren Gottesreiches sein.

Das Kyffhäuser-Monument steht kaum ein Jahr, da schockiert Wilhelm II. viele seiner Zeitgenossen mit der sogenannten Handlanger-
Rede. Überschwenglich preist er während eines Festmahls seinen

Großvater, »dem wir unser Vaterland, das Deutsche Reich verdanken«, und bezeichnet dessen »brave, tüchtige Ratgeber« — in erster Linie Otto von Bismarck und Helmuth von Moltke — schlicht als »Handlanger seines erhabenen Wollens, erfüllt von dem Geiste dieses erhabenen Kaisers«.

Noch schlimmer aber fallen die Sätze aus, mit denen der Hohenzoller die Sage vom Kyffhäuser weiterspinnt: »Denken wir zurück in der

Wilhelm II. in Palästina. Karikatur in der Zeitschrift L'Uomo di Pietro, Mailand, 1901, mit folgendem Text: Nachdem er mit dem Großtürken getafelt hat, betet er am Heiligen Grabe, der Glaube des Volkes möge so stark bleiben wie die göttliche Vorsehung.

Geschichte. Was ist das alte Deutsche Reich gewesen! Wie haben so oft einzelne Teile desselben gestrebt und gearbeitet, zusammenzukommen zu einem einzigen Ganzen... Es ist nicht gegangen: Das alte Deutsche Reich wurde verfolgt von außen, von seinen Nachbarn, und von innen, durch seine Parteiungen. Der einzige, dem es gelang, gewissermaßen das Land einmal zusammenzufassen, das war der Kaiser Friedrich Barbarossa... Seit der Zeit verfiel unser Vaterland, und es schien, als ob niemals der Mann kommen sollte, der imstande wäre, dasselbe wieder zusammenzufügen. Die Vorsehung schuf sich dieses

Instrument und suchte sich aus den Herrn, den wir als den ersten großen Kaiser des neuen Deutschen Reiches begrüßen konnten.«

Wenige Augenblicke später fällt der Satz, der die Kritiker des rede-
freudigen Monarchen fast erstarren läßt: »Meine Herren, wenn der
hohe Herr im Mittelalter gelebt hätte, er wäre heiliggesprochen, und
Pilgerzüge aus allen Ländern wären hingezogen, um an seinen Gebeinen Gebete zu verrichten.« In Bernhard von Bülows »Denkwürdigkeiten« wird die bittere Reaktion des preußischen Gesandten in München, Graf Anton Monts, zitiert: »Unsere Feinde hier finden es kaum
noch nötig, unter scheinheiligem Achselzucken über den eigentlich
nicht mehr zurechnungsfähigen hohen Redner ihre helle Freude zu
verbergen ... Bezüglich der Heiligsprechung (welches Bild für einen
Herrscher protestantischen Glaubens!) bemerkt das partikularistisch-
klerikale Münchener ›Vaterland‹, wenn das Volk nur erst zu allen
Gebeinen deutscher Kaiser wallfahren könne, dann wäre ihm freilich
wohler.«

In seinem Buch »Der Kaiser« (1904) kommentiert Dr. Paul Liman,
Leitartikler der »Leipziger Neuesten Nachrichten«, das peinliche Loblied auf den weißbärtigen Großvater, aus dem unbedingt ein »Wilhelm der Große« werden soll: »Stets erscheint er in den Worten des
Enkels als ›der hohe Herr‹, als ›mein Herr Großvater‹, als solle die
Distanz, die den Fürsten vom Volke trennt, auch in der Geschichte, in
dem Andenken der Liebe bestehen. Neben dem Weißbart aber erhebt
sich die Gestalt des Helden vom Kyffhäuser ... Aber wie hier der
Hohenstaufe, der in weltentlegener Ferne starb, nachdem ihm trotz
endloser Kämpfe sein Lebenswerk mißglückt war, statt der nüchtern-
klaren und herrschgewaltigen Sachsenkönige als der Einiger des Reiches
genannt wird, so entwickelt Kaiser Wilhelm auch den Charakter und
das Streben des ersten Hohenzollernkaisers nicht nach den ruhigen
Feststellungen der Geschichte, nicht aus den kühlen Daten der Tatsachen, sondern aus der poetischen Anschauung des Romantikers heraus, und statt der historischen Gestalt führt er uns mit dichterischer
Schaffenskraft den phantastischen Kaiser der Legende vor.«

Auch andere sind nicht damit einverstanden, daß aus der Geschichte
nur herausgegriffen wird, was in den preußisch-deutschen Rahmen zu
passen scheint. Mit schneidender Schärfe hat schon 1874 der Historiker
und Publizist Karl Hillebrandt »die deutsche historische Wissenschaft
der letzten dreißig Jahre« als »ihrem ganzen Charakter nach national
und protestantisch« beurteilt. »Die Herren Professoren«, schreibt der

Kritiker, »mögen sich noch so viele Illusionen über ihre Objektivität machen, über ihre wissenschaftliche Unbestechlichkeit und Gewissenhaftigkeit, über die Unfehlbarkeit ihrer wunderbaren Methode ...; sie haben, ohne es zu wollen und zu wissen, den protestantischen und nationalen Interessen gedient, ihnen zuliebe die Geschichte gebeugt, in diesem Sinne die Tatsachen gesichtet und zusammengestellt. Die Beamten, welche einst auf der Universität diesen Studien nahegekommen, haben den Wust des Wissens bald genug abgeschüttelt und vergessen; die nationale und protestantische Tendenz ist ihnen allein von all dem Detail geblieben.«

In diesen Rahmen paßt auch die Jerusalemer Kirchweih vom Reformationsfest 1898, so wie es der Kaiser schon länger schätzt, jeden 31. Oktober als protestantischen und nationalen Feiertag, als Fest der Erinnerung an Martin Luthers »deutsche Tat«, zu begehen.

Am 31. Oktober 1892, vier Jahre nach seinem Regierungsantritt, versammelt Wilhelm bei der Einweihung der erneuerten Schloßkirche in Wittenberg zum erstenmal seit der Reformation sämtliche deutschen evangelischen Fürsten und Inhaber des Kirchenregiments zu dem erklärten Zweck, die jahrhundertelange Zwietracht der Landeskirchen zu beenden und das geeinte Deutsche Reich durch eine geeinte deutsche evangelische Kirche zu stärken.

Am 31. Oktober 1893 läßt der Kaiser als Schutzherr der Protestanten in Jerusalem den Grundstein der Erlöserkirche legen, »um damit kundzutun«, wie es in der eingemauerten Urkunde heißt, »daß auch sie dastehen soll ... als ein Bekenntnis zu dem seligmachenden Evangelium von der Gnade Gottes, wie es durch den Dienst der Reformatoren für die evangelische Christenheit wieder erschlossen ist, als ein sichtbares Zeugnis der Glaubensgemeinschaft, in welcher die evangelischen Kirchen in Deutschland und darüber hinaus miteinander verbunden sind«.

Am 31. Oktober 1898 erklärt der Hohenzoller nach der Einweihung der Erlöserkirche: »Die Abgesandten der evangelischen Kirchengemeinschaften und zahlreiche evangelische Glaubensgenossen aus aller Welt sind mit uns hierher gekommen, persönlich Zeugen zu sein der Vollendung des Glaubens- und Liebeswerkes, durch welches der Name des höchsten Herrn und Erlösers verherrlicht und der Bau des Reiches Gottes auf Erden gefördert werden soll.«

Alle Betonung des Glaubens und der Liebe kann nicht darüber hinwegtäuschen, daß das Deutsche, das Nationale im Vordergrund steht und die Religion weitgehend nur Mittel zum Zweck ist. Unter Führung der Hohenzollern, tönt der Kaiser schon bald bei einem Festmahl in Münster, »wird unser deutsches Volk der Granitblock sein, auf dem unser Herrgott seine Kulturwerke an der Welt aufbauen und vollenden kann«. Auf daß, so fügt er recht unbescheiden hinzu, »das Dichterwort sich erfüllen« und »an deutschem Wesen einmal noch die Welt genesen« werde!

Ein bißchen Theatercoup

Verehrern und Kritikern des Kaisers bietet die Wallfahrt nach Jerusalem noch lange reichlichen Gesprächsstoff. Die Tagebuchschreiberin Freifrau von Spitzemberg, die nach der katholischen Trauung mit einem württembergischen Diplomaten evangelisch geblieben ist, macht sich vor allem Gedanken über das »Geschenk der Dormition«, nachdem sie erfahren hat, »daß der Platz nicht vom Sultan dem Kaiser geschenkt ist«. Der Sultan habe zwar, notiert sie nach Salonbesuchen, die Stätte schenken wollen, doch weil im Orient in solchen Fällen hinterher der ursprüngliche Eigentümer dem Beschenkten doch die Rechnung einzureichen pflege, habe man lieber den Kauf direkt abgeschlossen.

Die kaiserliche Weitergabe an die deutschen Katholiken sei der Kurie sehr ungeschickt gekommen, schreibt die Baronin weiter. Der Zentrumsabgeordnete Prinz von Arenberg habe bei den sehr unangenehmen Unterhandlungen mit dem französenfreundlichen Kardinalstaatssekretär Rampolla und »dem der deutschen Zustände völlig fremden Münchner Nuntius« böse Zeiten durchgemacht, triumphiere aber jetzt um so mehr ob der glatt und mit bestem Erfolg durchgeführten diplomatischen Aktion. »Es ist doch sehr gut, daß die deutschen Katholiken im Auslande genötigt worden sind, sich zum Deutschen Reiche zu bekennen, und die Legende von dem französischen Protektorate über alle Katholiken durchbrochen worden ist.«

Detailinformationen über die Rechtslage beim Immobilienerwerb im Osmanischen Reich und über »des Kaisers viel verlachtes Tropenkostüm« weisen auf direkte Beziehungen der Freifrau zur deutschen Botschaft in Konstantinopel hin. »Hoch erfreulich ist es«, meint sie zusammenfassend, »daß diese Palästinareise, vor der alles so bange war, so gut abgelaufen ist; ein bißchen Theatercoup mußte ja sein, aber mit dem Kranze an Saladins Grab war es so ziemlich abgetan ... Einen trefflichen Witz machte der Salesker Pastor, als man von dem Schiffe voll hoher evangelischer Geistlicher sprach. ›Mein Gott‹, sagte er, ›wenn nun dieses ganze Schiff voll Kirchenlichter unterginge, würden die im Wasser zischen!‹ «

Der Dichter und Kabarettist Frank Wedekind hat sich inzwischen aus dem Staub gemacht. Er fürchtet eine Bestrafung wegen Majestätsbeleidigung, der er schließlich doch nicht entgehen kann. Als er die Jahrhundertwende in Festungshaft verbringt, büßt er auch für ein Heilig-Land-Gedicht in der Zeitschrift »Simplicissimus«, das unter dem Pseudonym Hieronymus dem bekannten Spottlied vom »Reisekaiser« weitere Strophen wie diese hinzugefügt hat:

»Willkommen, Fürst, in meines Landes Grenzen,
Willkommen mit dem holden Ehgemahl,
Mit Geistlichkeit, Lakaien, Excellenzen,
Und Polizeibeamten ohne Zahl.
Es freuen rings sich die histor'schen Orte
Seit vielen Wochen schon auf deine Worte,
Und es vergrößert ihre Sehnsuchtspein
Der heiße Wunsch, photographiert zu sein.

So sei uns denn noch einmal hochwillkommen,
Und laß dir unsre tiefste Ehrfurcht weihn,
Der du die Schmach vom Heil'gen Land genommen,
Von dir bisher noch nicht besucht zu sein.
Mit Stolz erfüllst du Millionen Christen;
Wie wird von nun an Golgatha sich brüsten,
Das einst vernahm das letzte Wort vom Kreuz
Und heute nun das erste deinerseits.

Der Menschheit Durst nach Taten läßt sich stillen,
Doch nach Bewund'rung ist ihr Durst enorm.
Der du ihr beide Durste zu erfüllen
Vermagst, sei's in der Tropen-Uniform,
Sei es in Seemannstracht, im Purpurkleide,
Im Rokoko-Kostüm aus starrer Seide,
Sei es im Jagdrock oder Sportgewand,
Willkommen, teurer Fürst, im Heil'gen Land!«

Auch der Mitgründer und Karikaturist des »Simplicissimus«, Thomas Theodor Heine, wird wegen »verleumderischer« Darstellungen der kaiserlichen Orientreise des Majestätsverbrechens schuldig befunden. Vor dem Strafantritt gibt er bildlich bekannt, wie er seine nächste Karikatur zeichnen werde: als in Ketten gelegter Häftling, vom Richter angeleitet und von Polizisten streng bewacht.

Jenseits der Ostgrenze fragt Zar Nikolaus II. von Rußland, den »Willy« verwandtschaftlich vertraut »Nicky« nennt, seine Mutter Maria Feodorowna in einem Brief, wie ihr die Reden des deutschen Kaisers in Palästina gefallen haben, und erhält die erwartete Antwort: »Die Bilder von der Reise durch das Heilige Land hätten mich zum Lachen gebracht, wenn die ganze Sache nicht so empörend wäre. Alles aus purer Eitelkeit, nur damit darüber gesprochen wird! Diese Pilgerkutte, diese Pose eines Oberpastors, der Frieden auf Erden predigt mit einer Donnerstimme, als ob er seine Truppen kommandierte.«

»Und sie«, giftet die Zarinmutter über die Kaiserin Auguste Viktoria, »mit dem großen Kreuz in Jerusalem, all das ist vollkommen lächerlich und zeigt nicht eine Spur von religiösem Gefühl — abscheulich!« Unfreiwillig bekennt die einstige dänische Prinzessin mit ihrer Tirade, daß ihr die Stätten des Neuen Testaments nicht sonderlich bekannt sein können, wenn sie einen weiteren Stein des Anstoßes, die Andacht auf dem Ölberg, falsch lokalisiert: »Was für ein hübscher Anblick, wie sie beide auf dem Berge Sinai knien und vom Hauslehrer ihrer Kinder gesegnet werden, den man eigens zu diesem Zweck mitgebracht hat.« Aber genug davon, stöhnt sie schließlich, es mache sie zu ärgerlich, es mache ihr sogar Herzklopfen, wenn sie davon schreibe, und es lohne sich auch wirklich nicht.

Im Berliner Auswärtigen Amt zerbricht sich Friedrich von Holstein den Kopf über den weltpolitischen Klimawechsel. In einer Aufzeichnung vom 12. November 1898 erwähnt er zunächst die jüngste Guildhall-Rede des britischen Regierungschefs und Außenministers Marquess of Salisbury, der am selben Tag, an dem Kaiser Wilhelm zum geliebten Freund der 300 Millionen Mohammedaner — immerhin großenteils britische, französische und russische Untertanen! — ernannt wurde, den Eintritt der nordamerikanischen Republik in weltweite Entscheidungen als schwerwiegendes und ernstes Ereignis bezeichnete. Die Graue Eminenz der deutschen Außenpolitik spricht mehrmals von der Möglichkeit eines Kontinentalkrieges, neigt aber im Blick auf Rußland dazu, im Zaren einen friedliebenden Herrn zu sehen, der in der Kiautschau-Frage gezeigt habe, »daß er manches geschehen läßt, solange er glaubt, daß Deutschland nicht zu den prinzipiellen Gegnern Rußlands gehört«.

Aber die umlaufende Legende von einem englisch-deutschen Bündnis, sinniert von Holstein, »kann doch im Verein mit manchen Momenten der Palästinareise beim russischen Selbstherrscher ›patriotische

Nach Jerusalem. Karikatur aus der Zeitschrift Weekblad voor Nederland, *1897, mit dem Text: Na, Auguste, wie steht mir das? Wilhelm der Kreuzfahrer, das würde nicht schlecht klingen, was?*

Beklemmungen‹ zeitigen«, ähnlich jenen während der vier Jahre von 1866 bis 1870, die »den französischen Krieg in der Stille vorbereiteten«. Rußland müsse deshalb rechtzeitig erfahren, »daß England und Deutschland sich über keine einzige die russische Interessensphäre berührende Frage verständigt haben«. Andernfalls bestehe die Gefahr, daß Rußland und Frankreich nur scheinbar vor der Eventualität eines

englisch-deutschen Krieges gegen sie zurückweichen, »aber mit dem
Plane, Revanche an Deutschland zu nehmen, bei der ersten Gelegenheit, wo man es isoliert fassen kann«.

Mit Neujahrswünschen an Holstein, der am 2. Januar 1899 den Titel
eines Wirklichen Geheimen Rats erhält, verbindet Botschafter Marschall von Bieberstein in einem Brief aus Istanbul die optimistische
Feststellung, daß nach seinem Eindruck »die Sachen in der auswärtigen Politik vortrefflich gehen«. Er berichtet von einer Audienz bei
der Hohen Pforte, die er beantragt habe, »um die Kabelfrage und den
Hafen von Haidar Pascha zu urgieren«. Er sei jetzt, am 30. Dezember
1898, ziemlich sicher, »beide Sachen bis zum Beginn des Ramadan –
13. Januar – in der Tasche zu haben«.

Von »unseren hiesigen Gegnern«, fährt der Botschafter fort, werde
geklagt, der Sultan wolle alles allein machen und auf niemand mehr
hören, »weil wir ihm zu sehr geschmeichelt und (ihn) dadurch eitel
gemacht haben. Der Kaiserbesuch und die Ehren, die ihm dabei erwiesen, hätten dem Faß den Boden ausgeschlagen und den Hohen Herrn
ganz untraitabel gemacht«. Diese Behauptungen seien jedoch Unsinn,
weil Abd ul-Hamid schon immer alles allein entschieden habe, und
zwar fast immer dahin, »nichts zu tun oder doch zur Zeit nichts zu
tun«. Ernster sei zu nehmen, daß Wilhelms Palästinareise den Russen
»außerordentlich unangenehm« gewesen sei, »und das begreift sich,
denn Rußland ist diejenige Macht, die an der unversehrten Erhaltung
des französischen Kirchenprotektorats von allen beteiligten Faktoren
das allergrößte Interesse hat. Und jenes Protektorat hat durch uns ein
erhebliches Loch bekommen.«

Um so größer ist in Petersburg die Aufregung über den Militäratta-
ché Major Morgen von der deutschen Botschaft in Konstantinopel, der
sich angeblich bei Manövern an der osmanisch-russischen Grenze wie
ein türkischer Offizier aufgeführt hat. Doch Fürst von Radolin, der
deutsche Botschafter beim Zarenhof, beruhigt das Auswärtige Amt, er
hebe immer hervor, »daß wir nur kommerzielle Interessen am Euphrat
und in Kleinasien verfolgen«.

Bramarbasierende Reden und Machtdemonstrationen des Kaisers tragen allerdings nicht zur Glaubwürdigkeit seines Petersburger Vertreters
bei. Als im Juni 1900 die Ermordung des deutschen Gesandten in Peking, Freiherr von Ketteler, gemeldet wird, telegraphiert Wilhelm dem
Staatssekretär von Bülow: »Peking muß dem Erdboden gleichgemacht
werden.« Das erste Expeditionskorps, das in Wilhelmshaven nach Ost-

asien eingeschifft wird, verabschiedet der oberste Kriegsherr am 2. Juli mit den Worten: »Ein Verbrechen, unerhört in seiner Frechheit, schaudererregend durch seine Grausamkeit, hat meinen bewährten Vertreter getroffen und dahingerafft... Die deutsche Fahne ist beleidigt und dem Deutschen Reiche hohngesprochen worden. Das verlangt exemplarische Bestrafung und Rache.«

Worum es ihm geht, erläutert der Hohenzoller einen Tag später nach der Taufe des neuen Linienschiffes »Wittelsbach« in Wilhelmshaven, wo sich jeder überzeugen kann, »wie mächtig der Wellenschlag des Ozeans an unseres Volkes Tore klopft und es zwingt, als ein großes Volk seinen Platz in der Welt zu behaupten, mit einem Wort: zur Weltpolitik. Der Ozean ist unentbehrlich für Deutschlands Größe. Aber der Ozean beweist auch, daß auf ihm in der Ferne, jenseits von ihm, ohne Deutschland und ohne den Deutschen Kaiser keine große Entscheidung mehr fallen darf... Hierfür die geeigneten und, wenn es sein muß, auch die schärfsten Mittel rücksichtslos anzuwenden, ist meine Pflicht nur, mein schönstes Vorrecht.«

Bernhard von Bülow regt sich über die »schlimmste Rede jener Zeit und vielleicht die schädlichste, die Wilhelm II. je gehalten hat«, in seinen »Denkwürdigkeiten« auf, wenn er unter dem 27. Juli 1900 aus einer weiteren Abschiedsansprache an die in Bremerhaven angetretenen Ostasien-Truppen zitiert: »Pardon wird nicht gegeben, Gefangene werden nicht gemacht! Wie vor tausend Jahren die Hunnen unter König Etzel sich einen Namen gemacht haben, der sie noch jetzt in Überlieferung und Märchen gewaltig erscheinen läßt, so möge der Name Deutscher in China auf tausend Jahre durch euch in einer Weise bestätigt werden, daß niemals wieder ein Chinese es wagt, einen Deutschen auch nur scheel anzusehen.«

Dieser kaiserliche Kraftausbruch wird in den amtlichen Veröffentlichungen wohlweislich verschwiegen. Dafür endet die »Hunnen-Rede« in den Spalten des »Reichsanzeigers« mit dem von Palästina her bekannten Predigerpathos: »Der Segen Gottes sei mit euch, die Gebete eines ganzen Volkes, meine Wünsche begleiten euch, jeden einzelnen. Öffnet der Kultur den Weg ein für allemal!« Die Politik der Stärke wird in den Mantel der Religion und der Kultur gehüllt, obwohl Politiker, Wissenschaftler und Schriftsteller in aller Offenheit das Machtbedürfnis des Herrschers untermauern.

Die Alternative »Krieg oder deutsche Seemacht« proklamieren Alfred Hugenberg und Heinrich Claß im Alldeutschen Verband. Den Ruf

nach »Lebensraum« erhebt der Geograph Friedrich Ratzel. »Stolz weht
die Flagge Schwarz-Weiß-Rot« singt der Flottenbund Deutscher Frauen
unter Klärchen Müller in Hannover. Die »Weltstellung des Deutschtums« begründet am unbescheidensten Fritz Bley in seiner gleichnami-
gen Schrift: »In sieben Völkerschlachten — im Teutoburger Walde, auf
der katalaunischen Ebene, bei Tours und Poitiers, auf dem Lechfelde,
bei Liegnitz, vor Wien gegen die Türken und bei Waterloo — haben
wir Europas Gesittung errettet. Wir sind das tüchtigste Volk auf allen
Gebieten des Wissens und der schönen Künste! Wir sind die besten
Ansiedler, die besten Seeleute, ja selbst die besten Kaufleute!«

In diesen Chor stimmt auch Pastor Ludwig Schneller ein, wenn er
aus eigener Erfahrung bestätigt, daß die Deutschen in Palästina »durch
Fleiß und Tüchtigkeit eine geradezu beherrschende Stellung im ganzen
Lande« errungen haben, daß sie »in Handel und Gewerbe die führende Stellung« einnehmen, daß man bereits »mit Deutsch überall durch-
kommen« kann, denn allerorten gibt es »auch arabische Männer und
Frauen, die es in unseren Anstalten in Wort und Schrift gelernt« haben.

Seit der hohenzollerischen Orientreise geht man weniger von geheimen Wünschen als von offensichtlichen Tatsachen aus, wenn die
Weiterentwicklung des »deutschen Jerusalem« beschrieben wird. Für
die neue Generation im Heiligen Land ist ohnehin vieles selbstverständlicher als für jene Gründer und Pioniere, die auf den Zionsfried-
hof getragen werden: der einstige Chrischona-Bruder Conrad Schick,
der es dank seiner architektonischen und archäologischen Arbeiten
noch zum Königlich Württembergischen Baurat und Doktor honoris
causa gebracht hat, und die Kaiserswerther Diakonisse Charlotte Pilz,
deren Mädchenschule von den Arabern nur »Medrese Scharlota«
genannt wird.

Am 1. März 1900 wird in Jerusalem ein deutsches Postamt eröffnet.
Kurz danach gründen die Landeskirchen Deutschlands als erstes Ge-
meinschaftswerk das Deutsche Evangelische Institut für Altertumswissenschaft des Heiligen Landes, dessen Leitung im Herbst 1902 der
Leipziger Theologe Gustaf Dalman übernimmt. Schon von 1905 an
wird sein »Palästinajahrbuch« eine Fundgrube für die wissenschaftliche Welt, die daraus vor allem Neues über die Sprache und die Umwelt Jesu erfährt.

Auf dem Platz des kaiserlichen Zeltlagers werden 1903 die neue
Propstei mit einem Gemeindesaal, das erste eigene Schulgebäude und

ein Schuldienerhaus bezugsfertig. Der Evangelische Verein der Gustav-Adolf-Stiftung, der den Bau des Pfarrhauses weitgehend finanziert hat, unterstützt mit beträchtlichen Spenden auch das Mädchenheim Talitha kumi, die Schule in Jaffa und das Pastorat der Gemeinde Haifa. Nur in den letzten sechs Wochen seiner achtjährigen Amtszeit erfreut sich Propst Hoppe »eines der schönsten Wohnhäuser Jerusalems«, dessen Außenfront die gotisch gestalteten Inschriften »Wünschet Jerusalem Glück« und »Ein' feste Burg ist unser Gott« zieren. Dann zieht, aus Argentinien kommend, Propst Wilhelm Bußmann ein, dem vor allem die Aufgabe zufällt, die Pläne für »das bei weitem stolzeste Gebäude Jerusalems«, die Kaiserin-Auguste-Viktoria-Stiftung auf dem nördlichen Ausläufer des Ölbergs, zu verwirklichen. Einer Abordnung deutscher Gemeinden hat das Kaiserpaar versprochen, hoch über der Heiligen Stadt ein Erholungsheim mit Kirche und Gemeindesälen zu errichten.

Konsul von Tischendorf wird im Februar 1899 von Dr. Friedrich Rosen abgelöst, der als Sohn des zweiten preußischen Konsuls ein gebürtiger Jerusalemer und ein Orientalist von hohem Rang ist. Zwar wird er schon nach eineinhalb Jahren in das Auswärtige Amt versetzt, doch behalten ihn besonders die Juden — je nach Einstellung — in guter oder schlechter Erinnerung: Dr. Rosen, selbst jüdischer Herkunft, hat eindringlich vor dem Zionismus als einer ernsten Gefahr für die deutschen Interessen im Orient gewarnt und um so tatkräftiger die Schulpläne des reichstreuen deutsch-jüdischen Hilfsvereins in Palästina gefördert.

Die Nachfolge tritt 1901 der landeskundige Edmund Schmidt an, der bis dahin Vizekonsul in Jaffa und immer ein besonderer Freund der preußisch-evangelischen Tradition im Heiligen Land war. Deshalb wird er gleich nach dem Inkrafttreten der ersten Gemeindesatzung, die für den evangelischen Kirchenrat vier gewählte und zwei von der Jerusalem-Stiftung nominierte Älteste vorsieht, eines der ernannten Ratsmitglieder. Er stellt sich auch an die Spitze eines paritätisch gebildeten Schulvorstands, nachdem sich die evangelische Gemeinde und die Jerusalemer Tempelkolonie vertraglich über eine gemeinsame höhere Schule geeinigt haben. In beiden Fällen wacht Konsul Schmidt darüber, daß die finanziellen Reichszuschüsse der Ausbreitung deutscher Sprache und Kultur zugute kommen.

Umgekehrt bemüht sich Kaiser Wilhelm, seine Untertanen in der Heimat mit der Kultur des Orients bekannt zu machen. Aus der Ruine des transjordanischen Jagdschlosses Mschatta, etwa 20 Kilometer südlich Ammans, läßt er die schönsten Teile einer Fassade nach Berlin transportieren, um sie als Beispiel arabischer Architektur und Bildhauerkunst im Kaiser-Friedrich-Museum wiederaufzubauen. Die Baronin von Spitzemberg hat die Vorgeschichte dieser Erwerbung unmittelbar erlebt, weil ihre Tochter seit kurzem mit dem Botschaftsrat Hans Freiherr von Wangenheim verheiratet ist, der die Verhandlungen mit der Hohen Pforte geführt hat.

Direktor Wiegand vom Deutschen Archäologischen Institut in Konstantinopel sei momentan sehr beglückt, schreibt Hildegard von Spitzemberg im Juni 1903, weil es ihrem Schwiegersohn gelungen sei, den Unterbau von Mschatta als Geschenk für den Kaiser zu »erpressen«. »Der arme Hans, dessen Anstandsgefühl diese unverschämten Forderungen an den Sultan peinlich verletzen, zumal die sogenannten Gegenschenkungen meist entsetzlich schäbig und plötrig ausfallen, hatte Mühe, seinen Unmut zu verbergen, und die Versicherungen Wiegands trösteten ihn nicht, daß in späterer Zeit diese Errungenschaft ihm viel Anerkennung bringen werde. Diese Altertümer repräsentieren einen Museumswert von vielleicht 400 000 bis 500 000 Mark; zweimal hat Hans monieren müssen, um nur einen Dank S. M. zu erhalten für den Sultan, und als Gegengeschenk bieten sie an eine Prachtausgabe der Werke Sultan Selims, höchstens 1000 Mark wert!!«

Der Kaiser vertritt allerdings den Standpunkt, das Danken sei eher Sache der Türken. Denn er rechnet mit den wachsenden Summen auf, die von deutscher Seite im Osmanenreich investiert werden. Wer sich daraus mehr Nutzen verspricht, steht nicht zur Debatte. Jedenfalls ist Palästina längst das Kernland einer weit ausgedehnten deutschen Aktivität, die sich auf Rohstoffquellen, Kapitalanlagen und Verbrauchermärkte, auf Aktien und Dividenden, auf politische Machtpositionen und ihre militärische Absicherung konzentriert.

Genau zehn Jahre nach seiner Orientreise zieht Wilhelm II. eine weltpolitische Zwischenbilanz und verursacht damit eine internationale Affäre, die manche seiner Freunde und Gegner sogar an seinem Verstand zweifeln läßt. Mit einem Interview in der englischen Zeitung »Daily Telegraph« zerschlägt er an einem Tag mehr Porzellan als in dem ganzen Zeitabschnitt seit 1898. Indem er die Engländer für »verrückt, verrückt, verrückt wie Märzhasen« erklärt, glaubt er um ihre Freundschaft werben zu können; indem er auch Frankreich, Rußland, Holland, Südafrika und den Fernen Osten ins Spiel bringt, scheint er es mit allen auf einmal verderben zu wollen.

Eine Palästina-Frage. Karikatur in der Zeitschrift Hunoristické Listy, Prag, 1897, mit dem Text: Wird Wilhelm in Jerusalem auf dem Rücken eines Esels einziehen?

Der Hohenzoller will nicht zur Kenntnis nehmen, was Flottenbau und Kolonialpolitik in Verbindung mit dem Machtzuwachs zwischen Schwarzem und Rotem Meer bewirkt haben. Schon 1899, als Deutschland in Kleinasien Konzessionen und in der Südsee weitere Schutzgebiete erwirbt, beenden London und Paris sehr rasch ihren Streit um den Sudan. Ein Jahr später wird in Berlin das zweite Flottengesetz und damit eine beträchtliche Vermehrung der Schlachtschiffeinheiten beschlossen, während Großbritanniens Kräfte durch den Krieg gegen die Buren in Südafrika gebunden sind. Prompt kommt es 1901 zum Scheitern britisch-deutscher Bündnisgespräche, nachdem auch enge verwandtschaftliche Bindungen aufgehört haben: Mit der Queen Victoria aus dem Haus Hannover und ihrer ältesten Tochter gleichen Namens sind kurz nacheinander die Großmutter und die Mutter des deutschen

Kaisers gestorben. Den britischen Thron besteigt nun Edward VII., der auf seinen Neffen in Berlin schon lange schlecht zu sprechen ist.

Jahr für Jahr kündigen sich neue Kräfteverschiebungen an, doch Wilhelm II. ändert weder den Stil seines Regiments noch die Gewohnheiten seines Alltags. Während Italien das Verhältnis zum Dreibund lockert, weil es einer Konfrontation mit den britischen Streitkräften im Mittelmeer vorbeugen will, gibt der Hof der Hohenzollern am Reformationsfest 1902 die Jagdbeute des Kaisers in den vergangenen dreißig Jahren bekannt: nicht weniger als 47 443 »Stück«. Schon Anfang Dezember feiert der rekordsüchtige Jäger im Gut Neudeck des Industrie-Fürsten Henckel von Donnersmarck den fünfzigtausendsten Abschuß!

1903 forciert der Sultan mit deutscher Beteiligung den Bau der Bagdadbahn. 1904 eröffnet ein britisch-französischer Interessenausgleich in Ägypten, Marokko und anderen Kolonialgebieten die »Entente cordiale«, die sich bereits 1905 bewährt, als Kaiser Wilhelm in Tanger landet und auf der Beachtung deutscher Ansprüche besteht. 1906 wird der verhängnisvolle Feldzugsplan des Generalstabschefs Graf von Schlieffen bekannt, worauf britische, französische und belgische Generalstabsoffiziere die Übereinstimmung ihrer Regierungen militärisch bekräftigen. Die Marokko-Konferenz in Algeciras offenbart bereits die Isolierung Deutschlands und Österreich-Ungarns. 1907 bildet sich eine Tripel-Allianz zwischen Großbritannien, Frankreich und Rußland, als Petersburg mit Zugeständnissen in Persien und Afghanistan um Londons Unterstützung in der Meerengenfrage wirbt und die deutsche Delegation auf der zweiten Haager Friedenskonferenz von 44 Staaten einer Rüstungsbeschränkung entgegentritt.

1908 verstärkt sich der Argwohn gegen die kaiserlichen Regierungen in Berlin und Wien. Österreich-Ungarn annektiert mit deutscher Zustimmung, aber ohne Verständigung mit den übrigen Signatarmächten des Berliner Kongresses von 1878, die noch immer der osmanischen Oberhoheit zugezählten Gebiete Bosnien und Herzegowina. In Konstantinopel verübeln die jungtürkischen Revolutionäre und der neue Großwesir Said Pascha dem deutschen Kaiser die »Nibelungentreue« zum habsburgischen Reich. In London ärgert man sich über eine weitere Novelle zum deutschen Flottengesetz, die Deutschland den Rang der zweitstärksten Seemacht zuweist, und über die Gründung des Vereins für das Deutschtum im Ausland (VDA), der die Zielsetzung des Deutschen Schulvereins von 1881 auf weltpolitische Wirksamkeit erweitert.

In dieser Krisenatmosphäre muß Wilhelms Interview im »Daily Telegraph« wie eine Bombe wirken. Der deutsche Kaiser, dem die Entscheidung über Krieg und Frieden zusteht, gibt mit Kenntnis des Reichskanzlers und des Auswärtigen Amtes offen zu, daß die deutsche Flotte »eine Drohung für England« ist. »Gegen wen anders als gegen England werden meine Geschwader gerüstet?« fragt der Hohenzoller und fährt fort: »Meine Antwort ist klar. Deutschland ist ein junges, wachsendes Reich. Es hat einen weltweiten, schnell sich ausdehnenden Handel, und der berechtigte Ehrgeiz der patriotischen Deutschen weigert sich, diesem irgendwelche Grenzen zu setzen. Deutschland muß eine mächtige Flotte haben, um diesen Handel und seine mannigfaltigen Interessen auch in den entferntesten Meeren zu schützen. Es erwartet, daß diese Interessen sich noch ausbreiten, und muß fähig sein, sie in jedem Teil des Erdballs männlich zu verteidigen. Deutschland schaut vorwärts. Seine Horizonte erstrecken sich in die Weite . . .«

Ein Schrei der Empörung geht durch Deutschland und die Welt. Der kaiserliche Thron gerät ins Wanken. Doch weder der Reichskanzler Fürst von Bülow noch der Außenamts-Staatssekretär Freiherr von Schoen, weder der Reichstag noch der Bundesrat vermögen sich zu entscheidenden Schritten durchzuringen. Wilhelm II. begibt sich währenddessen auf eine Vergnügungsreise, um sich bei Jagdausflügen mit dem Wiener Thronfolger Franz Ferdinand und dem Donaueschinger Fürsten zu Fürstenberg von den Strapazen seines persönlichen Regiments zu erholen.

Als ihm das Präsidium des Abgeordnetenhauses zu einer Audienz nachreist, zeigt sich der Kaiser glänzender Laune, erzählt von den erlegten Hirschen und spricht kein Wort über Politik. Erschütterung erfaßt ihn nur ein paar Tage später aus einem höchst unpolitischen Anlaß: Sein Militärkabinettschef Graf von Hülsen-Haeseler tritt in Donaueschingen während einer Abendunterhaltung der kaiserlichen Jagdrunde im Kleidchen einer Tänzerin auf und stirbt an einem Herzschlag.

Nach Potsdam zurückgekehrt unterschreibt Wilhelm eine vom Kanzler entworfene Erklärung und gibt seinen Willen dahin kund: Unbeirrt durch die von ihm als ungerecht empfundenen Übertreibungen der öffentlichen Kritik erblicke er seine vornehmste kaiserliche Aufgabe darin, die Stetigkeit der Politik des Reiches unter Wahrung der verfassungsmäßigen Verantwortlichkeiten zu sichern . . . Der nächste Akt kann beginnen.

Vom Rhein zum Jordan

> »Was einst Jubel und Jammer war,
> muß nun Erkenntnis werden.«
> Jacob Burckhardt

Die neue Johanniterburg

Die Kaiserin-Auguste-Viktoria-Stiftung auf dem Ölberg war vollendet. Ihr erster Kurator Freiherr von Mirbach meldete dem Herrscherpaar, der »romanische, burgähnliche Kreuzfahrerbau« erhebe sich nun »als ein hehres deutsch-nationales Denkmal evangelischer Liebestätigkeit im Heiligen Lande auf den Bergen über Jerusalem«.

So beeindruckt war der Oberhofmeister von dem neuen Werk, daß er nicht zögerte, die bedeutendsten Bau- und Schutzherren des Heiligen Landes in einer Reihe zu nennen: »den mächtigsten Kaiser der alten Welt, Konstantin den Großen, und seine fromme Mutter Helena« als Gründer der Geburtskirche und der Grabeskirche, »Kaiser Karl den Großen und Papst Gregor den Großen« als abendländische Protektoren der heiligsten Stätten und nun »unseren Kaiser und Herrn«, den Hohenzollern Wilhelm den Zweiten.

Prinz Eitel Friedrich, der zweitälteste Sohn des Kaiserpaars, wurde beauftragt, mit seiner Gemahlin Sophie Charlotte nach Jerusalem zu reisen und die Einweihung der nach seiner Mutter benannten Stiftungsgebäude zu vollziehen. Diese Auszeichnung wurde dem 27 Jahre alten Prinzen zuteil, weil er Herrenmeister des Johanniterordens war.

Dem Gefolge gehörte — wie 1898 — der erfahrene Hofbeamte von Mirbach an, der unter dem Titel »Die Deutschen Festtage im April 1910 in Jerusalem« wiederum einen ausführlichen Bericht zusammenstellte. In allen Einzelheiten schilderte er die Geschichte des Unternehmens, das damit begann, daß die Konsuln Rosen und Schmidt fünf Jahre lang nach einem geeigneten Grundstück suchten, auf dem sich das kaiserliche Versprechen erfüllen ließ. Dann wurde am 18. Januar 1904, am Jahrestag der Kaiserproklamation von Versailles, die Auguste-Viktoria-Pfingsthaus-Stiftung in Potsdam als juristische Persönlichkeit

mit der Ausführung des Großvorhabens beauftragt und am 27. Januar
1907, an Kaisers Geburtstag, im Königlichen Schlosse zu Berlin die
Stiftungsurkunde »gegeben«.

Nach schwierigen Fundamentierungsarbeiten wurde am Ostersonn-
tag 1907 der Grundstein gelegt, wonach auf einer überbauten Fläche
von 4500 Quadratmetern der Gebäudekomplex rasch emporwuchs. Den
krönenden Abschluß bildete — 80 Meter über dem Tempelplatz, 810
Meter über dem Spiegel des Mittelmeers und rund 1200 Meter über
dem Toten Meer — ein 65 Meter hoher Kirchturm. »Was die Architekten betrifft«, schrieb der verantwortliche Regierungsbaumeister
Leibnitz aus Berlin, »so war es der Wunsch des Kaisers, daß die Stiftung im Stile der besten romanischen Kunstperiode aus der Zeit der
Kreuzzüge und Hohenstaufen erbaut würde und als deutsches Haus
weithin erkannt werden möchte«.

Großzügige Stiftungen des Kaiserpaars bildeten den Grundstock
einer Spendenaktion, die in wenigen Jahren die Gesamtkosten von
2,7 Millionen Mark einbrachte, wovon allein 1,7 Millionen auf die
Bauten und 250 000 Mark auf die Innenausstattung entfielen. Die Ge-
samtkonzeption ging, den Resten der Johanniter-Anlage im Muristan-
gelände nachempfunden, von einem offenen zweistöckigen Kreuzgang
mit 99 verschieden gestalteten Säulenkapitälen und dem Refektorium
an einer der Schmalseiten aus. Vorbilder für figürlichen Schmuck lieferten Baudenkmäler in Hildesheim, Goslar und Bamberg. Für die Übereinstimmung mit zeitgenössischen Kunstwerken in deutschen Sakral-
bauten sorgten mehrere Bildhauer und Maler, die bereits Marmor- und
Mosaikarbeiten für das Aachener Münster, die Homburger Erlöserkirche und die Berliner Kaiser-Wilhelm-Gedächtniskirche entworfen hatten.

Von den 21 größten Bauunternehmen und Lieferfirmen, die in der
Liste der Oberbauleitung geführt wurden, hatten nicht weniger als 17
ihren Sitz in Berlin. Zu ihnen gesellten sich sechs in Palästina ansässige
deutsche Betriebe, die mit den örtlichen Verhältnissen vertraut waren.
Kamelkarawanen transportierten das Rohmaterial aus den Steinbrü-
chen auf den Ölberg, wo ein Heer von Steinmetzen und Steinbild-
hauern beschäftigt war. Eselskolonnen, die zeitweise von mehr als
hundert sechs- bis zehnjährigen Buben im Akkord angetrieben wurden,
brachten Sand und Mörtel an die Baustelle. Begleiterchöre spornten die
menschlichen Wasser- und Lastträger zu Höchstleistungen an. Die
Maurer arbeiteten ohne Gerüst, auf den ungleichmäßig hochgezogenen

Gebäudeteilen stehend und, wie es der technische Leiter Baurat Hoffmann beschrieb, die Steine »unter sich versetzend«. Fast täglich wechselten die Arbeitsgruppen, weil die Mohammedaner am Freitag, die Juden am Samstag und die Christen am Sonntag frei hatten. Fehlte es auf dem Ölberg an Kräften, halfen russische Pilger aus, die etwas Geld verdienen wollten.

Der überwiegende Teil der Zusatzmaterialien und die ganze Innenausstattung — von den Wasserrohren bis zu den Dachziegeln und von den Öfen bis zu den Jalousien — wurden aus Deutschland geliefert. Aus Österreich stammten die meisten Holzteile und die modernste elektrische Anlage des Wiener Siemens-Schuckert-Werks, dessen Monteure noch einen Monat vor dem Eintreffen der Gäste die vorgesehenen 300 Petroleumlampen durch stromgespeiste Beleuchtungskörper ersetzten — ein technisches Wunder nicht nur für Jerusalem!

Prinz Eitel Friedrich fuhr Anfang März mit der Bahn nach Neapel, wo in der malerischen Hafenbucht am Vesuv der Dampfer »Prinz Heinrich« des Norddeutschen Lloyd zur Überfahrt nach Ägypten bereitlag. Als der junge Hohenzoller in Alexandrien an Land ging, begrüßte ihn ein Komitee unter der Führung von Ernst Stangen, der als Gründer des ältesten deutschen Büros für Orientreisen zum Kommerzienrat ernannt und von den Protokollbeamten mit der Organisation des mehrwöchigen Programms — einschließlich Ausflügen nach Luxor und Assuan — beauftragt worden war. Den Karfreitag und das Osterfest verbrachten die Gäste in Kairo, um die Gottesdienste in der deutsch-evangelischen Kirche besuchen zu können. Schließlich bestiegen sie in Alexandrien die »Schleswig«, ein weiteres Schiff des Norddeutschen Lloyd, und erreichten am Morgen des 6. April bei strahlendem Sonnenschein den Hafen von Jaffa.

Die Abgesandten des Kaisers wurden von den Landsleuten in Palästina stürmisch begrüßt und in einem festlichen Zug zu der Tempelkolonie Sarona begleitet. Im Gegensatz zu seinem Vater, der darauf bestanden hatte, den beschwerlichen Weg nach Jerusalem mit Pferden und Wagen zurückzulegen, benützte Eitel Friedrich einen Sonderzug, der die Steigung von der Küste zu der hoch gelegenen Heiligen Stadt in etwa drei Stunden überwand. Dabei ging es dem Prinzen nicht allein um die Bequemlichkeit und den Zeitgewinn, sondern auch um eine Würdigung und Rechtfertigung der deutschen Orientpolitik, die den Eisenbahnbau seit Jahren als Musterbeispiel wahrer Entwicklungshilfe pries. Wer wollte angesichts der Weite Vorderasiens bestreiten, daß moderne Transportmittel überhaupt erst eine Voraussetzung für jede Art von Fortschritt waren?

Schon 1888 bemühte sich der Stuttgarter Ingenieur Wilhelm Pressel, der die Geislinger Steige und den Brenner dem Schienenverkehr erschlossen hatte, als Berater der osmanischen Staatsschuldenverwaltung in Istanbul um das Zustandekommen der Anatolischen Eisenbahn-Gesellschaft und um eine Kapitalbeteiligung der Deutschen Bank. Als in den neunziger Jahren die Strecken nach Ankara und Konia gebaut wurden, bewährte sich besonders der aus Leipzig stammende Ingenieur Heinrich August Meißner, dem später die Hedschasbahn und große Teile der Bagdadbahn zu legendärem Ruhm verhalfen.

Botschafter Marschall von Bieberstein berichtete im Dezember 1900 dem Auswärtigen Amt aus Konstantinopel, Meißner habe die Stelle eines leitenden Ingenieurs beim Bau der vom Sultan befohlenen Pilgerbahn nach dem Hedschas angenommen. Daraufhin stand der energiegeladene Fachmann von 1901 bis 1908 in einem unaufhörlichen Kampf gegen die Tücken der Wüste, bis die 1308 Kilometer lange Strecke von Damaskus über Amman und Maan nach Medina fertiggestellt und überwiegend mit deutschem Material ausgerüstet war. Nicht weniger als 1532 Brücken und Durchlässe sowie 96 Bahnhofsgebäude und zahlreiche Wasserstationen für die Speziallokomotiven mit ihren übergroßen Kesseln und angekoppelten Tankwagen mußten gebaut werden, während von Norden und von Süden her osmanische Militäreinheiten mit zeitweise fast 10 000 Soldaten den Unterbau aufschütteten und die Schienen verlegten.

Außerdem schuf der deutsche Chefingenieur von 1903 an über den Jordan und den Jarmuk hinweg eine Stichbahn von Haifa nach Dera, die er nicht nur als eigenen Küstenanschluß der Hedschaslinie, sondern auch als Konkurrenz für die ältere französische Verbindung Beirut–Damaskus verstand. Wie sehr seine Arbeit geschätzt wurde, bewiesen ihm 1904 die Hohe Pforte mit dem Titel Pascha und das preußische Königshaus, von dem er schon 1898 den Kronen-Orden erhalten hatte, mit dem Roten-Adler-Orden. Bald danach zeigten sich Meißner aber auch die Kehrseiten der Medaillen: Als er 1906 die Trassierung einer Zweigbahn von Maan nach Aqaba — also in Richtung Suezkanal — zur Diskussion stellte, warnten die Briten mit militärischen Aktionen im Roten Meer.

Prinz Eitel Friedrich wußte auch von dem jahrelangen diplomatischen Widerstand der Russen und der Engländer gegen Verlängerungen der Anatolischen Eisenbahn nach Osten und Südosten hin. Noch bevor unter der Führung der Deutschen Bank die Gesellschaft für den Bau der Eisenbahnen in der Türkei gegründet und 1905 von Konia aus das erste Teilstück der Bagdadbahn in Betrieb genommen wurde, blockierte London eine mögliche Endstation am Persischen Golf. Im Auftrag des indischen Vizekönigs Lord Curzon schloß der britische Resident von Bahrain einen Protektionsvertrag mit dem Scheich von Kuweit, der von nun an — trotz strikter Weisungen der osmanischen Oberherrschaft — einer deutschen technischen Kommission das Studium von Bahn- und Hafenbauten verwehrte. Eine türkische Militärexpedition, die den Stammesfürsten zum Einlenken zwingen sollte, blieb wirkungslos, weil sofort ein britisches Kanonenboot vor der kuweitischen Küste erschien.

Die Regierung in London machte sich vor allem Sorgen, weil die deutsche Militärmission in Konstantinopel unverkennbar die Trassen- planung der Eisenbahnexperten mitbestimmte. So wurde die Teil- strecke Konia—Aleppo, die auch die Verbindung zur Hedschasbahn herstellte, nicht am Golf von Iskenderun entlang, sondern mit ungleich größerem Aufwand über das Amanus-Gebirge hinweg geführt, um sie der Reichweite feindlicher Schiffsgeschütze im Mittelmeer zu entzie- hen. Welche Ziele — fragten sich die Briten — verfolgte der deutsche Generalstab gar mit einer Eisenbahn zum Persischen Golf, von wo es nur ein Sprung nach Britisch-Indien war?

So stark wurde bereits die deutsche Position eingeschätzt, daß man sich in London dazu durchrang, einer Schwenkung vom Widerstand zur Zusammenarbeit den Vorzug zu geben. Als Wilhelm II. im No- vember 1907 zu einem Besuch an der Themse weilte, bot Schatzkanzler Lord Asquith überraschend britisches Kapital für eine Verlängerung der Bagdadbahn nach Basra an. Zum einen wollten die Engländer verhin- dern, daß ein durchgehender Schienenstrang nach Kuweit das abtrün- nige Scheichtum wieder an den osmanischen Sultan binden könnte, zum anderen hofften sie aber auch auf eine Partnerschaft mit deut- schen Finanzkreisen, um im Wettbewerb um Erdölkonzessionen dem mächtig vordringenden amerikanischen Kapital eher gewachsen zu sein. Immerhin war Deutschland auf dem besten Wege, nach den USA die zweitstärkste Industrie- und Handelsmacht zu werden.

In London und Berlin gab es gleichermaßen zu denken, daß sich Washington mit einem bewährten imperialistischen Trick ins Spiel gebracht hatte. Weil türkische und kurdische Fanatiker während der Armenierverfolgungen in Ostanatolien auch Eigentum amerikanischer

Missionare zerstört und wiederholte Schadenersatz-Forderungen an die osmanische Regierung nicht zum Erfolg geführt hatten, kreuzte 1899 der US-Konteradmiral Chester mit dem Kriegsschiff »Kentucky« vor Konstantinopel auf und setzte die Hohe Pforte mit seinen Geschützen unter Druck. Nicht lange danach zog er die Uniform aus und stellte sich den Behörden als Repräsentant amerikanischer Erdölinteressenten im Nahen und Mittleren Osten vor.

Von da an tauchte der Ex-Admiral überall auf, wo europäische Ölsucher, vor allem die Vorläufer der 1909 gegründeten Anglo Persian Oil Company, aktiv wurden. Sultan Abd ul-Hamid witterte ein gutes Geschäft und verknüpfte schon 1904 die Vergabe von Bohrrechten mit seiner Privatschatulle. So konnte er ohne Einfluß seiner Minister die Konzessionsjäger gegeneinander ausspielen, bis er schließlich der Anatolischen Eisenbahn-Gesellschaft und damit dem mehrheitlich vertretenen deutschen Kapital eine Option auf Gebiete um Bagdad und Mossul zugestand.

Zu einem Vertragsabschluß kam es jedoch nicht, weil der Sultan 1909 von den Jungtürken gestürzt und durch seinen schwachen Bruder Mohammed V. ersetzt wurde. Die Regierungsgewalt übernahm das Komitee »Einheit und Fortschritt«, das grundsätzlich allen europäischen Großmächten mißtraute und fürs erste die Deutschen zappeln ließ, weil sie sich hinter die österreichisch-ungarische Annexion alter osmanischer Balkanprovinzen gestellt hatten. Zwar veranlaßte die Berliner Regierung ihren Verbündeten in Wien sofort zu finanziellen Zugeständnissen an das grollende Komitee in Istanbul. Aber dort hatte bereits der geduldige Chester das Rennen gemacht. Nur konnte auch er mit der schriftlichen Zusage von Bohr- und Bergrechten in der Gegend von Kirkuk und Mossul nichts anfangen, weil außenpolitische Verwicklungen der Jungtürken die Ratifikation des Vertrags verzögerten.

Prinz Eitel Friedrich war darauf eingestellt, getreu der hohenzollerischen Reisediplomatie die Kontinuität der deutsch-türkischen Beziehungen zu unterstreichen. Während sich der Sonderzug Jerusalem näherte, rekonstruierte der Kaisersohn die Entwicklung, die den Deutschen zunächst in Palästina und dann im ganzen Osmanenreich einen so klaren Vorsprung verschafft hatte, daß er nach ihrer Meinung gar nicht mehr rückgängig zu machen war. Fester denn je war der Prinz davon überzeugt, als er den Bahnsteig der Heiligen Stadt betrat und eine osmanische Militärkapelle mit »Heil dir im Siegerkranz« ausdrückte, was er in diesem Augenblick empfand.

Die Palästinadeutschen waren aus verschiedenen Landesteilen herbeigeströmt, um dem Vertreter des Kaisers zu huldigen. Zu ihnen gesellten sich evangelische Festpilger, die dem Prinzenpaar an Bord österreichischer Schiffe vorausgereist waren, zum Teil auf der überfüllten »Maria Theresia« mit dem neuen Jerusalemer Propst Dr. Friedrich Jeremias, der mit Frau und Kindern gerade von Sachsen in das Heilige Land übersiedelte. Das größte Aufgebot stellten jedoch die katholischen Wallfahrer aus Deutschland, die mit den Prinzen Georg und Konrad von Bayern der Weihe ihrer ersten eigenen Kirche im »deutschen Jerusalem« entgegenfieberten. In seltsamer Unterscheidung charakterisierte der Kölner Pilgerführer den Begrüßungstaumel: »Mit Hochrufen sind die Orientalen merkwürdigerweise sparsamer als wir Europäer und auch als wir Deutsche. Aber unsere Art gefällt mir besser.«

»Euere Königlichen Hoheiten werden vielleicht schon vom Zuge aus die flaggengeschmückten freundlichen Häuser der deutschen Kolonie im Tale Rephaim bemerkt haben«, betonte Konsul Schmidt in seiner Willkommensansprache. »Wenn Sie jetzt durch die Straßen der Stadt fahren und später von der Höhe des Ölbergs herab den Blick auf dieselbe richten, so werden die auf zahlreichen Häusern wehenden schwarz-weiß-roten Flaggen den Umfang dartun, in welchem Deutsche in diesem Lande leben und arbeiten.« Die bevorstehende Einweihung von »zwei monumentalen Bauten« werde »ein neues Zeugnis geben von der wachsenden Bedeutung des Deutschtums in Jerusalem«.

Am Eingang zur Altstadt, unter einer Ehrenpforte vor dem Jaffator, wandte sich der Bürgermeister in arabischer Sprache an die Gäste und drückte seine große Freude über den »dritten Besuch eines Fürsten aus dem erlauchten Hause der Hohenzollern innerhalb der Mauern der Stadt Davids und Salomos« aus. »Ein schönes, junges jüdisches Mädchen«, bemerkte Freiherr von Mirbach, »überreichte der Prinzessin einen Blumenstrauß.« Nachdem die Kolonne die nach Wilhelm II. benannte Kaiserstraße passiert und die reichbeflaggte Kaiserin-Auguste-Viktoria-Stiftung auf dem Ölberg erreicht hatte, nahm Eitel Friedrich gerührt einen silbernen Schlüssel entgegen, dessen Griff das Ölbergkreuz darstellte. Die Prinzessin erhielt eine Schmuckausgabe dieses Hauswappens mit dem Namenszug der Stiftung aus Brillanten. Dann ließ sich das Paar von der Leitenden Kaiserswerther Diakonisse Theodora Barkhausen, die das väterliche Vermächtnis im Sinne der Jerusalem-Stiftung fortsetzte, durch die »altdeutschen« Räume führen.

Umgeben von Trägern bekannter Namen, wie dem Hofmarschall von Lettow-Vorbeck und der Oberhofmeisterin Gräfin von Schlieffen, rühmte der Prinz immer wieder die herrliche Aussicht auf das Heilige Land. Die Bezeichnungen der um den Innenhof gruppierten Gebäude-flügel dienten der Orientierung. Im Erdgeschoß wies nach Westen die Jerusalem-Seite, nach Norden die Kapernaum-Seite und nach Osten die Jordan-Seite; in der ersten Etage nannte man den Nordflügel mit der Wohnung des ersten Stiftungs-Kurators die Nazareth-Seite, den Ost-flügel mit den Schwesternwohnungen die Bethanien-Seite und den südlichen Teil mit den Gemeindesälen die Bethlehem-Seite. Die west-liche Hauptfront mit dem Blick auf Jerusalem hieß zu Ehren des Gastes die Herrenmeister-Seite.

Am Morgen des 7. April beobachteten die Frühaufsteher einen präch-tigen Sonnenaufgang über dem Toten Meer und den Bergen von Moab. »Gegen 9 Uhr«, hielt der Chronist fest, »sprengte die türkische Rei-tereskorte durch das Portal vor die Wohnung des Herrenmeisters.« Der Prinz trug seine Lieblingsuniform der Leibgarde-Husaren, als er sich zu den Begrüßungszeremonien der kirchlichen Würdenträger auf-machte. Auf einem Bauplatz neben der Erlöserkirche, wo fünf Tage später der Grundstein für ein Hospiz gelegt werden sollte, erwarteten ihn die Ritter des Johanniterordens. Am Ende des blumenbestreuten Weges zur Grabeskirche standen zum Empfang die Patriarchen und der Kustos des Heiligen Landes bereit. Die Besichtigung der Kirche hinterließ bei dem Prinzen dieselben tristen Eindrücke wie einst bei seinem Vater und seinem Großvater; auch er sah nur in der Erlöser-kirche ein würdiges Gotteshaus.

Getreu dem hohenzollerischen Vorbild verbrachte Eitel Friedrich den Abend in der Stille des russischen Klosters auf dem Ölberg. Dann ging es am nächsten Morgen hinaus zu der Kolonie Rephaim, wo der Tem-pelratsvorsteher Hoffmann bei der Darbietung des Ehrentrunks aus-rief, daß an dieser Stelle »Seine Kaiserliche Majestät sein Roß zu hal-ten gezwungen hat und jene unvergeßlichen Worte zu uns sprach, deren huldvolle Klänge für uns geradezu den Anbruch einer neuen besseren Zeit bekundeten ... Vergangenen Ostermontag waren es ge-nau fünfzig Jahre, daß der hiesige Gemeindevorsteher, ein jetzt fast achtzigjähriger Greis, damals in voller Jugendkraft, als erster Pionier den Grundstein zu den Kolonien des Tempels im Lande der Verhei-ßung legte, die jetzt auf mehr als dreitausend Seelen in sieben Kolo-nien des Tempels angewachsen sind.«

Im Anschluß an einen Ausflug nach Bethlehem ließ Eitel Friedrich den von vielen erwarteten Ordens- und Beförderungssegen auf den Ölberg niedergehen. Als erste einer langen Reihe erhielten Freiherr von Mirbach die Brillanten zum Großkreuz des Roten-Adler-Ordens mit Eichenlaub und Schwertern am Ringe sowie Konsul Schmidt »den Charakter als Generalkonsul«. Für Bauleute und andere Helfer gab es allgemeine Ehrenzeichen oder goldene Krawattennadeln mit dem heraldischen Adler und dem Monogramm der Kaiserin — so auch für den dunkelhäutigen Torwächter Hadsch Abdallah, der noch nie eine Krawatte besaß. Die bayerischen Prinzen und der deutsche Botschafter in Konstantinopel waren die ersten Empfänger des neugestifteten Ölbergkreuzes. Zugleich erfuhr die Versammlung, daß in der Heimat die Bankiers Robert und Franz von Mendelssohn, zahlreiche Fabrikanten, darunter Gustav Krupp von Bohlen und Halbach, Großkaufmänner, Rittergutsbesitzer, Kommerzienräte, Generalkonsuln und Hoflieferanten geehrt wurden.

Das Ölbergkreuz, das Eitel Friedrich schon am Weihnachtsabend 1909 seinen Eltern verliehen hatte, entsprach der Form, die für das kaiserliche Jerusalemkreuz von 1898 verwendet wurde, zeigte mit »Schwarz-Weiß-Rot die Farben des neuen Deutschen Reiches« und hatte »zur Erinnerung an mittelalterliche weiße Auferstehungs- und Himmelfahrtsfahnen« ein weißes Band. Gemäß Allerhöchstem Befehl wurde es an einem goldenen Gehänge aus den verschlungenen Buchstaben A. V. S. (Auguste-Viktoria-Stiftung) »an der Ordensschnalle hinter den Kriegsmedaillen und dem Jerusalemkreuz, aber vor der zur Erinnerung an den 100. Geburtstag Kaiser Wilhelms des Großen gestifteten Medaille am Militär-Überrock und am Frack im Knopfloch getragen«.

Am 9. April drängten sich in der 32 Meter langen und 20 Meter breiten Himmelfahrtskirche — im Grundriß ein lateinisches Kreuz mit flachen Armen — 900 geladene Gäste. »Ein Hospitium ecclesiae weihen wir«, rief Oberkonsistorialrat Lahusen als Festprediger aus, »eine Herberge der Kirche, in der das Werk des Johanniterordens aus alter Zeit in Jerusalem wiederaufgenommen wird, aufgenommen von der Balley Brandenburg, dem evangelischen Zweige des Stammes des altehrwürdigen Johanniter-Malteser-Ordens...« Dann vermeinte man den Kaiser selbst zu hören: »Unser Deutsches Reich steht auch im Orient in dem Wettbewerb der Völker in Arbeit und Handel... Wir Deutschen wollen mitarbeiten, den Segen unserer Kultur dahin zu bringen, von wo sie einst ausgegangen ... So sei denn dieses Haus ein Denkmal dafür, daß Gottes Reich und Deutsches Reich auch hier zusammengehören.«

Nach der Kirchweihe wurde eine Depesche verlesen, die Wilhelm II. aus Homburg vor der Höhe geschickt hatte: »Homburgs Glocken haben soeben das Echo zu denen vom Ölberg gebildet und ohne Unterschied der Konfession zum Lobe des Herrn in die blaue Frühlingsluft hinaus getönt. Der Herr sei mit seinem Segen heute bei allen zugegen.« Die Heimat feierte tatsächlich mit: In der Pfingstkirche zu Potsdam wurde ein Festgottesdienst mit denselben Liedern und Texten wie in der Himmelfahrtskirche zu Jerusalem gehalten. »Mit fröhlichem Halleluja und innigem Hosianna«, jubelte der Prediger, »grüßen wir zum Ölberg hinüber; als evangelische Christen, als treue Deutsche freuen wir uns des herrlichen Heiligtums an der Stätte der Himmelfahrt unseres Heilands.«

Aus Dankbarkeit wurde der bedeutendsten Gründer und Stifter an verschiedenen Stellen der neuen Gebäude gedacht. So verewigten sich in der Kirche der Kaiser und die Kaiserin im Deckengemälde über der Orgel, Kronprinz Wilhelm und Kronprinzessin Cecilie wie auch Prinz Eitel Friedrich und Prinzessin Sophie Charlotte mit Mosaikwappen in der Marmortäfelung am unteren Teil der Chorwände, der Wirkliche Geheime Rat Ernst von Mendelssohn-Bartholdy mit einer Inschrift unter dem Himmelfahrtsbildnis in der Apsis, der Großindustrielle Arnold von Siemens, der Kammerherr Anton von Krosigk, die Kuratoriumsmitglieder und viele andere mit Wappen in den farbigen Fenstern.

Den Festsaal schmückte die regierende Familie mit den Wappen ihrer Mitglieder an einem Kamin unter dem lebensgroßen Bild des thronenden Kaisers Friedrich Barbarossa, mit einer Marmorbüste der Kaiserin unter dem Wandbild »Die Weisen von Bethlehem«, mit Ölgemälden des Kaisers in der Uniform des Kürassierregiments »Großer Kurfürst« und des Herrenmeisters Eitel Friedrich in Leibgarde-Husaren-Uniform. An der freien Mauer des Innenhofes wurden zu beiden Seiten des hereinragenden halbrunden Haupttreppenhauses die überlebensgroßen Bronzefiguren Wilhelms und Auguste Viktorias angebracht.

Was die einheimische Bevölkerung jedoch am stärksten beeindruckte, waren nicht der hohenzollerische Prunk und die architektonische Fassadenkunst, sondern technische Neuheiten auf den Gebieten des Wohnens und der Hygiene. Als größte Sensation wertete man in Jerusalem,

wie Regierungsbaumeister Leibnitz versicherte, ein sanitäres Detail:
»Für die 8 Bäder und 10 Spülklosetts sind zwei Wasserreservoire im
Dachboden vorhanden, welche durch einen Petroleum-Motor gefüllt
werden.«

Ein deutscher Mariendom

Die Kirche Mariä Heimgang auf dem Sion hätte schon im Herbst 1909
geweiht werden können. »Allein in Berlin«, verlautbarte der Kölner
Domkapitular Dr. Düsterwald, »wünschte man an allerhöchster Stelle,
daß die Feier bis zum Frühling des Jahres 1910 aufgeschoben werden
möge, damit sie gleichzeitig mit der Einweihung der dann vollendeten
Kaiserin-Auguste-Viktoria-Stiftung auf dem Ölberge vor sich gehen
könne. Selbstverständlich war dieser Wunsch für den Vorstand des
Vereins vom Heiligen Lande Befehl.«

Ehe der Konsekrator am 10. April 1910 vor dem neuen Gotteshaus
das »Attollite portas« sprach, hatten während der ganzen Nacht Mönche und Priester mit Metten und Laudes Wache bei den Reliquien
gehalten, die zwischen Lichtern und Blumen aufgebahrt waren. Der
Kölner Erzbischof Antonius Kardinal Fischer hatte die Überreste der
rheinischen Heiligen Ursula, Gereon und ihrer Gefährten von deutschen Wallfahrern zur Beisetzung in den acht Altären des Mariendoms
überführen lassen.

Am frühen Vormittag formierte sich hinter der Pilgerfahne mit dem
Bild der unbefleckt empfangenen Gottesmutter — »präsentiert von drei
bärtigen Kölner Geschäftsleuten mit Zylinder und Frack« — eine Prozession, die am Jaffator und am Sultansteich vorbei zum Berg Sion zog.
Im Anblick des neuen Glockenturms und der hochaufragenden Rotun-
de war es für Dr. Düsterwald »ein Zeichen für das tiefe Gemüt und
den gläubigen Sinn« der singenden Teilnehmer, daß »hie und da die
Rührung die Stimme erstickte und helle Tränen über die Wangen
flossen«.

Den Zug der Königlichen Hoheiten aus Preußen und Bayern kündigte das Geläut der neuen Glocken an — obwohl noch am Vortag strenge
Muselmanen das Verbot dieser Ruhestörung an einer heiligen Stätte
des Islams gefordert hatten. Vor dem Eichentor der Dormitio legte der
Kölner Weihbischof den Prinzen, auch im Namen der mehr als 700
katholischen Pilger, »den untertänigsten Dank dafür zu Füßen, daß

Hochdieselben durch ihr Erscheinen geruhen wollten, das Fest unserer Kirchweihe zu verherrlichen«.

Anknüpfend an den Psalm »Dir gebührt Lob, o Herr, auf Sion« hielt der Beuroner Erzabt Ildephonsus Schober die Festansprache: »Der Sion war einst von David zum Königssitz erwählt... Hier stand durch 20 Jahre die Bundeslade des auserwählten Volkes... Hier feierte Christus der Herr jenes heilige Mahl, das — Sakrament und Opfer zugleich — die Quelle des Lebens für seine Kirche ist... Hier setzte Er das Priestertum des Neuen Bundes ein mit den ewig denkwürdigen Worten: Tut dies zu Meinem Andenken... Hier erschien Er nach Seiner glorreichen Auferstehung den Jüngern und gab ihnen Gewalt, Sünden nachzulassen... Hier gab Er ihnen Seine letzten Unterweisungen vor dem Hingang zum Vater und sandte ihnen neun Tage nach Seiner Himmelfahrt den Heiligen Geist... Auf dem Sion hatte die erste Christengemeinde von Jerusalem ihr Zentrum, und hier wollte nach verbürgter Tradition auch die liebe Mutter Gottes den Heimgang zu ihrem göttlichen Sohne antreten und so durch ihren heiligen glorreichen Tod dem Sion gleichsam die letzte Weihe erteilen.«

Der Erzabt sprach von der tiefen Wehmut und dem berechtigten Schmerz des christlichen Volkes, das jahrhundertelang sehen mußte, »daß da, wo einst... die Mutter aller Kirchen des Erdkreises gestanden, nur ein Trümmerfeld sich ausbreitete«. Dank »wahrhaft kaiserlicher Huld« sei es jedoch gelungen, »wenigstens die Stätte wieder zu erlangen, mit der die fromme Überlieferung den Heimgang Mariens verknüpft... Die Söhne Sankt Benedikts, denen der Verein vom Heiligen Lande mit Gutheißung Seiner Heiligkeit des Papstes und Seiner Majestät unseres Kaisers die Hut des neuen Heiligtums anvertraut hat, werden mit Gottes Gnade treue Hüter sein.«

Am Schluß des Pontifikalamtes stimmten Katholiken und Protestanten erstmals in einem katholischen Gotteshaus Jerusalems gemeinsam das Lied »Großer Gott, wir loben Dich« an. Dann empfing Eitel Friedrich im Kapitelsaal des Benediktinerklosters die führenden Katholiken zur Ordensverleihung. Der Lateinische Patriarch revanchierte sich für den preußischen Roten-Adler-Orden mit dem Großkreuz des Ordens vom Heiligen Grabe, womit nach Kaiser Wilhelm II. ein weiterer evangelischer Hohenzoller unter die katholischen Grabesritter eingereiht wurde. Dem ersten Pater Prior des Klosters, Cornelius Kniel, hatte Eitel Friedrich schon vor der Feier »als das kostbarste Angebinde des Tages ein Bild Seiner Majestät des Kaisers überreicht«.

Wie groß die Freude der deutschen Katholiken über das Sions-Grundstück war, zeigte sich schon im Oktober 1900 bei der Grundsteinlegung für die Kirche Mariä Heimgang. Nicht weniger als 500 Männer beteiligten sich damals an der ersten großen Pilgerfahrt des Vereins vom Heiligen Lande. Weitere »deutsche Pilgerkarawanen« zogen im Frühjahr 1904 zur Weihe der Krypta und im März 1906 mit dem Maria Laacher Abt zur feierlichen Übernahme des Benediktinerklosters nach Jerusalem. Mit ihrem regen Interesse bestätigten die Wallfahrer die freundlichen Worte des Kaisers »über das stille Heim am Laacher See, wo die Söhne Sankt Benedikts ihr frommes Werk treiben und der Welt zeigen, daß seinem Gott dienen zu gleicher Zeit erlaubt, Königstreue und Vaterlandsliebe in der Bevölkerung großzuziehen und zu pflegen«.

Domkapitular Dr. Düsterwald gab sich viel Mühe, »das Feuer der Begeisterung für das Vaterland unseres Erlösers stets neu zu entflammen«. Der Leiter des Pilgerkomitees, der »schon 18mal Abraham gesehen«, verfaßte innerhalb eines Jahrzehnts drei Jerusalem-Bücher und lieferte damit zugleich eine farbige Darstellung des Reiseverkehrs nach der Jahrhundertwende, aber auch einen deutlichen Hinweis darauf, daß ihm und seinen Mitbrüdern bei aller Begeisterung für das Heilige Land immer noch »unvergeßliche Tage in Rom die Krönung unserer Pilgerfahrt« bedeuteten. In diesem Sinne verteilte der Autor auch die 536 Seiten seiner Kirchweih-Chronik von 1910: 122 für die Reise bis Jaffa, 184 für die Erlebnisse im Heiligen Land, aber 230 für die Rückfahrt über Rom.

Schon die Vorbereitung der bis dahin größten Gesellschaftsreise war für den Domkapitular ein Abenteuer. Er charterte den Doppelschrauben-Postdampfer »Statendam« der Holland-Amerika-Linie und ließ, als die Anmeldungen nach zunächst starkem Ansturm »nur noch tropfenweise« eingingen, sämtliche Pfarrer in Preußen den Aufruf »Die deutschen Katholiken, Damen wie Herren, werden zur Teilnahme ebenso dringend wie freundlich eingeladen« an ihre Kirchentüren heften. »Das Mittel zog!« triumphierte der Organisator. »Das Unternehmen war gesichert.«

Die Pauschalpreise für Bahn, Schiff und Unterkünfte bewegten sich je nach Reiseklasse zwischen 400 und 1600 Mark. Doch auf der »Statendam«, die zwei königliche Prinzen, drei Bischöfe, einen Abt, 126 Priester und 576 Laien aufnahm, bildeten alle eine große Familie — nicht nur bei den täglichen Messen an 17 Altären, sondern auch beim geselligen Beisammensein. Rheinländische Spaßmacher hatten stets ein dankbares Publikum, so wenn einer als »Fremdenführer« die portugiesische Hauptstadt zu beiden Seiten der Tejo-Bucht mit »Hier Lissa-Bonn und dort Lissa-Beuel« erklärte. Im übrigen registrierte der offizielle Bericht genau, daß an Proviant 800 000 Liter Trinkwasser, 6000 Kilo Fleisch, 15 000 Eier und 350 Zentner Kartoffeln verladen wurden, doch »über die mitgenommenen Mengen Bier und Wein schweigt des Sängers Höflichkeit«.

Die zunehmende Reiselust der Deutschen bestimmte nach den Kirchweihen den weiteren Ablauf der »deutschen Festtage«. Wie die Evangelischen auf dem Ölberg hatten die Katholiken vor dem Damaskustor ein neues Heim gebaut, das noch der feierlichen Eröffnung bedurfte, obwohl es bereits seit 1908 bewohnt werden konnte. Das stattliche Paulus-Hospiz des Vereins vom Heiligen Lande erhob sich auf einem mehr als 10 000 Quadratmeter großen Grundstück und ersetzte das längst zu klein gewordene Hospizgebäude in der Nähe des Mamilla-Teiches. Dort konnte sich nun die 1886 angegliederte Mädchenschule ausdehnen, die nach dem tüchtigen Vinzentinerpater Wilhelm Schmidt, der 1909 in Köln tödlich verunglückte, weiterhin »Schmidt-Schule« genannt wurde.

Für die Festversammlung am Nachmittag des 10. April hatte man im Garten des Paulus-Hospizes ein Zelt aufgerichtet, weil es in ganz Jerusalem keinen ausreichenden Saal für die angereisten und einheimischen Gäste gab. Jedoch im letzten Augenblick wurden manche Erwartungen enttäuscht, weil sich Prinz Eitel Friedrich und die bayerischen Prinzen entschuldigen ließen. Kurz nach dem Beginn der Feier brach mit Blitz und Donner ein so gewaltiges Unwetter über die Heilige Stadt herein, daß das »urkräftige Hoch« auf den Kaiser, das der Fürst zu Salm-Reifferscheidt ausbrachte, kaum zu verstehen war. Doch es sollte noch schlimmer kommen. Zwei Stunden lang priesen die Festredner das neue Hospiz, die Hohenzollern, die Wittelsbacher, den Papst und den Kardinal-Erzbischof von Köln, sprachen von den beschämenden Sünden des jüdischen Volkes und von den römischen Verdiensten um die deutsche Nation. Aber erst als von den Zuhörern die Bier- und Zigarrenspende der Deutschen Palästina-Bank verbraucht und das Zelt wieder leer war, wurde es allen peinlich bewußt, daß niemand den Schöpfer des Paulus-Hospizes und des Mariendoms, den Erzdiözesanbaumeister Renard, auch nur mit einem Wort erwähnt hatte.

Am 11. April feierten die Protestanten die Grundsteinlegung für das

Muristan-Hospiz neben der Erlöserkirche, dessen Bauherr das Kuratorium der Jerusalem-Stiftung war. Dann versammelten sich am Abend noch einmal die deutschen Repräsentanten mit einheimischen Würdenträgern zum großen Festmahl im Ölberg-Hospiz, zu dem das preußische Prinzenpaar im Auftrag des Kaisers und der Kaiserin eingeladen hatte. Vor dem Hauptportal der Stiftung standen arabische Fackelträger Spalier, während im 200 Quadratmeter großen Festsaal der Hofmarschall und die Kammerherren das komplizierte Placement dirigierten, um die weltliche und geistliche Prominenz verschiedener Konfessionen an den Tafeln so zu mischen, daß keine der gesellschaftlichen Rangordnungen verletzt wurde.

Für die Gestaltung der Einladungs-, Tisch- und Speisekarten war eigens der bekannte Berliner Wappenzeichner Professor Döpler engagiert worden, der neben »altdeutschen Buchstaben in Rot, Schwarz und Gold« als Ornamente vor allem Symbole des Königreichs Preußen und des Johanniterordens verwendete. Die auffallendste Tischkarte schmückte »ein aufrecht stehender gepanzerter Johanniter-Ritter, der auf dem Panzer ein rotes Kleid mit dem weißen Ordenskreuz und darüber den schwarzen Mantel der Rechtsritter mit dem Ordenskreuz trägt; mit seiner Linken stützt er sich auf den Hohenzollernschild, mit der Rechten erhebt er das Schwert, den Kreuzesgriff nach oben gewandt« – zum Zeichen des Sieges!

Für das Festmahl war ein französischer Koch verantwortlich, der die aus Europa und Ägypten importierten Lebensmittel in eine opulente Speisenfolge verwandelte: Kraftbrühe; Reis mit gedämpften Nieren; Ochsenlendenbraten mit Gemüsen umlegt; Rebhuhnpastete; gebratener Welschhahn und Kompott; Torte; Früchte. Dazu wurde Weißwein aus Palästina, Rotwein aus Frankreich und Schaumwein aus Deutschland getrunken. Um das teilweise aus Ägypten herangeholte Servierpersonal nicht zu überfordern, durften laut Protokoll »Messer und Gabeln nur bei der prinzlichen Tafel nach jedem Gerichte gewechselt werden«.

Die Reisechronik wertete es als »spontanen Ausdruck der Liebe und Verehrung zum Kaiser«, daß nach dem ersten Trinkspruch Eitel Friedrichs das Lied »Heil dir im Siegerkranz« durch den großen Saal »erbrauste«. Der Präsident des Evangelischen Oberkirchenrats D. Voigts sah als Tischredner in den »frohen, herrlichen Festtagen im Heimatlande unserer christlichen Religion ... zugleich Tage begeisterter Freude an der Macht und dem Ansehen unseres geeinten deutschen

Vaterlandes«. Der Fürst zu Salm-Reifferscheidt versprach als Vizepräsident des Vereins vom Heiligen Lande weiteren Einsatz in Palästina, »das seit tausend Jahren das Ziel der Sehnsucht unseres deutschen Volkes gewesen ist«. Der Stiftungs-Kurator von Mirbach wies darauf hin, daß nach den Erfolgen und Mißerfolgen abendländischer Kreuzfahrer »endlich nach fast einem halben Jahrtausend die gesamte Christenheit der Welt wieder ihren Einzug im Gelobten Lande hält... und allen voran wir Deutschen«.

Erstmals so geschlossen beschworen die drei prominenten Sprecher die Eintracht der evangelischen und katholischen Deutschen, den »friedlichen Wettbewerb beider Konfessionen... zugleich allezeit eine deutsche Kulturarbeit«. Ein kurzes Wort für die jüdischen Mitbürger fand jedoch nur der katholische Festredner: »Wenn ich früher von einer Dankesschuld gegenüber diesem Lande in religiöser Beziehung gesprochen habe, so haben wir auch gegenüber diesem Volke eine Schuld abzutragen, diesem Volke, das den Tempel Salomons gebaut und dem David seine Psalmen gesungen — gerade wir Deutsche, die wir so stolz sind auf die Errungenschaften unserer abendländischen Gesittung, die doch in letzter Linie auf die uralte Kultur dieser Landstriche zurückzuführen ist.«

Kaum hatte Eitel Friedrich die Tafel aufgehoben, begann ein allgemeines Abschiednehmen, weil ein großer Teil der Gäste am nächsten Tag in Jaffa die Heimreise antreten mußte — die katholischen auf der holländischen »Statendam«, die evangelischen auf der »Amphitrite« des Österreichischen Lloyd. Das hohenzollerische Prinzenpaar verbrachte noch eine weitere Nacht in Jerusalem, um am 13. April wenigstens vormittags das fünfzigjährige Bestehen des Syrischen Waisenhauses mitfeiern zu können. Prinz Eitel Friedrich wollte außerdem Jericho und das Jordantal kennenlernen. Nach alter Pilger- und Touristensitte nahm er die unvermeidliche Ausrüstung mit: Flaschen zum Abfüllen von Jordanwasser und die Badehose für einen Schwimmversuch im Toten Meer.

Am Jubiläumstag der Schneller-Schule warfen die Sendboten des Kaisers nach dem Festgottesdienst und nach »größeren Einkäufen« in den Werkstätten noch einmal einen Blick auf Jerusalem und seine Umgebung. Dann fuhr die Prinzessin, weil »die Überlandreise zu anstrengend« gewesen wäre, mit der Bahn nach Jaffa, mit dem Schiff nach Haifa und schließlich mit einem Pferdewagen nach Nazareth, wo sie der Prinz erwartete, der den Weg über Nablus und Dschenin großenteils zu Pferd zurückgelegt hatte. Gemeinsam besuchten sie Kana und Tiberias am See Genezareth, ehe sie auf Meißner Paschas Eisenbahnstrecken nach Damaskus gelangten.

Noch zwei Tage Gastfreundschaft des osmanischen Gouverneurs, dann ging es auf des Kaisers Spuren weiter nach Baalbek und nach Beirut, von dort mit der »Schleswig« nach Neapel und schließlich mit dem »Neapel-Expreß« heim nach Berlin, wo das reisemüde Paar am Abend des 28. April den Anhalter Bahnhof erreichte. Wilhelm II. und Auguste Viktoria ließen sich ausführlich von den »deutschen Festtagen« berichten, besonders von den Neubauten auf dem Ölberg, wo die Stiftung sechs Monate später die Fertigstellung des Kirchturms und den endgültigen Vertragsabschluß mit den Johannitern feierte. Eine Erinnerungstafel aus Kupferblech wurde aus diesem Anlaß in 65 Meter Höhe befestigt:

»Am Reformationsfeste, dem 31. Oktober 1910, im 23. Jahre der Regierung Seiner Majestät des Deutschen Kaisers Wilhelm II. und im zweiten Jahre der Regierung des Sultans Mehmed V., des Beherrschers dieses Landes, wurde dieser Turmknopf durch Dachdeckermeister Modl aufgesetzt. Die unter dem Protektorat Ihrer Majestät der Kaiserin und Königin aus freiwilligen Beiträgen erbaute Kaiserin-Auguste-Viktoria-Stiftung möge blühen und gedeihen zur Ehre des deutschen Namens und zur Freude des Johanniterordens, der diesen Bau vom Tage der Einweihung an, 9. April 1910, unter seinen Schutz genommen hat!«

Im Gästebuch von Emmaus

»Herr, bleibe bei uns, denn es will Abend werden, und der Tag hat sich geneigt«, schrieb der Jerusalemer Hospiz-Direktor Pater Schmidt auf das erste Blatt des Gästebuchs, als er auch in Emmaus ein Hospiz des Deutschen Vereins vom Heiligen Lande eröffnete. Er wiederholte damit die Einladung der beiden Jünger Jesu an den Fremden, der mit ihnen nach dem kleinen Ort nordwestlich Jerusalems gewandert war und beim Brotbrechen im Haus des Kleophas als der Auferstandene erkannt wurde. Bald war für die Deutschen die biblische Aufforderung ein geflügeltes Wort und die neue katholische Herberge einer der beliebtesten Treffpunkte.

Die Gäste wurden weder nach dem Bekenntnis noch nach der Staatsangehörigkeit gefragt. Ob Christ oder Jude, ob Österreicher, Schweizer

oder Untertan des Sultans – wer deutsch sprach, fand auf der Höhe
über dem arabischen Dorf Kubebe ein Zuhause. Mit unendlicher Geduld hatten die Lazaristenpatres aus dem kahlen Hügel einen Wald
gezaubert, der vor allem jene »Palästinenser« erquickte, die sich
manchmal noch nach den grünen Bergen und Tälern ihrer alten Heimat sehnten.

Die ersten Eintragungen im Gästebuch signierten Konsul Schmidt,
Baronin von Mirbach und Österreich-Ungarns Konsul Ritter von Zepharovich, der an Weihnachten 1906 Pater Schmidts Geleitwort aus
dem Lukas-Evangelium durch ein langes Gedicht mit Strophen wie
diesen ergänzte:

> »Es regten wackrer deutscher Mönche Hände
> Sich unermüdlich hier zu Gottes Preis;
> Die Wüste ward zum lieblichen Gelände,
> Zum starken Baum das zarte junge Reis.
> Das Werk, das frommem deutschem Fleiß entsprossen,
> Ist auch gewidmet einem edlen Ziel;
> Dem Pilger ist's, dem Wanderer erschlossen,
> Der frommen Sinns sich hier erholen will.«

Danach wurde das Buch eine einzigartige Dokumentation des
Deutschtums in Palästina, weil sich einer nach dem anderen einschrieb,
bevor es Abend wurde und der Tag sich neigte: der Professor Dalman
wie der Maurermeister Bäuerle aus Jerusalem, der Pfarrer Zeller wie
der Vizekonsul Rößler aus Jaffa, der Propst Jeremias, der Hotelier Fast,
der Chefarzt Grussendorf, der Sattlermeister Schnerring, der Bankdirek-
tor Haverlandt, der Oberlehrer Bauer, der Tempelvorsteher Hoffmann
und der Waisenhausdirektor Schneller, Gäste aus Haifa, Nazareth,
Bethlehem und Sarona – Hunderte von Namen.

Dazwischen kamen Besucher aus Deutschland – immer zu Fuß, zu
Esel oder zu Pferd, weil es noch keine Fahrstraße nach Emmaus gab, so
auch Dr. Düsterwald, der nach den Festtagen in Jerusalem das deutschkatholische Eigentum inspizierte. Der Heimleiter Pater Müller zeigte
die vor kurzem fertiggestellte Aufstockung mit einer Kapelle, einem
Saal und sechs zusätzlichen Zimmern. »Die Schauseite«, schrieb der
Domkapitular in sein Notizbuch, »wird gekrönt durch einen mächtigen Löwen, ein Geschenk der Herren Baumeister der Ölberg-Stiftung.«
Die oberen Fenster wiesen hinüber zu dem Emmaus-Heiligtum, das
von dem deutschen Franziskaner-Architekten Hinterkeuser kurz nach

der Jahrhundertwende auf den Fundamenten einer Kreuzfahrerkirche
errichtet wurde.

Dr. Düsterwald prüfte auch an anderen Orten, ob die finanziellen
Mittel des Heilig-Land-Vereins nutzbringend angelegt wurden. So besichtigte er in Haifa die Station der Borromäerinnen, der außer der
Schule und dem Pilgerheim jetzt auch ein kleines Krankenhaus angeschlossen war, und in Tabgha am See Genezareth das Hospiz der
Franziskaner. In Kana sah er die Kirche und das Kloster, um die sich
der 1905 gestorbene deutsche Franziskanerpater Geissler — mit österreichischer Hilfe — große Verdienste erwarb, und in Kapharnaum das
Ruinenfeld, auf dem der rheinländische Franziskanerbruder Wendelinus, »ein alter preußischer Husar« und passionierter Altertumsfor-
scher, allein mit einem Diener, einem Pferd und einigen Hunden
hauste. In Nazareth zeugten die Fassade und der Glockenturm der
Verkündigungskirche besonders von der »wahrhaft kaiserlichen Frei-
gebigkeit des Kaisers Franz Joseph I. von Österreich«.

Nach der Abreise des Prinzen Eitel Friedrich widmeten außerdem
Freiherr von Mirbach und eine evangelische Reisegruppe — »wohl wegen ihres fortwährenden fröhlichen Beisammenseins die Himmelska-
rawane genannt« — noch einige Tage den deutschen Landsleuten. In
Jaffa überzeugten sie sich von der herzlichen Gastfreundschaft im Hotel »Jerusalem« der württembergischen Familie Hardegg unter ihrem
»patriarchalischen frommen Vater, einem der wenigen noch lebenden
Begründer der Tempelkolonie«. In Sarona und Wilhelma bewunderten
sie die mustergültigen württembergischen Kolonien, in Haifa die neuen
Einrichtungen der evangelischen Gemeinde.

Im französischen Karmeliterkloster wollten die Pilger dessen ersten
deutschen Pater Prior Cyrill sehen, dem der Ruf vorausging, er sei
»von den dort oft anmaßenden und diebischen Mohammedanern
gefürchtet, wenn er als streitbarer Kämpfer hoch zu Roß sein Gebiet
durchstreift, umgürtet mit einem Revolver, seine lange Peitsche
schwingend«. In der Nähe des Karmelheims der Deutschen wurde ein
Obelisk mit der Inschrift »Wilhelm II. I. R. Auguste Viktoria I. R.
25. Oktober 1898« enthüllt — eine Stiftung der preußischen »Himmels-
karawane«.

In Tiberias stellte der Oberhofmeister enttäuscht fest, daß »das
einzige benutzbare, württembergische Hotel mit Fremden, vor allem
Amerikanern, überfüllt« war. In Damaskus notierte er mit Genugtuung, daß am Grab Saladins »unter großem Glaskasten der Lorbeer-

kranz und der Strauß aufgehoben werden, welchen Kaiser und Kaiserin bei ihrem Besuche am 8. November 1898 dort niederlegten«. In Baalbek besichtigte er die von Wilhelm II. angeordneten Ausgrabungen um so lieber, als er »ein ausgezeichnetes Quartier mit deutscher Sauberkeit und Gemütlichkeit und deutschem Essen im ›Deutschen Hof‹ « fand.

Auch in Beirut wohnte die Mirbach-Gruppe im »Deutschen Hof« und ließ sich außerdem im Johanniter-Hospital von den »lieben Kaiserswerther Diakonissen« bewirten, ehe sie die Schiffsreise zum Bosporus noch in Smyrna unterbrach, um das dortige Kaiserswerther Diakonissenhaus aufzusuchen. Am 11. Mai schließlich erledigte der Oberhofmeister in Istanbul die wichtigste Aufgabe der Nachhut: Während einer Audienz im Palast Dolma Bagdsche überbrachte er dem Sultan und Khalifen mit einem Fotoalbum von den Festtagen in Jerusalem den Dank des Kaiser- und des Prinzenpaars für die großzügige osmanische Gastfreundschaft.

Bei dieser Gelegenheit erfuhr Freiherr von Mirbach eine Neuigkeit, über die er sich am Ende seiner zweiten Hohenzollernfahrt nach Jerusalem nicht genug wundern konnte: Sultan Mohammed, der weltliche und geistliche Oberherr Palästinas, hatte die Heilige Stadt noch nicht besucht! Um so deutlicher erinnerte sich der erste Kurator der Ölberg-Stiftung an die Glocken der Himmelfahrtskirche, die den Eindruck erweckten, »als ob in den Namen, die sie tragen, eine ganze Geschichte christlicher Liebe mitklinge«. Nur Eingeweihte wußten die Texte und Symbole zu deuten, die den Tönen g, h, d und e unterlegt waren.

Zur gleichen Zeit, da die ehernen Stimmen gegossen wurden, erhielt auch die brandgeschädigte Danziger Katharinenkirche ein neues Geläut. Sein Klang gefiel von Mirbach und den Kuratoriumsmitgliedern so gut, daß sie sich rasch entschlossen, die kleinste der vier Ölberg-Glocken der Potsdamer Pfingstkirche zu schenken und eine größere für die Himmelfahrtskirche in Auftrag zu geben. Von da an freute man sich in Berlin darauf, daß in den alten Ordensstädten Jerusalem und Danzig ein einziger Akkord ertönen werde.

Die größte, 6120 Kilogramm schwere Glocke mit dem Namen »Herrenmeister« trägt am unteren Rand die anspruchsvolle Umschrift: »Anno 598. Gregor der Große. 1. Cor. 3, 11. — 1098. Gerhard. — 1120. Raymund von Puy. — 1898 Wilhelm II. I. R. — 1907. — Eitel Friedrich Prinz von Preußen. 1910. 1. Cor. 16, 13.« Unter dem Ornament — »preußischer Adler auf dem Herrenmeisterkreuz ruhend« — erzählen die Jahreszahlen, Namen und Bibelsprüche eine lange Geschichte hohenzollerischer Traditionspflege.

Genau 13 Jahrhunderte vor der Palästinareise Kaiser Wilhelms II. schrieb der erste Papst Gregor, der auch als erster »Konsul Gottes« die Bedeutung der Germanen für die Zukunft der Kirche erkannte, in einem Brief an den Patriarchen von Jerusalem das Zitat aus dem ersten Korintherbrief, mit dem Auguste Viktoria 1888 in Berlin den Evangelisch-Kirchlichen Hilfsverein ins Leben rief: »Einen anderen Grund kann niemand legen, außer dem, der gelegt ist, welcher ist Jesus Christus.« Weil der Spruch außerdem 1898 von der Kaiserin in die Bibel der Jerusalemer Erlöserkirche, 1908 von Wilhelm II. in die Bibel des Homburger Erlöserdoms, »welcher zu den schönsten Bauten der Erde gerechnet werden darf«, und 1910 noch einmal vom Kaiser in die Bibel der Himmelfahrtskirche auf dem Ölberg eingetragen wurde, schien die Berufung auf Papst Gregors Jerusalem-Epistel ausreichend nachzuweisen, daß sich die Hohenzollern mitveranlaßt fühlen durften, die Christen zu Einigkeit und Frömmigkeit zu ermahnen.

Mit der Zahl 1098 — genau 800 Jahre vor der wilhelminischen Jerusalemfahrt — und dem Namen Gerhard trat der Johanniter-Herrenmeister aus dem führenden Haus des Deutschen Reiches in die Nachfolge eines wahrscheinlich französischen Ritters ein, dem zugeschrieben wurde, daß er als Rektor der Jerusalemer Johannes-Hospitaliter die Brüderschaft der Johanniter schuf und mit festen, bald auch päpstlich anerkannten Ordensregeln ausstattete. Gerhards Pilgerhospital — angeblich schon von Kaiser Konstantin dem Großen gegründet, von Papst Gregor dem Großen gefördert und von Kaiser Karl dem Großen beschützt — wollten die Hohenzollern zu neuem Leben erwecken.

Die knappen Angaben »1120. Raymund von Puy« bezogen sich auf Gerhards Nachfolger, der erstmals »Meister« genannt wurde, woraus sich über »Herr Meister« der Titel »Herrenmeister« entwickelte. Als Gründer des geistlichen Ritterordens für die Armen- und Krankenpflege, der das Hospital in Jerusalem erweiterte und das einfache weiße Balkenkreuz auf der schwarzen Ordenstracht durch das achteckige Johanniterkreuz ersetzte, war Raymund von Puy der eigentliche Vorläufer der Ereignisse, die auf der »Herrenmeister«-Glocke hinter seinem Namen verzeichnet wurden: die Einweihung der Erlöserkirche sowie die Grundsteinlegung und die Einweihung der Ölberg-Stiftung — ergänzt durch den Einsegnungsspruch des Prinzen Eitel Friedrich: »Wachet, stehet im Glauben, seid männlich und seid stark!«

Nach einer derartigen historischen Exkursion bedurften die kleineren Glocken mit den Namen »Deutscher Kaiser«, »Kaiserin« und
»Friede« nur noch knapper Inschriften. Wilhelm II. wählte als Ornament den deutschen Reichsadler mit dem Hohenzollernschild und
außer den Jahreszahlen 1898 und 1910 den alten Wahlspruch »Solus
spes mea Christus«, der auch den Brustharnisch des Markgrafen Johann
von Küstrin im Berliner Zeughaus zierte. Auguste Viktoria ließ neben
ihren Namen die gleichen Jahreszahlen wie der Kaiser und darunter
ihren Einsegnungsspruch »Sei getreu bis an den Tod« setzen. Auf der
Friedensglocke wurde dem Datum 1910 das Siegel der Auguste-Viktoria-
Pfingsthaus-Stiftung beigefügt, eine von Strahlen umgebene Taube.
Insgesamt bestand kein Zweifel daran, daß es dem vierstimmigen Geläut vor allem aufgetragen war, das Geschlecht der Hohenzollern als
friedliebende christliche Eroberer Jerusalems zu preisen.

Nach den »deutschen Festtagen« von 1910 wurde die Zeit besonders
von der evangelischen Gemeinde nach Kräften genützt. Mit Zuschüs-
sen der Reichsregierung, der Tempelkolonie und der Jerusalem-Stiftung
konnte »die den deutschen Kulturzwecken im weitesten Sinne dienen-
de« höhere Schule so erweitert werden, daß sie von den Berliner Behörden zur Ausstellung von Befähigungsnachweisen für Einjährig-Freiwil-
lige ermächtigt und 1913 der Leitung eines entsandten Philologen
unterstellt wurde.

Das Syrische Waisenhaus, das kurz nach seiner Fünfzigjahrfeier von
einem Brandunglück heimgesucht wurde, wobei mit der Kaiserglocke
»das ganze Geläut samt dem zusammenbrechenden Turm halb ge-
schmolzen in die Tiefe stürzte«, beendete dank der Hilfe Wilhelms II.
und vieler Freunde in aller Welt schon im Juli 1911 den Wiederaufbau
der Anstaltskirche und des Zentralgebäudes. Allein in Nordamerika
sammelte Pastor Ludwig Schneller etwa 60 000 Mark — auf welche Weise, berichtete er aus Cincinnati im Staat Ohio: Dort bat ihn der Ober-
richter Lüders als Initiator einer Großveranstaltung aller evangelischen
Gemeinden, »ich solle an diesem Abend gar nichts von Jerusalem
erzählen, sondern nur vom Deutschen Kaiser, dann könne er mit Sicherheit ein volles Haus versprechen und dazu eine Kollekte von min-
destens tausend Dollars«.

Ein neues Altarbild von der Himmelfahrt Jesu malte der mittelfrän-
kische Pfarrer Bickel, der unter die Apostel auch den Waisenvater
Schneller einreihte. Ihre noch junge Tagesschule in der Altstadt gab die
Anstalt an den Jerusalemsverein ab, um sich ganz auf ihre traditionel-

len Aufgaben zu konzentrieren: das Lehrerseminar, die Handwerkerausbildung in der Schneiderei, Schuhmacherei, Bäckerei, Druckerei,
Schreinerei, Schlosserei, Töpferei und Ziegelei, die Korbflechterei im
Blindenheim und den landwirtschaftlichen Unterricht in der Zweiganstalt Bir Salem, der auch ein Grundstück in Nazareth gehörte. 1912
zählte das Syrische Waisenhaus nicht weniger als 336 Zöglinge und
Gesellen.

Die Ölberg-Stiftung brachte, nachdem sie Anfang 1911 unter außergewöhnlichen Schneelasten und Winterstürmen sehr gelitten hatte,
hohe Summen für neue Dächer, schützende Laubengänge an den Wetterseiten und geschlossene Vorhallen an den Haupteingängen auf. Die
Potsdamer Pfingsthaus-Stiftung, der Johanniterorden und der neugegründete Ölbergverein verpflichteten sich, für die Erhaltung und den
Betrieb jährlich bis zu 80 000 Mark aufzubringen. In den Mitgliederlisten standen großenteils adelige Namen von Alvensleben bis Zitzewitz, darunter die von Bodelschwingh, Bülow, Dönhoff, Finck von
Finckenstein, Kalckreuth, Krupp von Bohlen und Halbach, Manteuffel,
Pückler, Richthofen, Schlieffen, Schulenburg, Seydlitz, Strauß-Torney,
Trotha und Tschammer-Osten. Dazwischen erschienen Bürgerliche von
Brüning bis Velhagen und auch Spender mit den Namen Israel, Jordan,
Kaftan, Liebermann, Mendelssohn und Rosenstiel.

Sie alle hatten — je nach gesellschaftlichem Stand — das Recht, gegen
Pensionspreise von 2 bis 15 Francs auf dem Ölberg unterzukommen:
laut streng differenzierender Hausordnung in der Herrenmeister-Wohnung und den darüberliegenden Zimmern »nur fürstliche Personen
und ausnahmsweise auch andere hohe Gäste (zu höheren Preisen)«, in
der Kurator-Wohnung nur Vertreter des Kuratoriums, »aber auch (für
höheren Preis) vornehme Gäste in der Saison«; »einfachere Leute
erhalten im allgemeinen Stuben im Parterre mit einfachen Möbeln ...
alle anderen noch übrigen Stuben erhalten wohlhabendere Leute«.
Und damit es sämtlichen Geldgebern klar war: »Die Stiftung wird von
Diakonissen geleitet und ist der Evangelischen Kirche angeschlossen.
Somit hat der Betrieb und der Verkehr im Hause in christlichem Sinne
zu geschehen.«

Im Muristan-Hospiz der Jerusalem-Stiftung erhielt die Gemeinde
einen weiteren Versammlungssaal. Die eigentlichen Gästezimmer blieben im wesentlichen den theologischen und archäologischen Mitarbeitern und Stipendiaten des Evangelischen Instituts für Altertumswissenschaft vorbehalten.

Das Diakonissen-Hospital brachte es 1913 auf 982 Patienten mit 20 719 Pflegetagen und auf weitere 8775 Patienten in der Poliklinik. Zusätzlich wurde mit vier Freibetten die Marienstiftung fortgesetzt, deren Kinderhospital 1899 nach dem Selbstmord seines leitenden Arztes aufgelöst worden war. Nach der Nationalität registrierte die Patientenstatistik 814 Araber, 70 Deutsche, 28 Armenier, 20 Griechen, 10 Spanier und 8 Österreicher, nach der Religion 574 Muselmanen, 187 Griechisch-Orthodoxe, 95 Evangelische, 46 Römisch-Katholische, 27 Gregorianer, 24 Tempelfreunde und 20 Israeliten. Die Kaiserswerther Erziehungsanstalt »Talitha kumi« unterrichtete im Schuljahr 1913/14 insgesamt 141 meist arabische Mädchen, von denen 86 griechisch-orthodox und nur 51 evangelisch, die restlichen gregorianisch, koptisch und islamisch waren.

Am offensichtlichsten waren die Fortschritte in den geschlossenen Kolonien der Tempelgesellschaft, die nach der Jahrhundertwende nicht nur ihre bäuerlichen und gewerblichen Betriebe laufend modernisiert, sondern auch noch die Niederlassungen Wilhelma (1902) und Bet Lachem (1906) gegründet hatte. Wer mit der Bezeichnung »Wilhelma« mehr geehrt werden sollte – der König von Württemberg oder der Deutsche Kaiser –, wurde nie eindeutig festgelegt. Ohne Zweifel waren jedoch die braven Württemberger vom Kaiser ebenso begeistert wie er von ihnen.

Schon 1899 empfing Wilhelm II. den Vorsteher Hoffmann jun. zu einer Audienz in Berlin, wobei er ihm verstärkten konsularischen Schutz und finanzielle Unterstützung durch das Deutsche Reich zusicherte. Seither flossen aus dem Schulfonds des Auswärtigen Amts und aus anderen amtlichen Quellen willkommene Zuschüsse in die Kasse der Jerusalemer Zentralleitung. Als eine gegen die Überfremdung kämpfende Arabergruppe mit Angriffen auf die Tempelkolonien drohte, entsandte der Kaiser sogar ein Kriegsschiff nach Jaffa.

Von der mustergültigen Landwirtschaft der Tempelkolonisten profitierten auch jüdische Einwanderer, die mit den Bedingungen des Klimas und des Bodens noch nicht vertraut waren. Erst vierzehn Jahre nach der Ankunft der ersten »Hoffmannianer« begannen israelitische Kolonisten in der Nähe von Jaffa, Haifa und Tiberias mit dem Aufbau eigener Siedlungen. Dabei verließen sie sich mehr auf die Erfahrungen der schwäbischen Praktiker als auf die noch nicht recht in Gang gekommene Ackerbauschule, die von der Pariser Alliance Israelite Universelle nicht weit von Jaffa betrieben wurde. Die deutsche Sprache war ein

wesentliches Bindeglied, die religiöse Verschiedenheit kein Hindernis
für freundschaftliche Beziehungen.

Als der Berliner Assessor Dr. Ruppin 1908 in Jaffa das Palästinaamt
der Zionistischen Organisation einrichtete, unterstützte ihn der deutsche Vizekonsul Baurat Keller von den Templern in Haifa. Dr. Ruppins
Schwiegervater Markus Cohen wohnte, ehe er sich 1910 an der Gründung Tel Avivs beteiligte, in der Tempelkolonie Jaffa. »Sie berieten
uns gut«, bestätigte er den deutschen Nachbarn in seinen Erinnerungen, »und rasch waren wir gute Freunde.«

Umgekehrt boten sich den Tempelkolonisten neue wirtschaftliche
Möglichkeiten: Die Bauern von Sarona und Wilhelma lieferten Milch,
Eier, Gemüse und Obst nach Tel Aviv, die Handwerker und Gewerbe-
treibenden von Haifa und Jerusalem landwirtschaftliche Geräte und
Maschinen an die jüdischen Kolonien. Der Tempel-Arzt Dr. Lorch in
Jaffa war bei den Juden ebenso beliebt wie der jüdische Arzt Dr. Wal-
lach bei den Templern in Jerusalem. Zudem sahen alle im deutschen
Konsulat eine gemeinsame politische Stütze und in Generalkonsul
Schmidt einen väterlichen Vertreter des Reichs.

Soviel die deutschen Gemeinschaften in ihren Chroniken an Einzelheiten des friedlichen Aufbaus und des patriotischen Zusammenhalts
berichteten, so wenig sagten sie über die zukunftssichernden Maßnahmen und Pläne im Sinne der Weltpolitik des Kaisers aus. »Bei
größeren, besonders nationalen Anlässen«, überlieferte zwar die evangelische Gemeindegeschichte aus der Zeit nach 1910, »fanden sich die
sonst getrennten Gruppen des Deutschtums einmütig zusammen.«
Aber was dabei geredet und gesungen wurde, welche Hoffnungen die
Sprecher weckten und welche Ziele den Zuhörern vorschwebten, das
wird nur zwischen den Zeilen angedeutet. Allerdings war es auch nicht
empfehlenswert, innerhalb der osmanischen Grenzen schwarz auf weiß
den Verdacht zu bestätigen, den Beamte des Sultans trotz deutscher
Freundschaftsbeteuerungen schon länger hegten.

Nur — die Hohe Pforte und die jungtürkischen Reformer befanden
sich in einer unausweichlichen Zwangslage. Auf der einen Seite drohte
das Osmanische Reich auseinanderzubrechen, sofern die einzelnen Teile nicht durch wirtschaftliche und verkehrsmäßige Erschließung an die
Hauptstadt gefesselt wurden. Andererseits brauchte der »kranke Mann
am Bosporus« zu der erhofften Gesundung finanziellen und technischen Beistand ausländischer Helfer, die sich wiederum größere Vorteile
aus dem Zerfall als aus der Rettung des Imperiums versprachen.

Die öffentliche Meinung in Deutschland hielt mit Wünschen und Zielsetzungen nicht hinter dem Berg. Ohne Rücksicht auf den türkischen Freund erörterten Zeitungen, Broschüren und Bücher die Macht des »neu erstandenen Barbarossa«. Die »Allgemeine Evangelischlutherische Kirchenzeitung« propagierte den Krieg als »die große Leistungsprüfung, damit von neuem die Plätze in der europäischen Ordnung verteilt werden«. Die führende katholische Tageszeitung »Germania«, das Zentralorgan der Zentrumspartei, wartete auf den Entscheidungskampf um die Vorherrschaft der Germanen. Der Hunger nach Land wolle und müsse befriedigt werden, predigte Heinrich Claß dem Alldeutschen Verband. Der »Deutsche Volkswirtschaftliche Correspondent« nannte Vorderasien ungeniert das »größte und beste Weltobjekt, das auf der Erde zu vergeben ist«.

Im Kreis seiner Vertrauten hatte auch Kaiser Wilhelm keine Hemmungen. »Entweder flattert die deutsche Fahne bald auf den Festungen des Bosporus«, prophezeite er kühn, »oder mich trifft dasselbe Schicksal des großen Verbannten auf der Insel St. Helena.« Er werde Mesopotamien, Alexandrette und Mersina nehmen, meinte er 1913 in Weltmachtlaune. Denn: »Die einsichtigen Türken erwarten dies ›Schicksal‹ bereits in Geduld.«

Den Deutschen in Palästina blieb es nicht verborgen, daß die als Pilgerweg gebaute Hedschasbahn wegen ihrer strategischen Bedeutung schon 1911 dem osmanischen Kriegsministerium unterstellt und in die Generalstabsarbeit der deutschen Militärmission einbezogen wurde. Bald flatterte die deutsche Fahne tatsächlich über dem Bosporus und über Jerusalem — endlich allein, ohne britische, französische oder russische Konkurrenz. Doch es war nicht das Zeichen der oft proklamierten friedlichen Rückkehr in das Heilige Land des Christentums ...

Alleinvertretung im Heiligen Land

Mit dem Ausbruch des Ersten Weltkrieges ging in Erfüllung, was sich Generationen hohenzollerischer Könige und Kaiser gewünscht hatten: Das preußisch geführte Deutsche Reich übernahm im Herbst 1914 die abendländische Alleinvertretung im Heiligen Land. Europäische Mächte, die mit Deutschland verfeindet waren, hatten in Jerusalem nichts mehr zu suchen. Ihre Konsulate und Schulen wurden geschlossen, ihre Gebäude für militärische Zwecke requiriert. Die osmanische Regierung hob die Kapitulationen des 19. Jahrhunderts auf und annullierte alle Sonderrechte der Ausländer samt der exterritorialen Konsulargerichtsbarkeit. Nur die Deutschen hatten mehr zu sagen als jemals zuvor.

Bald diente Palästina als Aufmarschgebiet, die Heilige Stadt als Hauptetappenort deutscher Truppenteile, die zu Aktionen gegen Ägypten und zum Schutz der syrischen Küste zusammengezogen wurden. Aus der Kaiserin-Auguste-Viktoria-Stiftung wurde das Hauptquartier des Oberstkommandierenden, aus dem Muristan-Hospiz ein Offizierskasino, aus dem Kaiserswerther Hospital ein Lazarett, aus dem Paulus-Hospiz ein Genesendenheim, aus der Erlöserkirche eine inoffizielle Garnisonskirche. Deutschlands militärische Macht erstreckte sich vom Rhein bis zum Jordan — wie einst die Herrschaft des Imperium Romanum.

Für weite Kreise in Deutschland war seit Jahren die Bagdadbahn das einigende Band und das Götzenbild des weltpolitischen Sendungsglaubens. In unzähligen Publikationen wurde mit der »Linie Berlin—Bagdad« und dem Brückenschlag »Helgoland—Bagdad« sogar das »Schicksal als wirtschaftliche Weltmacht« beschworen.

Der theologisch vorgebildete Geopolitiker Rohrbach, der als Forschungsreisender im Orient und als Ansiedlungskommissar in Deutsch-Südwestafrika einschlägige Erfahrungen gesammelt hatte, wollte das Reich der Türken als »direktes politisches und wirtschaftliches Einflußgebiet, und zwar ungeschmälert, für die deutschen Interessen erhalten«. Der Volkswirtschaftler Dix bevorzugte die »indirekte deutsche Herrschaft« über die »Lande zwischen Elbe und Euphrat«. Albert Ritters Buch »Berlin—Bagdad«, das bis 1914 in sieben Auflagen gedruckt wurde, sprach sich für die Angliederung des Osmanischen Reichs »unter dem Titel eines gleichwertigen Bundesgenossen« aus. Der Jungliberale Kauffmann forderte einen »Zollbund von Borkum bis Bagdad«, und eine Broschüre von Carl Anton Schaefer erschien 1913 unter dem Titel »Das neudeutsche Ziel — Von der Nordsee bis zum Persischen Golf«.

Den Geschichtsromantikern bot sich nach dem Kriegsbeginn reicher Stoff zu kühnen Vergleichen. Sollten deutsche Staatsangehörige nach dem Endsieg wie römische Beamte und Offiziere von Köln nach Jerusalem reisen können, ohne eine Grenze zu überschreiten? Sollte sich zugunsten eines deutschen Führungsanspruchs wiederholen, was zwei Jahrhunderte vor Christus geschah, als der König Antiochus von Syrien und die Ptolemäer in Ägypten zur Anerkennung der römischen Vor-

herrschaft gezwungen wurden, oder was im Jahre 133 aus dem Perga-
mon-Reich, dessen letzter König Attalos die verbündeten Römer als
Erben eingesetzt hatte, die Provinz Asia entstehen ließ?

Je mehr sich die deutschen Weltmachtträumer mit der römischen
Reichspolitik im Abend- und im Morgenland befaßten, um so selbstverständlicher wurden die Ambitionen, die den offen erklärten und
heimlich verfolgten Kriegszielen zugrunde lagen. Wurde der noch im
Mittelalter gleichwertige Kampf des christlichen Westens und des
islamischen Ostens um das römische Erbe jenseits des Mittelmeers erst
jetzt endgültig entschieden? Aus der wiedererstandenen Kaiserherrlichkeit konnte man jedenfalls die Berechtigung und die Verpflichtung
ableiten, im Orient wie im Okzident die Reichsgewalt zu vertreten.

Den wohl einzigartigsten Einblick in die Geschichtsauffassung des
letzten Hohenzollern-Kaisers gewährte die Himmelfahrtskirche auf
dem Ölberg in Jerusalem. Großangelegte Deckengemälde aus dem Jahre
1910 enthüllten die seltsame Rolle, die Wilhelm II. zu spielen gedachte.

Die Komposition wird von zwei Zentralfiguren beherrscht: Auf der
einen Seite Jesus Christus inmitten der Propheten und Apostel, auf
der anderen der deutsche Kaiser, umgeben von den Kreuzzugshelden
und den Königen von Jerusalem. Das Monstergemälde war keineswegs
das Resultat künstlerischen Überschwangs; der Jerusalemer Maler
Schmidt durfte die Kartons des Berliner Hofkünstlers Vittali erst ausführen, nachdem der Monarch die Art der Darstellung ausdrücklich
genehmigt hatte!

Die flache Decke ist wie die Musterung eines Orientteppichs aufge-
gliedert. Im oberen Teil einer Kreuzform thront Wilhelm II. als Herr
Jerusalems, neben ihm Kaiserin Auguste Viktoria, auf den Händen das
Modell der evangelischen Himmelfahrtskirche. Das Herrscherpaar flankieren die allegorischen Figuren Sapientia und Misericordia, Sinnbilder
der Weisheit und der Barmherzigkeit.

Um die »Urbs sancta Jerusalem«, das Bild der Heiligen Stadt über
dem Chorraum, gruppieren sich im Karree ihr christlicher Eroberer
Gottfried von Bouillon und ihre drei Kreuzfahrer-Könige Balduin I.
von Boulogne, Balduin II. von Le Bourg und Fulko von Anjou. Um
Wilhelm und Auguste Viktoria scharen sich im Gemäldeteil über der
Orgel wie Knappen und Vasallen die acht Kreuzfahrer Peter von
Amiens, Tankred der Normanne, Staufer-König Konrad III., König
Ludwig VII. von Frankreich, König Philipp II. August von Frankreich,
König Richard Löwenherz von England, Kaiser Friedrich Barbarossa

und schließlich Kaiser Friedrich II., der Staufer-König von Jerusalem.
Wie das Kyffhäuser-Denkmal die Kaiser Friedrich I. und Wilhelm I.
zusammenfügte, so wirkten preußische Monarchisten auch zwischen
Friedrich II. und Wilhelm II. ein einigendes Band. Schon die Herausgeber der Reisechronik von 1898 hatten dem Treueschwur des kaiserlichen Gefolges eine Federzeichnung beigefügt — eine Vignette, die auf
gleicher Rangstufe die beiden deutschen Jerusalem-Kaiser nebeneinan-
derstellte. Auf derart einfache Weise schloß sich der Kreis von den
Hohenstaufen zu den Hohenzollern und vom Heiligen Land zum
Deutschen Reich.

»Wunderbare Wege Gottes!« predigte einst der Geheime Kirchenrat
D. Pank am Tag vor der Einweihung der Jerusalemer Erlöserkirche
während eines Gottesdienstes in Bethlehem. »Zu derselben Zeit, da
man zuerst sich anschickte, die Trümmer aus Kaiser Barbarossas Zeit
erstehen zu machen zu einer deutsch-evangelischen Kirche, da erstand
in der Heimat Barbarossa selbst, das Deutsche Reich, aus Grab und
Ruinen — zugleich eine Erfüllung der merkwürdigen Worte Luthers:
›Ich habe oft, als ich ein Kind war, eine Prophezeiung gehört: Kaiser
Friedrich würde das Heilige Grab erlösen.‹«

Jetzt, im Ersten Weltkrieg, standen Angehörige einer militärischen
und wirtschaftlichen Großmacht Europas zugleich am Bosporus, in
Anatolien, in Mesopotamien, in Syrien und in Palästina zum Kampf
gegen äußere Feinde und zur Übernahme einer Führungsrolle im Inneren der nahöstlichen Völkerschaften bereit. Generäle, Stabsoffiziere
und Truppenausbilder, Eisenbahningenieure, Hafenbaumeister und
Verwaltungsbeamte, Kaufleute, Geistliche, Ärzte, Lehrer, Handwerker
und Landwirte vertraten mit Hingabe an die Gegenwart und Vertrauen
auf die Zukunft das neue Reich der Deutschen.

Ein Herold ihrer Taten wurde der schwedische Asienforscher Sven
Hedin mit den Büchern »Ein Volk in Waffen« und »Nach Osten«.
Er »hört den Schritt marschierender Soldaten und sieht deutsche Bat-
terien in türkischen Diensten den königlichen Euphrat hinabfahren«,
wie er in »Bagdad, Babylon, Ninive« schrieb. Er kannte den Generalfeldmarschall Freiherr von der Goltz und dessen Stabschef Oberst von
Gleich, die in Bagdad die VI. türkische Armee befehligten. Er traf
unzählige deutsche Offiziere und Beamte in türkischen Diensten, so
den General Bronsart von Schellendorf, der Stabschef des Kriegsmini-
sters Enver Pascha war, den Direktor Hasenfratz von der Bagdadbahn
oder den Chef der Euphratfluß-Abteilung, Kapitänleutnant von Mücke,

der ihm als früherer Kommandant der »Ayesha« erzählte, »wie er auf der nördlichsten Kokosinsel von der ›Emden‹ an Land ging, mit seinem kleinen Schoner über den Indischen Ozean das Rote Meer erreichte und sich in blutigen Kämpfen mit Araberstämmen durchschlug, bis der Weg nach Konstantinopel frei war«.

Zu einem Symbol der deutschen Leistungsfähigkeit wurde jetzt erst recht der Ingenieur Meißner Pascha. Nachdem er im Frühjahr 1910 für das Riesenprojekt der Bagdadbahn gewonnen worden war, brachte er in großem Ausmaß zum Tragen, was Georg von Siemens, der erste Direktor der Deutschen Bank, gründlich vorbereitet und dessen Schwiegersohn Karl Helfferich, der von der Kolonialabteilung des Auswärtigen Amts in das Direktorat der Anatolischen Eisenbahn-Gesellschaft und den Vorstand der Deutschen Bank übergewechselt war, weiterbetrieben hatten. Umfangreiche Finanzverträge sicherten die zweite und dritte Anleihenserie von 108 Millionen und 119 Millionen Goldfranken; das Frankfurter Bauunternehmen Philipp Holzmann erhielt den Gesamtauftrag; die deutsche Levante-Linie übernahm den Transport des Baumaterials. Die »Frankfurter Zeitung« meldete 1910 in ihrer Weihnachtsausgabe, daß auf Wunsch der Pforte der Bau an mehreren Punkten in Angriff genommen werden soll, »damit die gesamte Linie in spätestens fünf Jahren fertiggestellt werden kann«.

Meißner Pascha wurde im Mai 1911 Leiter der Bauabteilung Bagdad, die an den Streckenabschnitten zeitweise 30 000 Menschen und Tausende von Tragtieren einsetzte. Der osmanische Generalgouverneur stellte eine eigene Schutztruppe auf, um Aufstände gegen den Bahnbau im Keim zu ersticken. An der 600 Kilometer langen Teilstrecke Aleppo – Mossul entstanden bis zu 540 Meter lange Tunnels und ein 320 Meter langer Viadukt in 80 Meter Höhe, den Meißner selbst als Sehenswürdigkeit rühmte.

Als der Eisenbahn-Zauberer nach dem Kriegsausbruch seine Tätigkeit auf Palästina konzentrierte, rechneten die Deutschen in Jerusalem um so zuversichtlicher mit seiner »Wunderwaffe«, je mehr im Laufe der Monate die Requisitionen des Militärs, die Spionageverdächtigungen der Sicherheitsorgane, der Mangel an Lebensmitteln, die wucherischen Preise und die Ausbreitung von Krankheiten spürbar wurden.

Welche Hoffnungen die Militärs und die Diplomaten auf den Ingenieur setzten, ging aus einem Bericht hervor, den die deutsche Botschaft in Konstantinopel am 8. September 1914 an die Zentrale kabelte: »Meißner Pascha ist gewillt, etwaige improvisierte Weiterführung der Hedschasbahn über Maan nach Akaba — Suez durchzuführen.« Vier Tage später ging ein Telegramm des Berliner Auswärtigen Amts an die Baugesellschaft mit der Aufforderung, der deutsche Pascha sollte »von dem in Bagdad entbehrlichen Oberpersonal einige Herren für den improvisierten Bahnbau mitbringen«. Doch nicht der Golf von Akaba, sondern die Wüste Negew wurde das erste Ziel der Streckenplaner.

Das entscheidende Wort sprach der deutsche General Liman von Sanders. Weil der Materialtransport aus dem Reich nicht zuverlässig fortgesetzt und die Finanzierung nicht gesichert werden konnte, wurde der Ausbau der Bagdadbahn, zu deren Vollendung noch Abschnitte von insgesamt 722 Kilometer fehlten, vorläufig gedrosselt. Das Projekt Maan—Akaba stoppte der General überhaupt, weil es ihm technisch zu schwierig und wirtschaftlich nicht tragbar erschien. Statt dessen forcierte er zur Stärkung der Sinai-Front eine syrisch-ägyptische Nachschublinie, die in Afula von der Stichbahn Haifa—Dera abzweigen, über Tulkarem und Lydda zum letzten osmanischen Regierungs- und Truppenposten in Beerscheba führen und je nach Kriegslage in Richtung Ägypten weitergebaut werden sollte.

Am 19. Oktober 1914 beschloß eine Versammlung der Bagdadbahn-Baugesellschaft in Frankfurt am Main, ihr gesamtes Personal und Material für die kriegswichtige Strecke quer durch das Heilige Land zur Verfügung zu stellen. Meißner Pascha und sein Stab wurden der IV. osmanischen Armee zugeteilt, die 2000 Soldaten als Arbeitskräfte abordnete und für die militärische Sicherung der Baustellen sorgte. Die Ingenieure gingen in dem Glauben ans Werk, nach dem Sieg über die britisch-ägyptischen Streitkräfte die Bedeutung ihrer neuen Strecken durch die Linie Istanbul—Kairo mit einem Anschluß nach Jerusalem noch beträchtlich steigern zu können.

An Material war kein Mangel, auch wenn es über weite Entfernungen herangeschafft werden mußte, teils von Baustellen zwischen Aleppo und Mossul, teils von den Vorratslagern für die geplante Verlängerung der Hedschasbahn von Medina nach Mekka. Zusätzlich wurden die französischen Linien Damaskus—Muzerib und Jaffa—Lydda demontiert, so daß Schienen für 600 Kilometer Strecke bereitlagen, wie das Konsulat Jerusalem im Februar 1915 registrierte. Am Ende desselben Jahres fuhr bereits der erste Zug nach Beerscheba, wo der Armeebefehlshaber Dschemal Pascha mit einem silbernen Schlüssel die letzte Schwellenschraube anzog. Im vorgeschobenen Lager der Expeditionsarmee herrschte Hochstimmung: Mit dem Nachschub von Ersatztruppen, Munition, Verpflegung und Trinkwasser schien der geplante Vorstoß zum Suezkanal gesichert zu sein.

Meißner Pascha baute bis zum Jahre 1917 weiter, doch über Hafir el-Audscha nahe der ägyptischen Grenze kam er nicht mehr hinaus. Am Kilometer 365 der von ihm geplanten Kriegsstrecken endete der Vorwärtsdrang des Bauleiters und zugleich eine deutsche Illusion, die mit Eisenbahnen von Berlin nach Konstantinopel, Bagdad, Damaskus, Jerusalem und Kairo nachvollziehen wollte, was Rom mit schnellen Ruderschiffen und marschierenden Legionen geschafft hatte: die Superiorität im Vorderen Orient.

Days of Paradise

Mit wenigen Sätzen erklärte Pastor Ludwig Schneller seinen Landsleuten in Palästina, wie es zum großen Völkerringen kam: Angestachelt von dem britischen König Edward VII. – »dem Erzintriganten und Unglücksstifter von Europa« – betrieben die Regierungen in London, Paris und Petersburg die Einkreisung des Deutschen Reiches, bis sich Kaiser Wilhelm II. »wie Daniel in der Löwengrube zwischen entschlossenen Raubtieren« befand. »So begann der Weltkrieg als ein riesiges Geschäftsunternehmen der drei Mächte, das den Franzosen Elsaß-Lothringen, den Russen Konstantinopel und den Balkan, den Engländern die Alleinherrschaft auf dem Weltmarkt und außerdem einen ungeheuren Länderzuwachs bringen sollte.«

Kein Wort davon, daß auch die Deutschen und ihr Kaiser an dem »riesigen Geschäftsunternehmen« recht wesentlich beteiligt waren; daß die »Allgemeine Evangelisch-lutherische Kirchenzeitung« schon im Juni 1913 drängte, das Volk werde in Erwartung eines entscheidenden Waffenganges »nachgerade nervös, das ganze Volk, nicht etwa nur die Alldeutschen«; daß Wilhelm II. im November 1913 dem König Albert von Belgien, einem Sohn der Prinzessin Marie von Hohenzollern-Sigmaringen, zu verstehen gab, der Krieg mit Frankreich sei unvermeidlich und nahe bevorstehend: »Man muß ein Ende machen.«

Am 6. August 1914 erklärte jedoch der Kaiser in einem Aufruf an das deutsche Volk: »Seit der Reichsgründung ist es durch 43 Jahre Mein und Meiner Vorfahren heißes Bemühen gewesen, der Welt den Frieden zu erhalten und in Frieden unsere kraftvolle Entwicklung zu

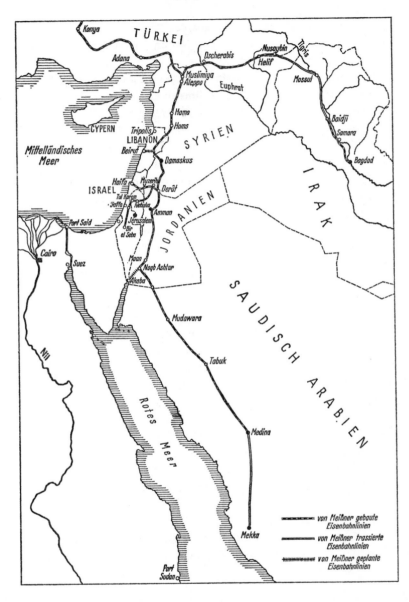

Karte mit den Strecken der von Meißner Pascha gebauten bzw. trassier-
ten oder geplanten Eisenbahnlinien

fördern. Aber die Gegner neiden uns den Erfolg unserer Arbeit... So muß denn das Schwert entscheiden. Mitten im Frieden überfällt uns der Feind. Darum auf zu den Waffen!«

Was war in der Woche zuvor geschehen? Zuerst hatte Österreich-Ungarn, gestützt auf eine Blankovollmacht aus Berlin, am 28. Juli dem aufsässigen Königreich Serbien, dann das Deutsche Reich am 1. August dem Zarenreich Rußland und am 3. August der Republik Frankreich den Krieg erklärt. Großbritanniens Kriegserklärung an Deutschland war am 4. August dem deutschen Einmarsch in das neutrale Belgien gefolgt, und Österreich-Ungarn hatte mit der Kriegserklärung an Rußland sogar bis zu jenem 6. August gewartet, an dem der deutsche Kaiser vom Überfall des Feindes sprach. Am 11. und 12. August warfen schließlich Paris und London auch Wien den Fehdehandschuh hin. Reichskanzler von Bethmann Hollweg behielt mit seinen Befürchtungen recht: Der Krieg, in den sich einer vom anderen gestoßen fühlte, wuchs sich zum Ersten Weltkrieg aus.

Allzu häufig waren bis dahin Krisen bewältigt und »Krieg-in-Sicht«-Affären glücklich überstanden worden, als daß man sich ernstlich um die Vermeidung des großen Zusammenstoßes bemüht hätte. Der Kaiser rasselte unbesorgt mit dem Säbel und redete zugleich von Frieden und Gerechtigkeit. Er schickte 1911 das Kanonenboot »Panther« nach Agadir, um dagegen zu protestieren, daß die Franzosen mit Protektoratsansprüchen in Marokko die Algeciras-Akte einseitig auslegten. Aber er tat keinen so aufsehenerregenden Schritt gegen Italien, das im selben Jahr den osmanischen Sultan mit einem kriegerischen Überfall zum Verzicht auf Tripolis und die Cyrenaika zwang. Er nahm das Scheitern der deutsch-britischen Flottengespräche zur Kenntnis und numerierte die von Rußland geschürten Balkankriege, die das osmanische Herrschaftsgebiet weiter schmälerten. Bedeutungsvoller erschien ihm, daß 1913 trotz aller Spannungen der britische König Georg V. und Zar Nikolaus II. zu seinem 25jährigen Regierungsjubiläum nach Berlin kamen.

Mochten sich panslawistische Russen und revanchistische Franzosen noch so stark gebärden, der Reichskanzler vertrat die Auffassung, die Deutschen könnten sich »mit England so stellen, daß es nicht zum Krieg kommt«. Zuversichtlich teilte er Anfang 1913 dem Wiener Außenminister Graf Berchtold mit, »daß wir einer Neuorientierung der englischen Politik entgegensehen dürfen«; am Ende des Jahres berichtete er sogar dem Reichstag, daß die Beziehungen zu England »sich zufriedenstellend entwickeln«.

Tatsächlich stießen die Russen nicht nur in Berlin, sondern auch in London auf taube Ohren, als sie im Dezember 1913 zu verhindern suchten, daß der deutsche General Liman von Sanders mit einem Sonderauftrag nach Istanbul versetzt wurde. Der preußische Kavallerieoffizier, dessen Gutsbesitzersfamilie in Stolp auch jüdische Verwandte einschloß, sollte sich als Chef der deutschen Militärmission einerseits der Reorganisation der türkischen Armee widmen und zum anderen mit weitgehenden Kommandobefugnissen eine wirksame Verteidigung der Dardanellen vorbereiten. Russische Proteste erwiderte die deutsche Regierung gelassen mit Hinweisen auf den britischen Admiral Limpus, der zu gleicher Zeit als Instrukteur der osmanischen Flotte die Kampfkraft in den Meerengen erhöhte.

Zudem gelang 1914 — wie schon früher einmal — eine britisch-deutsche Interessenabgrenzung in den portugiesischen Kolonialgebieten, die von ihrem armen Mutterland vernachlässigt werden mußten. Ungleich wichtiger war jedoch, daß sich Berlin und London über konkretere Machtfragen verständigten — über die Eisenbahnen und das Erdöl im Orient. Maßgebende Briten ignorierten einfach die lautstarke öffentliche Meinung zu beiden Seiten des Ärmelkanals und kombinierten in aller Stille den Bau der Bagdadbahn, bei dem die Deutschen bessere Karten im Spiel hatten, mit den Bemühungen um Erdölkonzessionen, die den Engländern einige Trümpfe auf die Hand gaben.

Schon seit 1912 hatte man immer wieder nach Möglichkeiten der Zusammenarbeit gegriffen. Der Eisenbahn-Bauleiter Meißner Pascha schwächte das Mißtrauen, indem er mit der britischen Forstverwaltung in Bombay über die Lieferung von Schwellenhölzern und mit einer britischen Dampfschiffahrtslinie in Basra über den Flußtransport von Baustoffen Verträge schloß. Gleichzeitig präsentierten deutsche und britische Ölinteressenten in Istanbul gemeinsam ausgearbeitete Angebote, als sie befürchten mußten, von dem amerikanischen Ex-Admiral Chester ausgespielt zu werden.

Mit Unterstützung ihrer Regierungen gründeten führende Finanzpolitiker in London und Berlin, darunter der aus Köln stammende und in England geadelte Bankier Sir Ernest Cassel, die Turkish Petroleum Company, eine kapitalkräftige Gesellschaft, an der sich der niederländisch-britische Royal-Dutch-Shell-Konzern, die Deutsche Bank und die Türkische Nationalbank beteiligten. Die Basis der Kooperation bildeten zwei handfeste Vorteile: zum einen die Option, die seit 1904 der von der Deutschen Bank gelenkten Anatolischen Eisenbahn-Gesellschaft für die Umgebung von Mossul und Bagdad zustand, und zum anderen das Gutachten eines australischen Erdölexperten, der im Auftrag der Anglo-Persian Oil Company in diesen Gebieten gute Bohrchancen ermittelt hatte.

Als dem Osmanischen Reich im November 1913 bei einer Grenzregelung mit Persien ein Stück Land zufiel, auf dem die englisch-persische Gesellschaft bereits seit 1901 eine Konzession besaß, entschlossen sich die Briten zu einem weiteren Gegengeschäft mit Berlin: Die Anglo-Persian brachte ihre Konzession in die Turkish Petroleum Company ein, indem sie den 50-Prozent-Anteil der verschuldeten Türkischen Nationalbank übernahm, und wurde damit führender Partner der Deutschen Bank und der Royal-Dutch-Shell, die je 25 Prozent des Kapitals hielten. Dafür gaben die Briten den Deutschen in einer Konvention vom 15. Juni 1914 die bindende Zusage, den Bau der Bagdadbahn mit der Endstation Basra zu unterstützen und auf den Bau oder die Finanzierung einer Konkurrenzstrecke zu verzichten.

Am 28. Juni 1914 — am selben Tag, an dem in Sarajewo der österreichisch-ungarische Thronfolger Erzherzog Franz Ferdinand ermordet wurde — bewährte sich in Istanbul die britisch-deutsche Übereinstimmung. Die Hohe Pforte gab dem Druck der Londoner und der Berliner Regierung nach und gewährte der Turkish Petroleum Company die offizielle Konzession für die Ölvorkommen bei Mossul und Bagdad. Eine europäische Kapital-Entente hatte somit erreicht, den Streit um die Bagdadbahn zu entschärfen und zugleich mit vereinten Kräften dem Rivalen USA im Kampf um das Erdöl die Stirn zu bieten.

Nach den verhängnisvollen Schüssen in der bosnischen Hauptstadt Sarajewo bestimmten jedoch andere Verflechtungen das Schicksal Europas, in erster Linie Deutschlands »Nibelungentreue« gegenüber der österreichisch-ungarischen Monarchie. Mit einer Kehrtwendung verdammte Wilhelm II. schon am 19. Juli 1914 in einer Beurteilung der Vorkriegslage Englands »glänzendsten Erfolg seiner beharrlich durchgeführten puren antideutschen Weltpolitik«: »Aus dem Dilemma der Bundestreue gegen den ehrwürdigen alten Kaiser wird uns die Situation geschaffen, die England den erwünschten Vorwand gibt, uns zu vernichten, mit dem heuchlerischen Schein des Rechts, nämlich Frankreich zu helfen wegen Aufrechterhaltung der berüchtigten balance of power in Europa.«

Dann versuchte der Kaiser mit altbekannten Tönen den Spieß umzudrehen: »Unsere Konsuln in Türkei, Indien, Agenten usw. müssen die ganze mohammedanische Welt gegen dieses verhaßte, verlogene, gewissenlose Krämervolk zum wilden Aufstand entflammen. Denn wenn wir uns verbluten sollen, soll England wenigstens Indien verlieren ...«

Zwölf Tage vor Deutschlands Kriegserklärung an Rußland erlag der Kaiser seiner schon 1898 geäußerten Fehleinschätzung der islamischen Völker.

Nachdem am 2. August 1914 ein deutsch-türkischer Vertrag zustande gekommen und am 3. August die bewaffnete Neutralität des Osmanischen Reiches verkündet worden war, vertrat am 5. August auch der Generalstabschef der Armee in einer Denkschrift an das Auswärtige Amt den Irrtum seines obersten Kriegsherrn.

Helmuth von Moltke glaubte nicht nur, die deutschen Truppen würden »in Polen fast als Freunde begrüßt« und die Vereinigten Staaten von Amerika ließen sich »zu einer Flottenaktion gegen England veranlassen, für die ihnen als Siegespreis Kanada winkt«. Ihm erschien außerdem »von höchster Wichtigkeit ... die Insurrektion von Indien und Ägypten, auch im Kaukasus«. Denn: »Durch den Vertrag mit der Türkei wird das Auswärtige Amt in der Lage sein, diesen Gedanken zu verwirklichen und den Fanatismus des Islams zu erregen.«

Zunächst bedurfte es jedoch in Istanbul eines monatelangen diplomatischen Ringens, ehe sich die Hohe Pforte Ende Oktober 1914 zum Kriegseintritt an der Seite der Mittelmächte entschloß. Anfang November erklärten nacheinander Rußland, Großbritannien und Frankreich dem Osmanischen Reich den Krieg. Dann beeilte sich die Londoner Regierung, vor allem in Ägypten vollendete Tatsachen zu schaffen. Sie sorgte dafür, daß der türkenfreundliche Khedive Abbas Hilmi abgesetzt wurde, und bestätigte dessen Nachfolger Hussein Kamil die Unabhängigkeit vom osmanischen Sultan. Gleichzeitig stellte sie Ägypten unter britischen Schutz, um den Suezkanal, die Wespentaille des Weltreichs, zu sichern. Die erste türkisch-deutsche Unternehmung gegen die Wasserstraße führte prompt zu einem Mißerfolg.

Im Gegenzug bestätigten Großbritannien und Frankreich im März 1915 dem russischen Verbündeten das Recht auf Konstantinopel und die Meerengen, worauf deutsche und österreichische Truppen zum Vormarsch auf dem Balkan antraten, um eine Landverbindung zum neuralgischen Punkt der Türkei herzustellen. Den Oberbefehl hatte der deutsche Feldmarschall von Mackensen, dem als Stabschef der Oberst von Seeckt zur Seite stand. Die Verteidigung der Dardanellen leitete

währenddessen General Liman von Sanders, dem es auf Anhieb gelang, einen vom britischen Marineminister Winston Churchill betrie-
benen Flottenangriff der Alliierten abzuwehren. Die bis dahin größte
Schlacht zwischen Landbefestigungen und Seestreitkräften endete für
die Angreifer mit dem Verlust von drei Linienschiffen und schweren
Treffern auf weiteren Einheiten.

Doch die geschlagenen Alliierten gaben nicht nach. Mit dem Ziel,
die Front in Frankreich zu entlasten und die Versorgung Rußlands
durch die Meerengen zu erzwingen, landeten Ende April 1915 britische, französische, kanadische, australische und neuseeländische Soldaten auf der Halbinsel Gallipoli und an der asiatischen Küste der Durch-
fahrt zum Marmarameer. Trotz des Aufgebots an Menschen und Material blieb ihnen aber ein Durchbruch versagt, so daß sie im Dezember
1915 den verlustreichen Rückzug antreten mußten. Mit den türkischen
Verteidigern feierten der deutsche Befehlshaber, die deutschen Hilfstruppen und die deutschen U-Boot-Besatzungen im Mittelmeer den
ersten Sieg auf dem orientalischen Kriegsschauplatz.

Leidenschaftlich verteidigte Sven Hedin die Kampfhandlungen des
Deutschen Reiches im Orient, die er mit den Lebensinteressen der
Schweden und der Türken verknüpft sah, schon »seit Karl XII. den
Europäern die Augen für die moskowitische Gefahr öffnete und die
Vernichtung des slawischen Großstaates als das unumstößliche politi-
sche Ziel seiner Nachbarn bezeichnete«. Die Russen hätten ohne hi-
storisches Recht den Weg nach den Meerengen eingeschlagen und ohne
Umschweife erklärt, ihr Ziel sei »Zarigrads« (Konstantinopels) Be-
freiung. »Großbritanniens Zusammenschluß mit Rußland über die
Dardanellen und den Bosporus hinweg war eine der Voraussetzungen
für die Zerschmetterung Deutschlands. Bei Gallipoli wurde dieser
Traum zuschanden.«

Einige Monate danach war der schwedische Kriegsberichter in der
Nähe, als der angesehenste deutsche Heerführer im Orient den Tod
fand. »Keine Siegeskunde empfing mich zum Osterfest 1916«, notierte
er im Feldquartier am Euphrat, »wohl aber eine erschütternde Trauer-
botschaft: Vor drei Tagen, am 19. April, war Feldmarschall von der
Goltz, nach der Rückkehr von einer Inspektionsreise nach Kut el-Amara, in Bagdad am Flecktyphus gestorben!« Der 73 Jahre alte Offizier
und Kriegswissenschaftler, der von 1883 bis 1895 als ständiger Militärberater des Sultans und von 1909 bis 1913 als deutscher Armeeinspek-
teur in der Türkei weilte, ehe er im November 1914 aus dem Pen-

sionsstand endgültig in das türkische Hauptquartier berufen wurde, durfte den Sieg seiner Mesopotamien-Armee nicht mehr erleben. Denn erst Ende April war es so weit, daß der Versuch eines britischen Vorstoßes nach Bagdad scheiterte und die vorwiegend indischen Expeditionstruppen nach der Einschließung bei Kut el-Amara kapitulieren mußten.

Seine letzte Ruhe fand der Marschall im Park oberhalb der Sommerresidenz des deutschen Botschafters in Therapia. Die Grabstätte beschrieb Sven Hedin als »eine Erinnerung an die Vergangenheit und eine Warnung für die Zukunft, denn sie blickt auf den nördlichen Teil des Bosporus und das Schwarze Meer, eine Wasserstraße, die für russische Kriegsschiffe verschlossen ist und verschlossen bleiben wird«.

Vor der provisorischen Gruft in Bagdad meldete nach dem Erfolg von Kut el-Amara der türkische Etappenchef der VI. Armee dem »ruhmreichen Märtyrer und großen Marschall«, seine Truppen hätten fünf Generäle, 500 Offiziere und 13 000 Soldaten gefangengenommen. »Das osmanische Heer, das du liebtest wie dein eigenes Leben, wird mit Hilfe des Allmächtigen den Feind aus ganz Mesopotamien vertreiben. Unsterblicher Lehrmeister des osmanischen Heeres! Wir geloben an deinem Grab, daß deine Armee danach streben wird, deine Seele mit neuen Siegesbotschaften zu erfreuen.«

Sven Hedin nahm in seinen Nachruf Zitate aus einem Brief auf, in dem Goltz Pascha am 11. Juni 1915 aus Konstantinopel schrieb, er könnte sich nach 52jähriger aktiver Dienstzeit und der Teilnahme an drei Kriegen kaum einen schöneren Abschluß als den Heldentod denken. »Aber das Schicksal hat ihn mir bisher verweigert; ich konnte es nur bis zu einem leichten Streifschuß unter dem linken Auge bringen ...« Und über die Kriegslage: »Am endlichen Siege unserer guten Sache zweifeln wir alle nicht; wir könnten immer noch ein paar Feinde mehr vertragen.« Damals schickten deutsche Frontsoldaten »Witz-Postkarten« nach Hause, auf denen ein strahlender Landser vor einem Schilderhaus mit der Aufschrift »Hier werden noch Kriegserklärungen angenommen« die schlangestehenden Feinde beruhigte: »Nur nicht drängeln, es kommt jeder dran!« Auch Goltz Pascha war unruhig: »Ich beispielsweise erwarte solche zur Zeit leider vergeblich mit meiner Armee an der stark bewehrten Küste des Schwarzen Meers.«

Nicht im Norden, sondern in den südlichen Teilen des Osmanischen Reichs reiften jedoch die Entscheidungen heran. Im Dezember 1916 stießen die Briten auf die Ostseite des Suezkanals vor und bezogen

Ausgangsstellungen für den Angriff auf Palästina. Elf Monate nach dem Tod des deutschen Feldmarschalls jubelte die Londoner Bevölkerung über die Meldung: »Bagdad am 11. März 1917 frühmorgens genommen!« Ein britischer Pressekommentar fügte hinzu, der Sieg habe den deutschen Traum Berlin–Bagdad zerstört und Deutschlands hochfliegenden Plänen im Orient ein Ende bereitet. »Dieses Ereignis hat die größte Seifenblase des Pangermanismus zum Platzen gebracht und eine an den Grenzen des indischen Reiches ständig drohende Gefahr beseitigt.«

Der deutschfreundliche Sven Hedin dagegen meinte trocken, die Freude der Engländer sei nur zu verständlich. »Der Krieg ruiniert sie, und sie brauchten eine Ermunterung. Bagdad ... war bisher die einzige Stadt, die sie während des Weltkrieges erobern konnten, abgesehen von einigen kaum verteidigten afrikanischen Nestern. Die Zukunft wird zeigen, wie lange sie sich in der Residenz Mansurs werden halten können.«

Auch die Deutschen in Jerusalem blieben optimistisch und stärkten mit Kriegsbetstunden ihren Glauben an den Endsieg. Den Geistlichen und ihren Helfern oblag als zusätzliche Aufgabe die »kirchliche Versorgung der Truppen«. Wie der große Russenbau außerhalb der Altstadt dienten die meisten Besitzungen der feindlichen Mächte osmanischen und deutschen Einheiten als Stabsquartiere, Kasernen, Lazarette und Magazine. Die deutschen Anstalten setzten ihre Arbeiten fort, obwohl der zunehmende Personalmangel und das Versiegen der meisten Einnahmequellen beträchtliche Schwierigkeiten verursachten. Für die notleidende Bevölkerung, die unter dem Ausbleiben des Fremdenverkehrs und 1915 auch unter verheerenden Heuschreckenschwärmen zu leiden hatte, wurden eine Volksküche und Samariterstationen zur Bekämpfung der Malaria eingerichtet. Die Schulen konnten manchmal nur offen bleiben, wenn uniformierte Lehrer für Unterrichtsstunden freigestellt wurden. »In Not und Hilfe«, betonte die evangelische Chronik, »standen alle Teile des Deutschtums zusammen.«

Viele wehrfähige Männer waren schon 1914 freiwillig zu den Fahnen geeilt. Deutsche Israeliten zogen »mit derselben Begeisterung wie die christlichen deutschen Kolonistensöhne ins Feld«, meldete Vizekonsul Brode aus Jaffa nach Berlin. Später wurde die Militärpflicht auf alle tauglichen Christen und Juden deutscher Staatsangehörigkeit ausgedehnt. Sogar D. Albrecht Alt, Professor für Altes Testament, wechselte vom Institut für Altertumswissenschaft zum Heeresdienst in Palästina

über. Andererseits sorgte die Antikenabteilung der Museen in Berlin
dafür, daß Professor Wiegand, der langjährige Direktor des Deutschen
Archäologischen Instituts in Istanbul, von 1916 bis 1918 als General-
inspekteur der Altertümer in Syrien, Palästina und Westarabien am-
tieren konnte.

Das Gästebuch von Emmaus-Kubebe faßte auf seine Art die Kriegs-
jahre zu einem abschließenden Kapitel zusammen. Dem letzten namhaften Gast in Friedenszeiten, dem kaiserlich-königlichen Kammer-
herrn Graf von Schwerin-Sophienhof, folgte Oscar von Stienecke-Stellkampf, der sich mit der Bezeichnung »Chefingenieur für den Straßenbau der kaiserlich-ottomanischen IV. Armee« in die Besucherliste ein-
trug. Dann hatten im katholischen Hospiz vor allem die »Kriegsdich-
ter« das Wort.

Am 9. August 1915 reimte die Jerusalemer Familie Grussendorf:

> »Als unser tapfres Heer die Feste Warschau nahm
> und Pater Müllers Kuh ein Kalb bekam,
> da schwelgten wir hier sonder Leide
> in Landschaft, Milch und Siegesfreude.«

Hauptmann Sterke von der deutschen Militärmission schwärmte am
24. Januar 1916:

> »Unter Bomben und Granaten,
> unter Punsch und Schweinebraten,
> unter Türken und Tscherkessen,
> werd' ich Deiner nicht vergessen.«

1917 nannte sich das Hospiz nur noch »Genesungsheim Emmaus«.
Für die gute Pflege bedankten sich ein Feldgeistlicher und ein Stabs-
apotheker aus Köln, ein Veterinär-Hauptmann aus Kattowitz, Feldflie-
ger aus Hamburg und aus Sarona, der Chefarzt des St.-Paulus-Gene-
sungsheims Jerusalem, ein Leutnant von der Kaiserlich-Deutschen
Telegraphen-Abteilung Kleinasien und viele andere Rekonvaleszenten
aus deutschen Maschinengewehr-Kompanien, Kraftwagen-Parks, Flie-
gerabwehr-Zügen, Feldlazaretten, Pionier-Bataillonen, Funker-Lehr-
kommandos und Artillerie-Abteilungen, die ihre Einheitsnummern
oftmals mit dem Zusatz »Pascha« schmückten.

Am 11. August 1917 klagte der Genesene Deetzen von der M. G. K.
602:

> »Ich hab' mich nicht darum gerissen,
> doch heute wurd' ich rausgeschmissen.«

Der Vizefeldwebel Viete aus Berlin sang am 29. September 1917 mit
gequälten Reimen das Lied der M. G. K. 606:

> »Kanonen brüllen, Wüstenstaub,
> Kommandos schallen, möglichst laut,
> Furchtbare Hitze, nachts kalter Mond,
> So ist das Leben an der Sinai-Front.

> Ob Artillerie, Funker oder Flieger,
> Alle haben den Willen als Sieger,
> Maschinengewehre, immer da,
> waren dabei — Gefecht Gaza!«

Schließlich dokumentierten zwei aufeinanderfolgende Eintragungen
lakonisch, was an der Palästina-Front geschehen war:
»23. 10. — 6. 11. 1917. Mit herzlichem Dank für die liebenswürdige
Aufnahme. Grimm, Lt.«
»December 2nd — 6th, 1917. Four days of Paradise. A. Hamilton
L'Col., P. Martin Capt.«
Nicht die Deutschen und die Türken, sondern die Briten und die
Ägypter waren im Herbst 1917 zur Offensive angetreten. Die moham-
medanischen Araber hatten vom Hedschas her nicht den Deutschen
Kaiser, sondern den britischen König unterstützt. Meißner Paschas neue
Eisenbahn hatte den Rückzug und nicht den Vormarsch der türkisch-
deutschen Waffenbrüder beschleunigt.
Im »Paradies« von Emmaus erholten sich bereits britische Offiziere,
als am 8. Dezember die letzten deutschen Soldaten Jerusalem verließen.
Um sinnlose Zerstörungen zu vermeiden, wurde die Heilige Stadt
kampflos geräumt. Am 9. und 10. Dezember rückten die siegreichen
Gegner nach, wählten als Stabsquartier die Kaiserin-Auguste-Viktoria-
Stiftung und hißten auf dem Ölberg den Union Jack. Ein jähes Erwachen beendete den Traum vom deutschen Jerusalem.

Die abgefallene Krone

Der Krieg war noch nicht zu Ende, da begann bereits die Abrechnung der britischen Besatzungsmacht mit den Deutschen in Jerusalem. Wie die Berliner hatte sich auch die Londoner Regierung jahrelang darauf vorbereitet, zwischen Mittelmeer und Persischem Golf ein zusammenhängendes Einflußgebiet zu schaffen. Jetzt konnte im südlichen Teil Palästinas eingeleitet werden, was im größeren Maßstab für die Zeit nach dem Zusammenbruch des Osmanenreichs geplant war.

Die bisherige Herrschaft der Türken und die Vorzugsstellung der Deutschen wurden schonungslos liquidiert. Zug um Zug griff die Militärregierung nach den Einrichtungen in der Heiligen Stadt, die bis dahin der Berliner Orientpolitik als Stützpunkte gedient hatten. Von Anfang an bekam dies am härtesten die evangelische Gemeinde zu spüren — »schnöde und undankbare« Nachkommen des englisch-preußischen Bistums!

In der Kaiserin-Auguste-Viktoria-Stiftung ließen sich die Stabsoffiziere der britischen Orientarmee von den Kaiserswerther Diakonissen versorgen. Die Propstei wurde im Frühjahr 1918 geräumt, um zunächst einem General und dann dem Militärgouverneur als Residenz zu dienen. Die evangelische Schule wurde im Juli 1918 geschlossen, die Kaiserswerther Mädchenanstalt »Talitha kumi« beschlagnahmt und als »British High School for Girls« dem anglikanischen Bischof unterstellt. In das Muristan-Hospiz zog ein militärisches Hilfskomitee ein, das bald dem Vizegouverneur weichen mußte. Das Kaiserswerther Krankenhaus wurde britisches Zivilhospital. Das Syrische Waisenhaus kam über das amerikanische Rote Kreuz unter die Verwaltung der »Near East Relief Company«; die landwirtschaftliche Zweiganstalt in Bir Salem wurde von der Militärbehörde verpachtet. Nur das Aussätzigen-Asyl verblieb der Brüdergemeinde, die durch ihre englischen und amerikanischen Zweige abgesichert war.

Der schwerste Schlag aber traf die Deutschen, als sie im August 1918 aus Jerusalem, Jaffa, Sarona und Wilhelma ausgewiesen wurden. Die meisten wurden von den Briten nach Heluan in Ägypten transportiert, die wehrfähigen Männer in Sidi Bischer getrennt interniert. Bei den Alten, Frauen und Kindern organisierten Propst Jeremias, Tempelvorsteher Rohrer und Emmaus-Pater Müller ein notdürftiges Gemeindeleben der Protestanten, Templer und Katholiken im Lager, mit regelmäßigem Schulunterricht und Gottesdiensten am Sonntag.

Währenddessen versuchten die wenigen Deutschen, die in Jerusalem zurückbleiben durften, das Privateigentum der Internierten zu bewachen und teilweise in die Muristankapelle zu retten, die das spanische Konsulat als Interessenvertretung des Deutschen Reiches unter Siegel hielt. Um die katholischen Besitzungen kümmerten sich einige Patres und die Borromäerinnen, um die Tempelkolonie mehrere Alte und Kranke, um die evangelischen Gemeindezentren der aus der Direktion des Waisenhauses verdrängte Pastor Theodor Schneller.

Die größte Verantwortung aber wurde der resoluten Diakonisse Barkhausen aufgeladen. Sie vertrat nicht nur die Belange der Ölberg-Stiftung, sondern nach und nach auch der Kaiserswerther Anstalten, der Jerusalem-Stiftung, des Jerusalemsvereins, des Johanniterordens, des Syrischen Waisenhauses und des Gemeindekirchenrats gegenüber dem »Public Custodian« für Feindvermögen — dem britischen Gebieter über das gesamte deutsche Eigentum in Palästina, das allein an Grundbesitz mehr als 40 Millionen Quadratmeter umfaßte.

Wehmütig dachte man auch an die ideellen Werte, die das Heilige Land in den nur zwanzig Jahren nach der Kaiserreise vermittelt hatte. Noch 1898 war auf Anregung Wilhelms II. die Deutsche Orient-Gesellschaft entstanden, die auf verschiedenen Forschungsgebieten aktiv wurde. Der Orientalist Enno Littmann, der als erster eine vollständige deutsche Übersetzung von »Alf laila wa laila« (Tausendundeine Nacht) herausgab, schuf 1900 in Jerusalem eine der schönsten Sammlungen arabischer Märchen. Der Theologe Ernst Sellin veröffentlichte 1913 zusammen mit Carl Watzinger wertvolle Ergebnisse seiner Ausgrabungen in Jericho. Der Archäologe Schuhmacher nahm sich mit Watzinger der Reste von Megiddo an, andere gruben in Gerasa, Sichem, Cäsarea und in der näheren Umgebung von Jerusalem.

Unzählige Bücherleser in Deutschland fühlten sich mit dem Orient auf besondere Weise vertraut, seit sie der »Reiseschriftsteller« Karl May zu Kara Ben Nemsi und Hadschi Halef Omar entführt hatte. Doch nun erfuhr man vornehmlich Neuigkeiten über britische Erfolge, denen der Geheimdienstoffizier Lawrence später in den »Sieben Säulen der Weisheit« literarischen Glanz verlieh.

»Es ist hier nicht der Ort, über die politische Tragweite dieser Besetzung Näheres zu sagen«, resignierte die Chronik der evangelischen Gemeinde, ehe sie versuchte, dem »britischen Jerusalem« noch einen positiven Aspekt abzugewinnen: »Grundsätzlich muß gesagt werden, daß die Erfahrung der Zeit seit 1914 zur Genüge gelehrt hat, daß in einem türkischen Palästina ohne Sonderrechte der Europäer deren Arbeit und besonders Missionsarbeit außerordentlich erschwert worden wäre. Und vom christlichen Standpunkt aus gesehen war es schon etwas Großes, daß nach den Jahrhunderten, in denen Palästina vom Halbmond beherrscht worden war, nun wieder die Fahne einer christlichen Großmacht über dem Lande wehte.«

Im September 1918 richteten sich feindliche Schiffsgeschütze auf Beirut, wo unbeachtet ein österreichisches Unterseeboot im Hafen lag. »Schon war«, schrieb der Kriegsteilnehmer Hans von Kiesling, »die mächtige Offensive gegen das schwache deutsch-türkische Heer in Vorbereitung, das heldenmütig fast ein ganzes Jahr lang alle Angriffe abgeschlagen hatte; die Operation gegen Beirut sollte die Aufmerksamkeit von der Front abziehen, durch das Drohen mit einer Landung für Flanke und Rücken besorgt machen und so den Generalsturm erleichtern, der Palästina und Syrien endgültig in die Hände des Feindes bringen sollte. Mit offenen Armen wartete die Bevölkerung auf ihn, eine Folge der klugen und zielbewußten Propaganda, die vorher im Lande erfolgt war. Auch hier die trübe Erfahrung, daß das Deutsche nur geduldet, kaum geachtet, meistens verhaßt war!«

Die Einheimischen waren kriegsmüde und verwünschten das fremde Militärregime mit seinen unzähligen Ansprüchen. Sie konnten es kaum mehr mitansehen, daß nun die Lokomotiven der Truppen- und Munitionszüge wegen des Kohlenmangels meistens nur noch mit Holz geheizt wurden. »Der Zeitpunkt stand nicht fern, an dem wenigstens die südlichen Gebirge ihres Holzreichtums entkleidet sein würden«, kritisierte auch Hans von Kiesling, der nicht mehr an den Sieg glaubte. Zwar zogen häufig »deutsche Flugzeuge ihre ruhigen Kreise über dem alten Baalbek, denn nur wenige Kilometer südlich davon, in Rajak, befand sich der deutsche Armeeflugpark, der die ganze Palästinafront mit Flugzeugen versorgte«. Doch um die türkische Küstenverteidigung war es äußerst schlecht bestellt. »Auf der ganzen Strecke von Alexandrette bis Beirut standen kaum tausend Mann Infanterie, einige Maschinengewehre und Geschütze.«

»Im Sommer 1918«, stellte der Beobachter fest, »war die Türkei militärisch wohl schon am Ende ihrer Kräfte. Kaum gelang es, für die Stellungen in Palästina die notdürftigste Besatzung nach vorne zu bringen, und auch diese konnte wegen der großen Desorganisation in finanzieller und wirtschaftlicher Hinsicht kaum ernährt und bekleidet werden. Daß sich das türkische Große Hauptquartier trotzdem noch auf weitreichende Operationen im Kaukasus und durch Persien gegen Baku einließ, war eine der vielen Unbegreiflichkeiten, an denen dieser Krieg militärisch und politisch so reich war.«

Darüber stöhnte am 14. August 1918 auch der Staatssekretär des Auswärtigen Amts, Paul von Hintze, als er dem Kaiser im Großen Hauptquartier die ungünstige Situation erläuterte: »Die Türkei hat sich in einen Mord- und Beutekrieg im Kaukasus gestürzt, kommt uns dort in die Quere und setzt unseren Einwendungen und Mahnungen die bekannte Resistenz des Orientalen und des Schwächeren entgegen.« Tatsächlich trat der britische Befehlshaber Edmund Allenby, während sich die Osmanen an den bereits geschlagenen Russen schadlos halten wollten, zu einer großen Herbstoffensive gegen Nordpalästina und das Ostjordanland an.

Im September gelang den Briten und ihren arabischen Bundesgenossen der entscheidende Durchbruch bei Jaffa und bei Dera, im Oktober waren bereits Haifa, Damaskus, Beirut und Aleppo besetzt. Der Dardanellen-Verteidiger Liman von Sanders, der als preußischer General und osmanischer Marschall eine Heeresgruppe in Syrien kommandierte, konnte den Zusammenbruch der Front nicht mehr aufhalten. Was zurückblieb, waren Gedenkplätze wie die Kriegsgräberstätte in Nazareth oder das Fliegerehrenmal in Dschenin, an dem sich ein zersplitterter Propeller drehte, wenn der Wind über die biblischen Landschaften Galiläa und Samaria blies. »Sollte unser Denkmal einst verfallen, so bitten wir, uns nicht zu vergessen«, schrieben zwölf Angehörige des Deutschen Asienkorps am 18. Mai 1918 im Namen der Gefallenen auf eine eingemauerte Urkunde.

Nachdem der neue Sultan Mohammed VI. im Juli 1918 die stärksten Verfechter des Bündnisses mit Deutschland, den Großwesir Talaat Pascha und den Kriegsminister Enver Pascha, entlassen hatte, vereinbarten die Türken am 30. Oktober auf der Ägäis-Insel Mudros mit den siegreichen Alliierten den Waffenstillstand. Nur zwölf Tage danach ging im Wald von Compiègne auch für das geschlagene Deutsche Reich der Erste Weltkrieg zu Ende.

»Nicht Gott hat unser Volk verlassen, sondern unser Volk hat ihn verlassen«, konstatierte der Hofprediger Doehring angesichts der unabwendbaren Niederlage im Berliner Dom. Während Streikende durch die Straßen der Hauptstadt zogen, verurteilte der Kanzelredner die »feilen und feigen Kreaturen, die den Altar des Vaterlands meuchlings mit Bruderblut entweiht« und den Aufrührern »die Mordwaffe in die

Hand gedrückt« hätten, damit »sie den Brüdern, die noch vor dem Feinde liegen, in den Rücken fallen«. Was blieb da von der »bedingungslosen Treue zum Zollernthron«, die dem Berliner Pfarrer und Feldprediger Wessel so heilig war wie das Evangelium?

Auch der Palästina-Pastor Ludwig Schneller klagte bitter, das Verhängnis sei nach »Heldentaten, von denen man noch nach tausend Jahren wie von einem Heldenlied der Menschheit reden wird«, aus dem eigenen Lager gekommen. »Die Sozialdemokratie, die dem Kaiser am Anfang feierlich Treue geschworen hatte, ... glaubte ihre Parteiziele durch eine deutsche Niederlage zu erreichen und begann auf zahllosen Wegen die Treue des Heeres hochverräterisch zu untergraben und zur Revolution gegen den Kaiser zu hetzen. Das war, wie es selbst ein Feind Deutschlands ... zutreffend genannt hat, der Dolchstoß von hinten, der das durch die Hungerblockade furchtbar geschwächte Deutschland schließlich dazu brachte, die unbesiegten Waffen niederzulegen.«

Der Kaiser wurde laut Schneller verraten und »buchstäblich vom Thron heruntergelogen«. »Im Bunde mit dem Zentrum und den Demokraten führten die Sozialdemokraten ihren zielbewußten Kampf gegen das kaiserliche Regiment, um Deutschland der elendesten und unredlichsten aller Regierungsformen, dem Parlamentarismus, auszuliefern.« Wilhelm II. »entschloß sich zur Abdankung als Deutscher Kaiser — keineswegs als König von Preußen — und fuhr ... nach Holland. Hätte er's doch nicht getan! so sagen wir heute alle.«

Etwas Dümmeres sei dem deutschen Michel in seiner ganzen Vergangenheit nicht passiert, meine Schneller. »Als der Kaiser ging, stürzten in wenigen Stunden sämtliche deutsche Fürstenhäuser, die so viele Jahrhunderte lang die Liebe und der Stolz des deutschen Volkes und seiner Stämme gewesen sind ... Wir alle haben dabei das Gefühl, wie es beim Propheten Jeremia einmal heißt: Es ist die Krone von unserem Haupte abgefallen.«

Der Pastor wollte seiner großen Gemeinde weismachen, daß ohne den Thronverzicht des Monarchen alles völlig anders verlaufen wäre. »Deutschland hätte unter seinem Hohenzollernkaiser die Flinte nicht ins Korn geworfen und hätte dann einen ganz anderen Frieden geschlossen als jene niederträchtige Vergewaltigung von Versailles.«

Der leidenschaftlich umstrittene Friedensvertrag wurde Ende Juni 1919 im selben Spiegelsaal des Schlosses von Versailles unterzeichnet, in dem König Wilhelm I. von Preußen am 18. Januar 1871 zum Deutschen Kaiser proklamiert worden war. Am 10. Januar 1920 traten die harten Bestimmungen in Kraft, die alle hohenzollerischen Weltmacht- pläne zerschlugen, indem sie die deutsche Flotte ausschalteten, die deutschen Kolonien als Mandatsgebiete dem Völkerbund zuwiesen, das deutsche Eigentum im Ausland liquidierten und gegen Wilhelm II. Anklage »wegen schwerster Verletzung des internationalen Sitten- gesetzes und der Heiligkeit der Verträge« erhoben.

Als Vorsitzender des Evangelischen Vereins für das Syrische Waisen- haus hatte Ludwig Schneller sofort mit den Auswirkungen zu tun: Sein Bruder Theodor, der bis dahin noch als letzter deutsch-evangeli- scher Geistlicher in Jerusalem geduldet worden war, verließ im Mai 1920 Palästina und kehrte entmutigt nach Deutschland zurück.

Inzwischen hatten die Briten vollendete Tatsachen geschaffen. Sie waren durch die Maschen vager Abmachungen geschlüpft und hatten frühere Zugeständnisse so lange modifiziert, bis die vom Osmanischen Reich abgetrennten Gebiete Palästina, Transjordanien und Irak unter ihrer Mandatsverwaltung standen. Jahre später — 1929 — schrieb Isaiah Bowman, der Direktor der Amerikanischen Geographischen Gesell- schaft, Großbritannien gehe es im Nahen Osten um zwei besonders lebenswichtige Interessen, die für seine Politik von weit größerer Be- deutung seien als das im Mandat festgelegte allgemeine Verantwor- tungsgefühl einer großen zivilisierten Macht für die noch weniger ent- wickelten, unselbständigen Araber: 1. die Kontrolle über alle west- östlichen See- und Landrouten nach Indien, 2. die Sicherung der Erd- öllager in Südpersien und im Gebiet von Mossul samt dem Öltransport zu einem sicheren Seehafen.

Als die Vorherrschaft im Orient noch nicht gesichert war, berief sich London allein auf den Artikel 22 des Völkerbund-Statuts, der jenen befreiten Völkern galt, »die noch nicht imstande sind, sich unter den besonders schwierigen Verhältnissen der modernen Welt selbst zu re- gieren«. »Das Wohlergehen und die Entwicklung dieser Völker«, postulierte die Satzung, »stellen eine heilige Aufgabe der Zivilisation dar ... Der beste Weg, diesen Grundsatz praktisch zu verwirklichen, ist die Übertragung der Vormundschaft über diese Völker an die fort- geschrittenen Nationen, die auf Grund ihrer Hilfsmittel, ihrer Erfah- rungen oder ihrer geographischen Lage am besten imstande und bereit sind, eine solche Verantwortung auf sich zu nehmen ... Bei der Wahl des Mandatars sind die Wünsche dieser Gemeinwesen in erster Linie zu berücksichtigen.«

»Gewissen Gemeinwesen, die ehemals zum Türkischen Reich gehörten«, bestätigte der Völkerbund ausdrücklich »einen solchen Grad der Entwicklung, daß ihre Existenz als unabhängige Nationen vorläufig anerkannt werden kann«, jedoch mit der einschränkenden Bedingung, daß ihrer Verwaltung noch die Ratschläge und die Unterstützung eines Mandatars gewährt werden müssen.

Was die Londoner Regierung von diesen wohlklingenden Prinzipien hielt, gab sie schon zu erkennen, als sie die Zuständigkeit für den Nahen Osten vom Außenministerium auf das Kolonialministerium übertrug. Deshalb mußte der Staatssekretär für die Kolonien, Winston Churchill, im Frühjahr 1921 nach Kairo und nach Jerusalem reisen, um an Ort und Stelle die Schwierigkeiten zu mildern, die aus der britischen Kriegs- und Nachkriegspolitik erwachsen waren. Immer dringender forderten nämlich die Bundesgenossen, die das Kriegskabinett des Premierministers Lloyd George auf seine Seite gezogen hatte, die ihnen versprochenen Gegenleistungen.

Der haschemitische Emir Hussein von Mekka, der 1916 mit britischer Ermunterung die osmanische Oberherrschaft über den Hedschas abgeschüttelt und sich voreilig zum König von Arabien erklärt hatte, wartete noch immer auf die »arabische Unabhängigkeit nach der Befreiung vom türkischen Joch«, ebenso der zionistische Repräsentant Baron Rothschild auf die »nationale Heimstätte für das jüdische Volk in Palästina«, die ihm von Außenminister Balfour mit einem Schreiben vom 2. November 1917 in Aussicht gestellt worden war.

Dazu beharrte Frankreich auf der Erfüllung wesentlicher Punkte des Sykes-Picot-Abkommens von 1916, das in Form eines Notenwechsels zwischen London, Paris und Petersburg die Aufteilung des Osmanischen Reichs vorweggenommen und bald nach der Niederlage Rußlands die bolschewistische Propaganda gegen den Imperialismus beflügelt hatte. Noch am 8. November 1918 waren, angeblich in Unkenntnis des Waffenstillstands mit der Türkei, anglo-indische Truppen den Tigris entlang bis nach Mossul vorgedrungen, in ein Gebiet, das ursprünglich einer französischen Zone zugedacht war. Um die verärgerte Pariser Regierung für die 1920 einberufene Konferenz von San Remo freundlicher zu stimmen, schalteten sich die mächtigen britischen Ölkonzerne ein: Generös gestanden sie französischen Interessenten den deutschen Vorkriegsanteil an der Turkish Petroleum Company zu und handelten dafür, in Verbindung mit weiteren Beteiligungen, den Pariser Verzicht auf Mossul ein.

Sehr empfindlich reagierten darauf wiederum die Vereinigten Staaten von Amerika, die zwar dem Osmanischen Reich nicht den Krieg erklärt hatten, aber in den einst türkischen Provinzen für alle alliierten und assoziierten Mächte dieselben wirtschaftlichen Rechte forderten. Kühl stellten die Briten dem Washingtoner »Prinzip der offenen Tür« den Rechtsgrundsatz »Verträge sind zu halten« entgegen, nahmen aber, als der Notenaustausch immer unangenehmer wurde, direkte Verhandlungen mit dem führenden amerikanischen Konzern Standard Oil auf und verschafften ihm Konzessionsbeteiligungen von 50 Prozent in Nordpersien und 25 Prozent im Irak. Die Ölinteressenten des Rockefeller-Imperiums waren mächtig genug, ihrer Regierung die Unterstützung alter Ansprüche des Ex-Admirals Chester und des amerikanischen Nachlaßverwalters, der die große Erbengemeinschaft des Sultans Abd ul-Hamid vertrat, auszureden. Zusätzlich bestätigte Londons Außenminister Lord Curzon, die Rechte der Standard Oil in Palästina würden selbstverständlich durch die Mandatsverhältnisse nicht berührt.

Im Frühjahr 1921, als der einstige Jerusalemer Konsul Dr. Friedrich Rosen deutscher Reichsminister des Auswärtigen im ersten Kabinett Wirth wurde, kam der britische Kolonial-Staatssekretär Churchill bei seinen Ausgleichsbemühungen in Jerusalem zu folgendem Resultat: Palästina blieb, wie seit dem 1. Juli 1920, unter der zivilen Verwaltung des britischen Hochkommissars Samuel. Hedschas-König Husseins zweiter Sohn Abdallah erhielt das neugeschaffene Emirat in Transjordanien, dem östlichen Teil des Mandats Palästina, für den die Deklaration einer jüdischen Heimstätte nicht gelten sollte. Abdallahs jüngerer Bruder Feisal, den die Franzosen im Juli 1920 vom Thron in Damaskus vertrieben hatten, wurde König im britischen Mandatsgebiet Irak. Dafür verzichteten die Haschemiten auf angekündigte Aktionen gegen die Mandatsmacht Frankreich, die in Syrien und im Libanon ihre kolonialistischen Bedürfnisse befriedigte.

Mit welchen Mitteln die britischen Errungenschaften verteidigt wurden, erwies sich recht deutlich am Beispiel Mossul, das die Türken auf der Lausanner Konferenz als »widerrechtlich besetztes« Gebiet zurückforderten, nachdem ihnen 1922 gegen die von England unterstützten Griechen ein klarer Kriegserfolg gelungen war. »Mit Entrüstung« antwortete Lord Curzon, der zuvor die Franzosen, die Amerikaner und Italiens Ministerpräsidenten Mussolini mit politisch-wirtschaftlichen Tauschgeschäften zum Schweigen veranlaßt hatte, seinem türkischen Kollegen Ismet Inönü: Das Vorhandensein von Erdölfeldern in den strittigen Gebieten habe mit der britischen Haltung nichts zu tun; Mossul müsse beim Königreich Irak bleiben, weil Großbritannien dies seinerzeit der arabischen Nation versprochen habe und weil seine Regierung dem Völkerbund gegenüber zum Beistand für den Irak verpflichtet sei!

Als selbst die Verweisung an den Völkerbundsrat und die Anrufung des Internationalen Gerichtshofs im Haag keine endgültige Regelung ergaben, trat die anglikanische Kirche auf den Plan — mit einem Protest gegen die angeblich schlechte Behandlung der griechisch-orthodoxen und anderen Christen in der islamischen Türkei. Mit bewegten Worten berief sich der Erzbischof von Canterbury auf eine hundertjährige Verpflichtung gegenüber den orientalischen Glaubensbrüdern und, was Mossul anging, auf die Unmöglichkeit eines britischen Wortbruchs gegenüber dem Königreich Irak.

So gründlich wurden die religiösen Gefühle der Engländer und das »Weltgewissen« wachgerüttelt, daß der Völkerbund im Juni 1926 den türkischen Anspruch auf das vorher osmanische Gebiet um Mossul für immer zurückwies. Die nach Ankara verlegte Regierung des Präsidenten Mustafa Kemal Pascha, der 1922 das Sultanat und 1924 auch das Khalifat der Osmanen beseitigt hatte, schloß dem Frieden zuliebe mit dem Irak und Großbritannien Grenz- und Freundschaftsverträge. Trotzdem blieben acht Geschwader der Royal Air Force in der lange umkämpften Erdölzone, weil sie — laut Oberkommissar Sir Henry Dobbs — für den »friedlichen Nachrichtendienst« und für »eilige Transporte von Ärzten, Medikamenten und Lebensmitteln in isolierte Gegenden« gebraucht wurden!

Das Erbe des »kranken Manns am Bosporus« war aufgeteilt, das letzte Stück der britischen Kriegseroberungen konsolidiert. Von Frankreich und anderen Siegermächten völlig unabhängig konnte eine Ölleitung durch britische Schutzgebiete vom Irak über Transjordanien und Palästina zum Hafen Haifa gebaut und eine Eisenbahnlinie Bagdad—Amman—Haifa geplant werden, die allerdings nicht zustande kam. Die einst osmanischen Provinzen zwischen Persergolf und Mittelmeer, die eigentlich Kaiser Wilhelm II. »nehmen« wollte, hießen nun »The Middle East«.

Die republikanische Resttürkei verzichtete auf die osmanisch-islamische Reichsidee und widmete sich um so eifriger der Modernisierung eines mittleren Nationalstaats mit gesicherten Grenzen. Sie nahm im Friedensvertrag von Sèvres die internationale Kontrolle der Meerengen, der Häfen, der Flüsse und der Eisenbahnen hin, suchte die Verständigung mit dem sowjetischen Nachbarn im Norden und bemühte sich um die Bewältigung der Gebietsverluste, die sie zugunsten Großbritanniens, Frankreichs, Griechenlands und Italiens erlitten hatte.

Meißner Pascha, der Baumeister der Hedschas- und der Bagdadbahn, hatte schon Ende 1918 auf Grund der Waffenstillstandsbedingungen die Türkei verlassen müssen. Arthur Gwinner, der zweite Direktor der Deutschen Bank, der auf große Orientgeschäfte gehofft hatte, gab 1921 »auf den Trümmern nicht nur meines Lebenswerkes, sondern auch eines zerstörten Vaterlandes« seinen Posten freiwillig auf. Der evangelische Propst Jeremias durfte aus der zweijährigen Gefangenschaft in Ägypten nicht mehr nach Jerusalem zurückkehren, weil er auf einer »schwarzen Liste« der britischen Regierung stand.

Preußens Gloria im Heiligen Land verblaßte und verklang — seit jenem 28. November 1918, an dem der Hohenzoller Wilhelm II. »für alle Zukunft auf die Rechte an der Krone Preußens« verzichtete und dem Thron entsagte, mit dem die zentralen Institutionen des »deutschen Jerusalem« verbunden waren. Wenn auch nach dem Inkrafttreten des Versailler Vertrags die Rückkehr der verbannten Palästinadeutschen erlaubt wurde — ihr Neubeginn war nur noch ein Nachspiel zu der einstigen Wirksamkeit für Fürst und Vaterland. Ja, es erwies sich um so augenscheinlicher, daß das Band zwischen Thron und Altar zerrissen war, je angestrengter manche versuchten, die »gute alte Hohenzollerntradition« fortleben zu lassen.

Die Verbindung zu Wilhelms holländischem Exil in Doorn — »einem schlichten Bau mit etwa fünfzehn Zimmern« und einer »geräumigen Vorhalle, wo der Kaiser täglich die Morgenandacht hält« — pflegte Ludwig Schneller. »In diesem Haus, in das die Gedanken und vielfach die Gebete von Millionen deutscher Männer und Frauen täglich hinübergehen, durfte ich auf Einladung des Kaiserpaares wiederholt als Gast weilen«, schrieb der Repräsentant des Syrischen Waisenhauses nach dem Neujahrstag 1926 in seinen »Königs-Erinnerungen«.

Allen, die es wissen wollten, bestätigte der Pastor: »Das Adlerauge blitzt noch im alten Feuer.« Dann schlug er die Brücke vom Haus Doorn zum Heiligen Land: »Ich hatte den Gottesdienst übernommen ... Am Altar sah ich alte Bekannte: die in Olivenholz vom Ölberg eingebundene Bibel, in deren Deckel das aus Zedernholz geschnitzte Bild der Erlöserkirche in Jerusalem eingelegt ist, das Geschenk der deutschen Gemeinde Jerusalems, das sie dem Kaiser im Jahre 1898 in meiner Gegenwart überreicht hat; und vor dem Altar das prächtige, auf vier Olivenholzsäulen ruhende Evangelienpult, das damalige Geschenk der deutschen Gemeinde in Haifa. Beide Andenken sind seither in den 27 Jahren in Freud und Leid bei allen Hausgottesdiensten des Kaiserhauses in Gebrauch gewesen.«

Mit dem abgedankten Monarchen, der eine feldgraue Uniform mit roten Aufschlägen und hohen Stiefeln trug, sang eine etwa dreißigköpfige Gemeinde, von einem holländischen Lehrer auf dem Harmonium begleitet, Lieder aus dem alten Brandenburgischen Gesangbuch. »Man atmet immer Höhenluft in seiner Nähe«, begeisterte sich Schneller an »dem Mann, der in den trüben Novembertagen 1918 seinen Gethsemanekampf durchgekämpft hat und dann nach Holland gegangen ist, um sich selbst seinem Volke zum Opfer zu bringen!«

Wenn Wilhelm mit dem Pastor »Gespräche auf Spazierwegen« führte, faszinierte ihn noch immer die »orientalische Frage«: »Ich habe im Gegensatz zu den europäischen Mächten immer den Standpunkt vertreten, daß wir Christen den Türken und Mohammedanern gegenüber eine ganz andere Stellung einnehmen müssen. Wir dürfen sie nicht wie bisher immer nur als ein Objekt der Beraubung ansehen, so daß man ihnen unter allen möglichen heuchlerischen Vorwänden ein Stück nach dem anderen von ihrem Gebiete entreißt.« Man helfe den Orientalen, gebe ihnen Rat, wie sie es anfangen sollen, indem man Konzessionen erwerbe, um Bodenschätze zu heben, und Maschinen einführe. Aber: »Den Hauptsegen von ihrem Lande sollen sie selbst haben. Dann wird alles andere, Schulen, Bildung, Handel und Gewerbe, sittlicher Fortschritt, allmählich ganz von selbst kommen. Aber laßt ihnen das Land und die Bodenschätze, die ihnen Gott gegeben hat! Sehen Sie, das ist meine ganze viel angefochtene Türkenpolitik.«

»Wir müssen uns auch«, zitierte Ludwig Schneller weiter, »den Mohammedanern als wahre Christen beweisen, so wie es uns unser Heiland gelehrt hat. Dann haben wir auch in religiöser Beziehung den größten Einfluß, haben eine überragende geistige Grundlage und können ein gegenseitiges Verstehen erreichen. So würde durch unsere deutsche Zusammenarbeit mit ihnen nicht nur der europäischen Kultur eine neue Bahn eröffnet, sondern allmählich auch durch unseren christlichen Wandel unser Herr Jesus den Sieg gewinnen, auch über den Islam...«

Fast gleichzeitig schrieb der Landsberger Festungshäftling Adolf Hitler nach seinem Putschversuch gegen das »Weimarer System« das

programmatische Buch »Mein Kampf«, in dem er die »Größe und
Herrlichkeit« des wilhelminischen Deutschen Reiches pries, »das sein
Dasein nicht dem Gemogel parlamentarischer Fraktionen verdankte«,
sondern der »von den Hohenzollern betätigten Organisation des brandenburgisch-preußischen Staates als Vorbild und Kristallisationskern
eines neuen Reiches«. Für eine Fortsetzung der alten Orientträume
hatte er allerdings keinen Sinn; er hielt die britische Herrschaft jenseits des Mittelmeers für »klug gefestigt« und gab den »kümmerlichen
Hoffnungen auf den sagenhaften Aufstand in Ägypten« keine Chance: »Der ›Heilige Krieg‹ kann unseren deutschen Schafkopfspielern
das angenehme Gruseln beibringen, daß jetzt andere für uns zu verbluten bereit sind, ... in der Wirklichkeit würde er unter dem Strich-
feuer englischer Maschinengewehrkompanien und dem Hagel von Bri-
sanzbomben ein höllisches Ende nehmen.«

Ludwig Schneller trauerte in annähernd zwanzig Büchern den Zeiten
nach, in denen der preußische Landesherr seinen evangelischen Amts-
trägern noch einen mächtigen Rückhalt verlieh. Mit Nachdruck hob er
hervor, er habe seit Wilhelms Aufenthalt in Jerusalem den lebhaften
Eindruck behalten, »daß ich an meinem Kaiser, möge kommen, was
da wolle, mein Leben lang nie mehr irre werden könnte. Ich bin auch
tatsächlich nie an ihm irre geworden, und in den Tagen seines Un-
glücks, das er so tapfer und mannhaft für sein Volk trägt, erst recht
nicht«.

Der Theologe beschwor sogar den Mythos vom schlafenden Kaiser im
Kyffhäuser, als er für sein Leserpublikum im Orient und in Deutschland die Klage schrieb: »Die Raben fliegen wieder um den Berg, die
Raben der Zwietracht und des Parteihaders und der Ohnmacht des
deutschen Volkes.« Dann schied er von Doorn mit dem Schwur:
»Wir wollen dir treu bleiben, nicht nur weil wir dir als dem recht-
mäßigen König von Preußen den Eid geschworen haben, von dem uns
weder Gott noch Menschen entbunden haben, sondern weil wir dich
liebhaben, weil wir aus innerster Überzeugung zu dir stehen und es
wie unsere Väter mit dir halten wollen bis zum letzten Odemzug. Wir
können nie vergessen, wieviel Dank wir dir schuldig sind. Wir sehen
auch jeden Tag, was für eine Knechtschaft und was für erbärmliche
Zustände wir unter der ›Republik‹ für die goldene Freiheit eingetauscht
haben, deren wir uns in deiner Regierung erfreuten. Darum glauben
wir auch, daß Deutschland nie und nimmer wieder zurechtkommt, als
bis das ganze deutsche Volk seinen Kaiser wieder ruft.«

Im selben Jahr 1926 sagte der deutsche Reichsaußenminister Dr. Gustav Stresemann über die Unbelehrbaren und Unverbesserlichen, die trotz des verlorenen Kriegs den Rückgewinn der alten Herrlichkeit verlangten: »Es gibt eine große mächtige Partei der Deutschen; das sind diejenigen, die da beten: Unsere tägliche Illusion gib uns heute! Wer gegen diese Partei ankämpft, muß Mut zur Unpopularität haben.«

Bildnachweis

Adler, F.: Die Evangelische Erlöserkirche in Jerusalem, Berlin 1898
185

Archiv für Kunst und Geschichte, Berlin   29, 51 oben, 55, 117 unten

Bayerische Staatsbibliothek, München   196 f.

Das Deutsche Kaiserpaar im Heiligen Land, Berlin 1899   52 oben,
136, 222

Die Hedschas- und Bagdadbahn, Düsseldorf 1958   200 unten, 275

Grand-Carteret, J.: »Er« im Spiegel der Karikatur, Wien 1906   227,
233, 239

Hitzer, Hans: Die Straße, München 1971   33

Illustrierte Zeitung, Leipzig und Berlin 1898   73, 80, 170, 173, 180 f.,
193, 199

Interfoto, Friedrich Rauch, München   194 unten

Jerusalem, Zürich 1968   89

Niemöller, Heinrich: Hinauf gen Jerusalem, Berlin 1899   194 oben,
198

Samuel Gobat, Evangelischer Bischof in Jerusalem, Basel 1884   52
unten, 64

Schneller, Ludwig: Die Kaiserfahrt durchs Heilige Land, Leipzig 1899
34 oben, 135, 177, 195 oben

Staatsbibliothek, Preußischer Kulturbesitz, Berlin   21, 27, 117 oben,
118, 200 oben

The Holy Land in Old Prints and Maps, Jerusalem 1963   34 unten,
51 unten, 97, 148, 151, 195 unten

Ziemßen, Ludwig von: Friedrich, Deutscher Kaiser und König von
Preußen, Berlin 1888   108 f.

Quellen- und Literaturnachweis

Neben den im Text genannten Quellen und mehreren Handbüchern zur Geschichte Deutschlands, Europas und des Vorderen Orients wurden hauptsächlich folgende Publikationen herangezogen:

Deutsche in Palästina

Das Evangelische Bistum in Jerusalem, Berlin 1842
Samuel Gobat — evangelischer Bischof in Jerusalem, Basel 1884
Das deutsche Kaiserpaar im Heiligen Lande im Herbst 1898, Berlin 1899
Die Deutschen Festtage im April 1910 in Jerusalem, Potsdam 1911
Die deutsche Kirchweih-Wallfahrt zum hl. Berge Sion in Jerusalem im April 1910, Köln 1911
Braun, Siegfried: Die deutsche Tempelgesellschaft in Palästina, Stuttgart 1963
Brugger, H.: Die deutschen Siedlungen in Palästina, 1908
Hertzberg, Hans Wilhelm: Jerusalem, Geschichte einer Gemeinde, Kassel 1965
Hoffmann, Chr.: Mein Weg nach Jerusalem, 1882/1884
Kiesling, Hans von: Rund um den Libanon, Leipzig 1920
Klippel, Ernst: Wanderungen im Heiligen Land, Berlin 1927
Lagerlöf, Selma: Jerusalem, München 1955
Pönicke, Herbert: Die Hedschas- und Bagdadbahn erbaut von Meißner-Pascha, Düsseldorf 1958
Rappard, C. H.: Fünfzig Jahre der Pilgermission auf St. Chrischona, Basel 1890
Röhricht, R.: Die Deutschen im Heiligen Lande, Innsbruck 1894
Roi, J. de la: Michael Salomon Alexander, der erste evangelische Bischof in Jerusalem, Gütersloh 1897
Schneller, Hermann: 100 Jahre Syrisches Waisenhaus in Jerusalem, 1960
Schneller, Ludwig: Die Kaiserfahrt durchs Heilige Land, Leipzig 1900; Vater Schneller, Leipzig 1904; Königs-Erinnerungen, Leipzig 1926; Allerlei Pfarrherren, Leipzig 1925; Weihnachts-Erinnerungen, Leipzig 1925; Tischendorf-Erinnerungen, Leipzig 1929

Preußen und Hohenzollern

Bismarcks Briefe an seine Gattin aus dem Kriege 1870–71, Stuttgart/
Berlin 1903

Böhme, Helmut (Hg.): Die Reichsgründung, München 1967

Bülow, Bernhard Fürst von: Denkwürdigkeiten, Berlin 1930

Cowles, Virginia: Wilhelm der Kaiser, Frankfurt 1965

Huch, Ricarda: 1848 – die Revolution des 19. Jahrhunderts in Deutschland, Zürich 1930

Johann, Ernst (Hg.): Reden des Kaisers, München 1966

Kotowski/Pöls/Ritter (Hg.): Das wilhelminische Deutschland, Frankfurt 1965

Liman, Paul: Der Kaiser, Berlin 1904

Manns, P.: Geschichte und Beschreibung der Burg Hohenzollern, Hechingen um 1880

Naso, Eckart von: Moltke, Berlin 1937

Netzer, Hans-Joachim (Hg.): Preußen, Porträt einer politischen Kultur, München 1968

Noack, Friedrich: Das deutsche Rom, Rom 1912

Pöls, Werner (Hg.): Historisches Lesebuch 1815–1871, Frankfurt 1966

Pressel, Wilhelm: Die Kriegspredigt 1914–1918 in der evangelischen Kirche Deutschlands, Göttingen 1967

Pross, Harry (Hg.): Die Zerstörung der deutschen Politik – Dokumente 1871–1933, Frankfurt 1959

Rich/Fisher (Hg.): Die geheimen Papiere Friedrich von Holsteins, Göttingen/Berlin/Frankfurt 1956–1963

Schubert, Ernst: Geschichte der deutschen evangelischen Gemeinde in Rom 1819 bis 1928, Leipzig 1930.

Schüssler, Wilhelm: Kaiser Wilhelm II., Göttingen 1962

Schwertfeger, Bernhard: Die diplomatischen Akten des Auswärtigen Amtes 1871–1914, Berlin 1923–1927

Wilhelm II.: Ereignisse und Gestalten aus den Jahren 1878–1918, Leipzig/Berlin, 1922; Aus meinem Leben 1859–1888, Berlin/Leipzig 1927

Vierhaus, Rudolf (Hg.): Am Hof der Hohenzollern – Aus dem Tagebuch der Baronin Spitzemberg, München 1965

Allgemeines

Antonius, George: The Arab Awakening, New York 1939

Brockelmann, Carl: Geschichte der islamischen Völker und Staaten, München/Berlin 1939

Burckhardt, Jacob: Weltgeschichtliche Betrachtungen, Nürnberg 1948

Fedden, Robin: Syria, London 1946

Fischer, Fritz: Griff nach der Weltmacht, Düsseldorf 1964; Krieg der Illusionen, Düsseldorf 1969

Haller/Dannenbauer: Von den Karolingern zu den Staufern, Berlin 1958

Hantsch, Hugo: Die Geschichte Österreichs, Graz/Wien/Köln 1953

Hedin, Sven: Bagdad, Babylon, Ninive, Leipzig 1918

Hertling, Ludwig: Geschichte der katholischen Kirche, Berlin 1953

Hitler, Adolf: Mein Kampf, München 1936

Hogarth, D. G.: The Penetration of Arabia, London 1904

Hoepli, Henry U.: England im Nahen Osten, Erlangen 1931

Kerls, Hugo: Das Heilige Land, Jerusalem 1967

Lambert, Bernard: Von Rom nach Jerusalem, Freiburg 1964

Lasker-Schüler, Else: Sämtliche Gedichte, München 1966

Mann, Golo: Deutsche Geschichte des 19. Jahrhunderts, Frankfurt 1958

Marsch/Thieme: Christen und Juden, Mainz/Göttingen 1961

Mayer, Hans Eberhard: Geschichte der Kreuzzüge, Stuttgart 1965

Neuss, Wilhelm: Die Kirche der Neuzeit, Bonn 1954

Paret, Rudi: Arabistik und Islamkunde an deutschen Universitäten, Wiesbaden 1966

Rummel, Friedrich von: Die Türkei auf dem Weg nach Europa, München 1952

Sasse/Eickhoff (Hg.): 100 Jahre Auswärtiges Amt, Bonn 1970

Scherr, Johannes: Deutsche Kultur- und Sittengeschichte, Meersburg/Leipzig 1930

Schilling, Konrad (Hg.): Monumenta Judaica, Köln 1964

Schnabel, Franz: Deutsche Geschichte im neunzehnten Jahrhundert, Freiburg 1964–1965

Seidenzahl, Fritz: Hundert Jahre Deutsche Bank, Frankfurt 1970

Stenner/Wilmes: Führer im Heiligen Land, Jerusalem 1965

Tumler, Marian: Der Deutsche Orden, Wien 1955

Zechlin, Egmont: Die deutsche Politik und die Juden im Ersten Weltkrieg, Göttingen 1969

Zeitschriften

»Evangelisches Gemeindeblatt für Palästina«

»Der Bote aus Zion«, Mitteilungen aus dem Syrischen Waisenhaus

»Neueste Nachrichten aus dem Morgenlande«; seit 1955: »Im Lande der Bibel«, Zeitschrift des Jerusalemvereins, Berlin

»Das Heilige Land«, Organ des Deutschen Vereins vom Heiligen Lande, Köln

»Zeitschrift des Deutschen Palästina-Vereins«, Wiesbaden

»Bulletin des Leo Baeck Instituts«, Tel Aviv

»Emuna Horizonte«, Frankfurt a. M.

»Die Gemeinde«, Wien

»The Middle East Journal«, Washington

Register

Abbas Hilmi, Khedive 279
Abdallah, Emir 292
Abd el-Kader, Emir 214
Abd ul-Asis, Sultan 106, 127
Abd ul-Hamid II., Sultan 127, 144, 149, 158, 216, 234, 248, 292
Abd ul-Medschid, Sultan 47
Abeken, Heinrich 58, 59, 66
Adler (Oberbaurat) 119, 182
Adler, Victor 201
Ahmed Tewfiq Pascha 158
Albert von Sachsen-Coburg-Gotha, Prinzgemahl 54
Albert, König von Belgien 274
Albrecht, Erzbischof, Kurfürst von Mainz 23 ff., 131
Albrecht, Hochmeister, später Herzog von Preußen 24, 25
Albrecht, Achilles, Kurfürst von Brandenburg 20, 22
Albrecht der Schöne, Burggraf von Nürnberg 19
Albrecht Friedrich, Herzog von Preußen 25
Albrecht, Prinz von Preußen 63
Albrecht, Prinz von Preußen, Regent von Braunschweig 155
Alexander der Große 36
Alexander II., Zar 126, 142, 159
Alexander III., Zar 143, 148, 159
Alexander, Fürst von Bulgarien 159
Alexander, Michael Salomon 59, 63
Ali Pascha 107
Al-Kamil, Sultan 164
Allenby, Edmund 288
Alt, Albrecht 282
Alten, Georg Freiherr von 103, 110, 120, 134
Anatolische Eisenbahn-Gesellschaft 246 ff., 272, 277
Antiochus, König von Syrien 269
Anton, Prinz von Hohenzollern 131

Arenberg, Franz Prinz von 230
Arndt, Ernst Moritz 61
Asquith, Herbert, Lord 247
Athenagoras, Patriarch 16
Attalos, König von Pergamon 270
Auguste Viktoria, Kaiserin und Königin 145, 149, 154, 164 ff., 176 ff., 187 ff., 204 ff., 214 ff., 232, 233, 252, 259, 261, 263, 264, 270
Augustus, Caesar 167, 226

Baedeker, Carl 110, 209
Bagdadbahn 240, 246, 247, 269, 271 ff., 277, 278, 294
Baldensperger (Missionar) 68, 73
Balduin I., König von Jerusalem 163, 177, 270
Balduin II., König von Jerusalem 270
Balfour, Arthur James 291
Balley Brandenburg (s. auch Johanniterorden) 36, 67, 113, 251
Barclay, Joseph 137, 140
Barkhausen (Oberkirchenrats-Präsident) 146, 179, 182, 221
Barkhausen, Theodora 249, 286
Barluzzi (Architekt) 13
Bauer (Monsignore) 113
Benediktinerkloster (Sion) 254, 255
Bengel, Johann Albrecht 95
Berchtold, Leopold Graf von 276
Berliner Kongreß (1878) 125, 129, 130, 159, 240
Berliner Memorandum (1877) 129
Bethmann Hollweg, Theobald von 276
Bickel, Georg 264
Bischof-Gobat-Schule 52, 73, 76
Bismarck, Herbert Graf von 119, 139, 147
Bismarck, Otto Fürst von 8, 59, 62, 100, 101, 119, 121, 125, 126, 129, 130, 132, 138, 139, 143, 144, 154, 221, 223, 227

Blanckenburg, Moritz von 130
Bley, Fritz 236
Bodenhausen, Freiherr von 158
Bodenheimer, Max 203
Bosse (Kultusminister) 175, 210
Braun, Ferdinand 162
Braun, Friedrich von 210
Breidenbach, Bernhard von 124
Brockdorff, Therese Gräfin von 157
Brockhaus, F. A. 74 ff.
Brode, Johann 282
Bronsart von Schellendorf 271
Brüderhaus 68, 73, 88, 89
Brüdergemeinde 95, 113, 205
Bubeck (Tempelfreund) 94
Bülow, Bernhard von 149, 154, 155,
    157, 160, 168, 191, 201, 203, 218,
    228, 234, 235, 241, 265
Bunsen, Christian Karl Josias 41,
    43 ff., 50, 53 ff., 58, 59, 63, 65 ff.,
    70, 91, 92, 121, 123
Burckhardt, Jacob 48, 123, 224
Busch (Dragoman) 106
Bußmann, Wilhelm 237

Caprivi, Leo von 143, 154
Cassel, Sir Ernest 277
Cecilie, Kronprinzessin von Preußen
    252
Charlotte Alexandra, Zarin 38, 143
Chester, Colby M. 248, 249, 277, 292
Christ Church (Christuskirche) 71,
    91, 92, 102
Christine, Königin von Schweden 26
Churchill, Winston 190, 280, 291,
    292
Claß, Heinrich 235, 268
Cohen, Markus 267
Cohn, Ephraim 208
Collegium orientale theologicum 28
Cook, Thomas & Son 154, 166, 167,
    220
Corpus Evangelicorum 27
Creutz, Philipp von 25
Curie, Marie und Pierre 162
Curzon, Lord 247, 292
Cyrill, Pater Prior 261

Dahlmann, Friedrich Christoph 100
Dahn, Felix 144
Dalman, Gustaf 236, 260
Deutsche Bank 246, 247, 272, 277,
    278, 294
Deutsche Morgenländische Gesell-
    schaft 79
Deutsche Orient-Gesellschaft 286
Deutscher Kolonialverein 138
Deutscher Orden 24, 26, 30, 163
Deutscher Tempel (s. auch Templer)
    94, 97, 103, 120
Deutscher Verein vom Heiligen
    Lande 187, 206, 207, 253 ff., 258,
    259
Deutscher Verein zur Erforschung
    Palästinas 209
Deutsches Archäologisches Institut
    66, 238, 283
Deutsches Evangelisches Institut für
    Altertumsforschung des Heiligen
    Landes 186, 236, 265, 282
Deutsch-Israelitisches Hospital 137,
    207
Diebitsch, Graf von (Sabalkanskij) 39
Disraeli, Benjamin 126, 127
Dix, Arthur 269
Dobbs, Sir Henry 293
Doehring, Bruno 88
Dohm, Christian Wilhelm 60
Döpler, Emil 257
Dormitio Beatae Mariae Virginis
    (Mariä Heimgang), 12, 15, 188,
    189, 230, 253
Dorothee, Herzogin von Preußen 25
Dreyfus, Alfred 201
Dryander, Ernst von 157, 182
Dschemal Pascha 273
Dschenin (Fliegerdenkmal) 288
Düsterwald, Franz 253, 255, 260, 261

Edward VII., König von England
    240, 274
Eitelfriedrich, Graf von Zollern 20
Eitel Friedrich, Prinz von Preußen
    110, 200, 243, 245, 246, 248 ff., 252,
    254, 257, 258, 261 ff.

Elisabeth, Kaiserin von Österreich 105, 155, 189
Elisabeth, Königin von Preußen 82
Emmaus-Kubebe (Hospiz) 17, 169, 207, 259, 260, 283, 284
Engels, Friedrich 92
Enver Pascha 271, 288
Erlöserkirche (Homburg) 244, 263
Erlöserkirche (Jerusalem) 9, 12, 15, 16, 123, 155, 175, 178, 179, 182, 184, 185, 187, 196, 198, 203, 205, 219, 221, 222, 225, 229, 263, 269, 294
Erlöserkirche (Rom) 123
Eschenbach, Wolfram von 167
Eugen, Prinz von Savoyen 30
Eugenie, Kaiserin der Franzosen 113, 115
Eulenburg, August Graf zu 154, 157, 169

Fabri (Missionsinspektor) 139
Falk, Adalbert 121
Feisal, König 292
Felsendom (s. auch Omar-Moschee) 51, 192
Ferdinand, Fürst von Bulgarien 159
Feuerbach, Ludwig 92
Fichte, Johann Gottlieb 61
Fischer, Antonius Kardinal 253
Fleischer, Heinrich Leberecht 79, 81
Fliedner, Theodor 68, 70 ff., 87, 133
Flottwell, Eduard Heinrich 82
Flügel, Gustav 79
Francke, August Hermann 28
Franz II., Kaiser 32
Franz Ferdinand, Erzherzog von Österreich 241, 278
Franz Joseph I., Kaiser 100, 105, 106, 126, 218, 261
Freud, Sigmund 201
Freytag, Georg Wilhelm 79
Friedrich I. Barbarossa, Kaiser 20, 131, 164, 225 ff., 252, 270, 271
Friedrich II., Kaiser 37, 131, 164, 226, 271
Friedrich III., Kaiser (Habsburger) 22, 131

Friedrich III., Kaiser (Hohenzoller, s. auch Kronprinz Friedrich Wilhelm) 118, 142, 143, 155
Friedrich I., König in Preußen (vorher Kurfürst Friedrich III.) 26, 27
Friedrich II., König von Preußen 27 ff., 82, 132
Friedrich I., Großherzog von Baden 201, 218
Friedrich I., Kurfürst von Brandenburg (vorher Burggraf Friedrich VI.) 20
Friedrich II. der Eiserne, Kurfürst von Brandenburg 21, 22, 83
Friedrich III., Graf von Zollern 20
Friedrich III., Burggraf von Nürnberg 20
Friedrich V., Burggraf von Nürnberg 20
Friedrich der Oettinger, Graf von Zollern 20, 132
Friedrich, Markgraf von Ansbach 22, 23
Friedrich, Bischof von Augsburg 131
Friedrich Franz, Großherzog von Mecklenburg-Schwerin 165, 183
Friedrich Karl, Prinz von Preußen 150, 214
Friedrich Wilhelm I., König von Preußen 27, 28, 82
Friedrich Wilhelm II., König von Preußen 29, 30 ff.
Friedrich Wilhelm III., König von Preußen 32, 35, 38, 41, 42, 46, 47, 49, 51, 61, 82, 83, 121
Friedrich Wilhelm IV., König von Preußen 49, 50, 53, 54, 56, 58, 60, 63, 65, 66, 70 ff., 78, 81 ff., 86, 93, 101, 117, 121, 130, 145, 179
Friedrich Wilhelm, Kronprinz von Preußen (s. auch Kaiser Friedrich III.) 105 ff., 108 ff., 115, 116, 150, 158, 171, 178
Friedrich Wilhelm, Kurfürst von Brandenburg 26
Fröbel, Julius 99
Fugger (Bankhaus) 24

Fulko, König von Jerusalem 270
Fürstenberg, Maximilian Fürst zu 241

Gama, Vasco da 113
Garibaldi, Giuseppe 106
Geburtskirche (Bethlehem) 86, 151, 176, 177, 243
Geibel, Emanuel 144
Geiger, Abraham 79
Geissler, Ägidius 261
Gemeindeschule (Jerusalem) 119, 120, 124, 285
Georg I., König der Hellenen 106
Georg V., König von England 276
Georg, Prinz von Bayern 249
George, Stefan 121
Georg Wilhelm, Kurfürst von Brandenburg 26
Gerhard (Johannes-Hospitaliter) 262, 263
Gladstone, William 139
Gleich, von (Oberst) 271
Gobat, Samuel 63 ff., 70, 72, 73, 76 ff., 87 ff., 110, 113, 120, 137, 139
Goethe, Johann Wolfgang von 31, 42, 79
Goetze, von (Oberst) 31
Goltz Pascha, Colmar Freiherr von der 149, 271, 280, 281
Görres, Joseph 32
Gottfried von Bouillon 177, 270
Grabeskirche (Jerusalem) 12, 14, 20, 75, 111, 120, 123, 164, 174, 176, 193, 221, 243, 250
Graetz, Heinrich 137
Gregor, Patriarch 39
Gregor der Große, Papst 243, 262, 263
Gregor XVI., Papst 121
Gregorovius, Ferdinand 116
Grussendorf (Chefarzt) 260, 283
Gustav II. Adolf, König von Schweden 26
Gustav-Adolf-Stiftung 186, 210, 237
Guzberi, Ali Effendi 215
Gwinner, Arthur 294

Hammer-Purgstall, Joseph Freiherr von 79
Hahnke, Wilhelm von 156, 203, 218
Harcourt, Sir William 143
Hardegg, Georg David 94, 98, 206, 213, 261
Hardenberg, Karl August Fürst von 41
Harris, Sir James 30
Hatzfeldt-Wildenburg, Paul Graf von 160
Hedschasbahn 246, 247, 268, 273, 294
Hedin, Sven 271, 280 ff.
Helfferich, Karl 272
Heine, Heinrich 44
Heine, Thomas Theodor 232
Heinrich V., Kaiser 131
Heinrich VI., Kaiser 20
Heinrich, Prinz von Preußen 150, 161, 218, 245
Helena (Kaiserinmutter) 243
Henckel von Donnersmarck, Guido Fürst 240
Hermann (Arminius) 225, 226
Herodes der Große 167
Hertzberg, Ewald Friedrich Graf von 31
Hertzberg, Hans Wilhelm 48, 53
Herzl, Theodor 192, 201 ff., 209
Hess, Moses 201
Hesse, Hermann 98
Hildesheimer, Esriel 134
Hillebrandt, Karl 228
Himmelfahrtskirche (Jerusalem) 12, 251, 252, 262, 263, 270
Hinterkeuser (Architekt) 260
Hintze, Paul von 288
Hitler, Adolf 295
Hoffmann, Carl 93, 102, 103, 107, 112
Hoffmann, Christoph 94 ff., 206
Hoffmann jr., Christoph 250, 260, 266
Hoffmann, Gottlieb Wilhelm 95
Hoffmann, Wilhelm 74
Hoffmann (Baurat) 245
Hohenlohe-Schillingsfürst, Chlodwig Fürst zu 154

Hollmann, Fritz von 154
Holstein, Friedrich von 148, 160, 232, 234
Holzmann, Philipp 272
Hompesch, Ferdinand Freiherr von 35
Hoppe, Paul 182, 183, 237
Huch, Ricarda 91
Hugenberg, Alfred 235
Hülsen-Haeseler, Dietrich Graf von 241
Hus, Jan 20
Hussein, Emir 291, 292
Hussein Kamil, Khedive 279

Ibrahim Pascha 40, 47, 48, 71, 83, 105
Industriehaus (Jerusalem) 73, 76
Inönü, Ismet 292
Institutum Judaicum 61
Irene, Prinzessin von Preußen 218
Isabella, Kaiserin 164
Ismail, Khedive 103, 126
Iwan III., Zar 37

Jahn, Friedrich Ludwig 61
Jahud (Petach Tikwa) 209
Jeremias, Friedrich 249, 260, 285, 294
Jerusalemsverein 16, 74, 77, 102, 128, 133, 140, 146, 150, 176, 177, 205, 264, 286
Jerusalem-Stiftung 145, 146, 171, 179, 182, 187, 189, 205, 220, 237, 249, 257, 264, 265, 286
Jesushilfe (Aussätzigenasyl) 112, 170, 205, 285
Joachim I. Nestor, Kurfürst von Brandenburg 22, 24
Joachim II. Hektor, Kurfürst von Brandenburg 23
Johann, Markgraf von Bayreuth 20
Johann Cicero, Kurfürst von Brandenburg 22, 23
Johann von Brienne 164
Johann, Markgraf von Küstrin 264
Johannes von Alexandrien, Patriarch 112

Johanniter-Hospiz 67, 72, 102, 113, 136, 203, 205
Johanniterorden 35, 46, 67, 107, 112, 179, 243, 250, 251, 257, 259, 263, 265, 286
Johann Sigismund, Kurfürst von Brandenburg 25, 26
Joseph II., Kaiser 31, 32
Jos Niklas, Graf von Zollern 131
Judenmission 54, 59, 61 ff., 71, 73, 76, 171

Kaiserswerther Hospital 71, 72, 76, 110, 135, 171, 205, 266, 269, 285
Kaiserswerther Mädchenschule (s. auch Talitha kumi) 71, 72, 76, 103, 110, 135, 205
Kaiser-Wilhelm-Gedächtniskirche (Berlin) 183, 221, 244
Kaiser-Wilhelm-Haus (Jerusalem) 208
Kaiserin-Auguste-Viktoria-Stiftung (Ölberg-Stiftung) 12, 15, 16, 237, 243, 249, 251, 253, 257, 259, 260, 262 ff., 269, 284 ff.
Kant, Immanuel 61, 116
Karl der Große 12, 41, 112, 123, 190, 224, 243, 263
Karl IV., Kaiser 20, 131
Karl V., Kaiser 23, 131
Karl VI., Kaiser 30
Karl VII., König von Schweden 280
Karl I., Fürst, später König von Rumänien 115, 149
Karl August, Herzog von Sachsen-Weimar 31
Karl Stephan, Erzherzog von Österreich 218
Katharina II., Zarin 32
Kauffmann, Robert 269
Kaunitz, Wenzel Anton Fürst von 32
Keffenbrink-Ascheraden, Freifrau von 112
Keller (Vizekonsul) 210, 267
Kemal Pascha, Mustafa 293
Kerner, Justinus 70
Ketteler, Klemens Freiherr von 234

Kiderlen-Waechter, Alfred von 156
Kiesling, Hans von 287
Kirschner (Bürgermeister) 219
Kitchener, Herbert 190
Kléber, Jean-Baptiste 36
Klein (Missionar) 150
Kniel, Cornelius 254
Koch, Karl Heinrich Emanuel 81
Kögel, Rudolf 146
Kokoschka, Oskar 15
Koldewey, Robert 217
Kolumbus, Christoph 113
Komitee der Juden Deutschlands 208
Königsmarck, Graf 46
Konrad III., Deutscher König 164,
    270
Konrad, Burggraf von Nürnberg 20
Konrad, Prinz von Bayern 249
Konstantin der Große 243, 263
Konstantin XI., Kaiser 226
Konstantin, Kronprinz, später König
    der Hellenen 149
Krakauer, Leopold 17
Krimkrieg 86, 87, 126, 170, 191, 211
Krosigk, Anton von 252
Krupp von Bohlen und Halbach,
    Gustav 251
Kulturkampf 30, 45, 49, 121
Kyffhäuser 225 ff., 271, 296
Kyrill II., Pariarch 85

Lagarde, Paul de 93
Lagerlöf, Selma 98
Lämelschule (Jerusalem) 208
Land (Straßenbauer) 171
Langénieux, Erzbischof 161
Lasker-Schüler, Else 17
Lawrence, Thomas Edward 286
Leibnitz (Baumeister) 244, 253
Lenin (Uljanow) 217
Leo X., Papst 24
Leo XIII., Papst 121, 147, 161, 189
Leopold I., Kaiser 26
Leopold, Erbprinz von Hohen-
    zollern-Sigmaringen 115
Lepsius, Karl Richard 66
Lesseps, Ferdinand Vicomte de 113 ff.

Lessing, Gotthold Ephraim 30
Lettow-Vorbeck, Paul von 250
Levetzow, Albert von 179, 185
Liman, Paul 228
Liman von Sanders, Otto 273, 277,
    280, 288
Limpus (Admiral) 277
Littmann, Enno 286
Lloyd George, David 291
Loewe, Heinrich 209
Londoner Vertrag (1840) 47, 53
Lorch (Arzt) 267
Louis Napoleon 115
Lucanus, Hermann Friedrich von
    156, 203
Lüderitz, Adolf 138
Ludwig IV., Kaiser 131
Ludwig II., König von Bayern 122
Ludwig VII., König von Frankreich
    270
Luise, Königin von Preußen 41
Luise, Großherzogin von Baden 218
Luitpold, Prinzregent von Bayern
    218
Luther, Martin 19, 22, 24, 41, 42, 60,
    69, 91, 102, 119, 186, 211, 223 ff.,
    229, 271
Lyncker, Moritz Freiherr von 157

Mackensen, August von 279
Mahler, Gustav 201
Mahmud II., Sultan 37, 47
Mansur, Khalif 282
Maria, Zarin 191, 232
Maria Theresia, Kaiserin 30, 31, 79
Maria von Montferrat 164
Marie, Großherzogin von Mecklen-
    burg-Schwerin 205
Marie, Prinzessin von Hohen-
    zollern-Sigmaringen 274
Marie Eleonore, Königin von
    Schweden 26
Marienstift (Jerusalem) 205, 266
Mar Saba 190
Marschall von Bieberstein, Adolf
    Freiherr 153, 158, 234, 246
Marx, Karl 61, 92, 93, 144, 201

Maximilian I., Kaiser 131
May, Karl 286
Maydell, von 44
Maurenbrecher (Professor) 122
Mehemed Ali Pascha 125
Meiners, Christoph 61
Meißner Pascha, Heinrich August 246, 259, 272 ff., 277, 284, 294
Melanchthon, Philipp 69
Mendelssohn, Franz von; Robert von 251
Mendelssohn-Bartholdy, Ernst v. 252
Mendelssohn-Bartholdy, Felix 43
Metternich, Klemens Fürst von 38, 44, 114
Minghetti, Donna Laura 220
Mirbach, Freiherr von 155, 157, 161, 163, 168, 171, 174, 176, 184, 190, 191, 201 ff., 212 ff., 221, 243, 249, 251, 258, 261, 262
Mohammed V. (Mehmed V.), Sultan 248, 259, 262
Mohammed VI., Sultan 288
Mohammed Ali 40, 46 ff.
Mohammedanermission 78
Moltke, Helmuth Graf von 39, 46, 47, 144, 158, 227
Moltke jr., Helmuth Graf von 279
Montefiore, Sir Moses 168
Monts, Anton Graf von 228
Monumenta Zollerana 20, 131
Morier, Sir Robert 86
Mossul 248, 278, 291 ff.
Mschatta 237, 238
Müffling, Friedrich Freiherr von 39
Mülinen, Graf von 211, 212
Müller (Pater) 260, 283, 285
Müller, Samuel 68, 73, 74, 127, 128, 133, 150
Münchhausen, Thankmar Freiherr von 137, 208
Murad V., Sultan 127
Murat, Joachim 36
Muristan (Kapelle, Hospiz) 17, 52, 112, 119, 123, 174, 175, 205, 244, 257, 265, 269, 285, 286
Mussolini, Benito 292

Nachtigal, Gustav 138
Napoleon Bonaparte, Kaiser 35 ff., 39, 41, 47, 66, 114, 164, 165
Napoleon III., Kaiser 86, 87, 100, 115
Nazareth (Kriegsgräberstätte) 288
Neander, August (David Mendel) 68
Negrelli von Moldelbe, Alois Ritter 114
Nelson, Horatio 36
Nesselrode, Karl Robert Graf von 38
Nicolai, Otto 43
Niebuhr, Barthold Georg 41 ff.
Niebuhr, Carsten 59
Nightingale, Florence 87
Nikolaus I., Zar 38, 83, 86
Nikolaus II., Zar 159, 232, 276
Nitzsch, Karl Immanuel 92

Omar-Moschee (s. auch Felsendom) 75, 120, 192
Orden vom Heiligen Grabe 175, 254
Orientalische Frage 38, 125, 295
Orth (Baurat) 151
Oskar II., König von Norwegen und Schweden 185, 186
Osman Nuri Pascha 158
Österreichisches Pilgerhospiz 100
Otto, Prinz von Bayern 122

Palästina-Bank 209, 210, 256
Palmer (Missionar) 67, 68, 73
Palmerston, Lord 84, 114
Pariser Frieden (1856) 87
Paul VI., Papst 16
Paulus-Hospiz 12, 16, 256, 269, 283
Peter der Große, Zar 128
Peter von Amiens 270
Peters, Carl 138
Peterskirche (Rom) 24, 41, 123
Pfizer, Paul 44
Pfister, Albrecht 124
Philipp II. August, König von Frankreich 270
Piavi, Louis, Patriarch 172, 188
Piefke, Gottfried 144
Pilz, Charlotte 110, 171, 236

Pius IX., Papst 84, 113, 121, 123, 175
Pius XI., Papst 15
Plessen, Hans von 156
Pressel, Wilhelm 246
Propstei 205, 236, 285
Puchstein, Otto 217
Puchta, Georg Friedrich 83
Puttkammer, Johanna von 130
Puy, Raymond du 122, 262, 263

Radolin, Hugo Fürst von 234
Rampolla, Mariano, Marchese 230
Rathenau, Walther 223
Ratisbonne, Alphons Maria 170
Ratzel, Friedrich 236
Reinicke, Carl 132, 138 ff.
Reitz, Julius 137
Renard, Heinrich 256
Richard Löwenherz, König von
England 37, 270
Richthofen, Oswald Freiherr von 160
Ritter, Albert 269
Rohrbach, Paul 269
Rohrer (Tempelvorsteher) 285
Rosen, Friedrich 237, 243, 292
Rosen, Georg 81, 87, 88, 90, 91, 93,
101
Rößler (Vizekonsul) 260
Rothe, Richard 92
Rothschild, Baron 133, 167, 168, 291
Rothschild, Lionel 127
Rückert, Friedrich 79, 81
Rudolf I., Kaiser 131
Ruehs, Friedrich 61
Ruppin, Arthur 267
Russisch-Kirchliche Mission 85 ff.

Sachse, Heinrich 201
Sacy, Baron Silvestre de 79
Sadiq Bay 158, 215
Said Pascha 240
Saladin (Salah ed-Din), Sultan 112,
163, 214 ff., 231, 261
Salisbury, Marquess of 232
Salm-Reifferscheidt, Alfred Fürst zu
256, 258
Samuel, Herbert 292

Sancta Maria Latina Major 112, 182,
192
Scha'are Zedek 208
Schaefer, Carl Anton 269
Scherr, Johannes 211, 218
Schick, Conrad 67, 68, 73, 76, 103,
189, 236
Schiller, Friedrich 94
Schlicht, Carl 48, 53, 140, 145, 150,
151, 179, 205, 213
Schlieffen, Alfred Graf von 240, 265
Schmidt, Edmund 237, 243, 249, 251,
260, 267
Schmidt, Wilhelm 188, 203, 256, 259,
260
Schmidt (Maler) 270
Schmidt-Schule 16, 256
Schneider, Ladislaus 207
Schneller, Katharina 141
Schneller, Ludwig 101, 102, 124, 125,
133, 140, 141, 143 ff., 150, 176, 178,
185, 190, 191, 205, 236, 264, 274,
289, 290, 294 ff.
Schneller, Johann Ludwig 88 ff., 97,
189, 264
Schneller, Theodor 205, 260, 286,
290
Schnitzler, Arthur 201
Schober, Ildephonsus 254
Schoen, Wilhelm Freiherr von 241
Schuhmacher (Archäologe) 286
Schultz, Ernst Gustav 66, 67, 81
Schurz, Carl 100
Schuwalow, Peter Graf 125
Schwerin-Sophienhof, Graf von 283
Seeckt, Hans von 279
Seidel, Ina 98
Selim III., Sultan 31, 238
Sellin, Ernst 286
Senden-Bibran, Gustav Freiherr von
157
Sèvres (Friedensvertrag von) 293
Siemens, Arnold von 252
Siemens, Georg von 272
Sigismund, Kaiser 20, 22, 131
Sigmund, Erzbischof von Magde-
burg 23

Sigmund, König von Polen 23, 24
Sion 12, 14, 172, 187 ff., 253 ff.
Sophie, Prinzessin von Preußen,
    Königin der Hellenen 149
Sophie Charlotte, Prinzessin von
    Preußen 243, 252
Sophie Luise, Königin in Preußen 27
Speckter, Erwin 43
Spittler, Christian Friedrich 67, 68,
    77, 88 ff., 92
Spitzemberg, Hildegard Freifrau von
    230, 238
Stahl, Friedrich Julius 83
Stangen, Ernst 245
St. Chrischona (Basel) 68
Stein zum Altenstein, Karl Freiherr
    von 42
Stienecke-Stellkampf, Oscar von 283
Stillfried, Rudolf Graf von Alcan-
    tara und Rattonitz 130, 132
Strauß, David Friedrich 49, 96
Strauß, Friedrich Adolf 63, 74
Streckfuß, Adolf Friedrich Karl 62
Stresemann, Gustav 297
Suezkanal 103, 106, 113, 126, 246,
    274, 279, 281
Sykes-Picot-Abkommen 291
Syrisches Waisenhaus (Schneller-
    Schule) 91, 103, 125, 145, 177, 189,
    191, 195, 205, 258, 264, 265, 285,
    286, 290, 294

Talaat Pascha 288
Talitha kumi (s. auch Kaisers-
    werther Mädchenschule) 135, 203,
    237, 266, 285
Tankred, der Normanne 270
Tel Aviv 267
Templer (Tempelfreunde, Tempel-
    gesellschaft, s. auch Deutscher
    Tempel) 94 ff., 137, 168, 169, 172,
    205, 206, 250, 264, 266, 267, 285
Tettau, Freiherr von 107
Tetzel, Johannes 24
Thadden, Adolf von 68
Theodorus II., Kaiser von
    Abessinien 144

Thile, Ludwig Gustav von 62
Tirpitz, Alfred 154
Tischendorf, Konstantin von 141
Tischendorf, Paul von 133, 140, 142,
    207, 237
Treitschke, Heinrich von 45, 100, 224
Treuenfels, Abraham 93
Turkish Petroleum Company 277,
    278, 291

Umberto I., König von Italien 155
Usedom, Guido von 187
Uspenski, Porfirij 85 ff.

Valentiner, Friedrich Peter 72, 73,
    76, 77, 92
Valerga, Josef, Patriarch 85
Varnbüler, Axel Freiherr von 223
Verkündigungskirche (Nazareth) 261
Verona (Kongreß von) 38
Versailler Vertrag 289, 294
Victor Emanuel II., König von
    Italien 106
Victoria, Königin von England 53,
    56, 105, 114, 128, 223, 239
Victoria, Kronprinzessin von
    Preußen, »Kaiserin Friedrich« 105,
    142, 143
Virchow, Rudolf 121
Vischer, Friedrich Theodor 92
Vittali (Hofkünstler) 270

Wagner, Richard 167
Wallach, Mosche 208, 267
Wallenstein, Albrecht von, Herzog
    von Friedland 26
Wangenheim, Hans Freiherr von 238
Watzinger, Carl 286
Wedekind, Frank 231
Wedel, Graf von 158
Weihnachtskirche (Bethlehem) 151,
    176, 177
Weil, Gustav 79
Weinberg, Jehuda Louis 209
Wendelinus (Archäologe) 261
Werner, Anton von 125
Weser, Hermann 119, 120, 189

Wessel, Ludwig 289
Wetzstein, Johann Gottfried 81
Wichern, Johann Heinrich 68, 70, 71, 82
Wiegand, Theodor 238, 283
Wilhelm I., Kaiser und König 32, 101, 105, 115 ff., 119, 121 ff., 126, 131, 140, 142, 144, 145, 150, 160, 224, 228, 251, 271, 289
Wilhelm II., Kaiser und König 8, 9, 12, 14, 16 ff., 22, 110, 142 ff., 151, 153 ff., 163 ff., 175 ff., 187 ff., 204 ff., 214 ff., 222, 227 ff., 233, 239, 243, 247, 249, 252, 254, 259, 261 ff., 268, 270 ff., 278, 286, 289, 290, 293 ff.
Wilhelm I., König von Württemberg 95
Wilhelm II., König von Württemberg 218
Wilhelm, Erbprinz von Hohenzollern 150
Wilhelm, Kronprinz von Preußen 252

Wilhelm, Kurt 17
Wilhelmina, Königin der Niederlande 186
Winckelmann, Johann Joachim 30
Wirth, Joseph 292
Wittenberg 22, 42, 70, 92, 183, 225, 229
Wolfort, Philipp Ludwig 61
Wöllner, Johann Christoph von 31

York, Ludwig 39

Zedlitz und Trützschler, Robert Graf von 153
Zeller, Christian Heinrich 68
Zeller, Maria 65
Zeller (Missionar) 150
Zepharovich, Ludwig Ritter von 260
Zieten-Schwerin, Graf von 146, 176, 182, 204
Zionismus 201, 202, 237
Zions-Friedhof 52, 140, 236